KNIHA-SPOLOČNÍK

Mária Piťová

Malý ANGLICKO-SLOVENSKÝ a SLOVENSKO-ANGLICKÝ slovník

KNIHA - SPOLOČNÍK

Autor: © Mgr. Mária Piťová 2001
Vydalo: © Vydavateľstvo KNIHA-SPOLOČNÍK 2001
Grafická úprava: Karol Trtík
ISBN: 80-88814-21-9

Úvod

Tento malý obojstranný slovník obsahuje základnú slovnú zásobu s cieľom pomôcť používateľovi správne vybrať slová pri čítaní anglických textov, prekladaní textu z angličtiny do slovenčiny a naopak. Slovník je predovšetkým určený pre začiatočníkov a mal by slúžiť ako doplňujúca pomôcka pri výučbe anglického jazyka na základných školách.

V časti anglicko-slovenskej ako aj v slovensko-anglickej sú heslá zoradené v abecednom poriadku. Frazeologické zvraty sú označené • a vyznačené sú *kurzívou*. V anglicko-slovenskej časti sa výslovnosť uvádza v hranatých zátvorkách a za východisko slúžil predovšetkým Longman Dictionary of Contemporary English.

S malým rozsahom tohto slovníka súvisí aj užšie vymedzenie hesiel a aj príslušnej frazeológie. Slovník je doplnený zoznamom skratiek a anglickou abecedou. Za heslármi oboch častí nasleduje zoznam nepravidelných slovies v angličtine a stručný prehľad anglickej gramatiky.

Autor

Január 2001

Skratky

anat.	- anatómia
bot.	- botanika
div.	- divadelný
film.	- filmový
geom.	- geometrický
gram.	- gramatický
hovor.	- hovorový
hud.	- hudobný
lek.	- lekársky
mat.	- matematický
skr.	- skratka
šach.	- šachový
šport.	- športový
voj.	- vojenský
zool.	- zoológia

Gramatické skratky

n.	- podstatné meno
v.	- sloveso
adj.	- prídavné meno
adv.	- príslovka
prep.	- predložka
num.	- číslovka
interj.	- citoslovce
conj.	- spojka
pron.	- zámeno

The English alphabet

A	[ei]	**J**	[džei]	**S**	[es]
B	[bi:]	**K**	[kei]	**T**	[ti:]
C	[si:]	**L**	[el]	**U**	[ju:]
D	[di:]	**M**	[em]	**V**	[vi:]
E	[i:]	**N**	[en]	**W**	[dablju:]
F	[ef]	**O**	[əu]	**X**	[eks]
G	[dži]	**P**	[pi:]	**Y**	[wai]
H	[eič]	**Q**	[kju:]	**Z**	[zed]
I	[ai]	**R**	[a:]		

Anglicko-slovenský slovník

A

a, an [ə, ən] **1.** pred samohláskou *an* neurčitý člen **2.** jeden
aback [ə'bæk] adv. vzadu
abbreviation [ə,bri:vi'eišn] n. skratka
ABC [,ei bi:'si:] n. **1.** abeceda **2.** základy
ability [ə'biliti] n. schopnosť, zručnosť
able [eibl] adj. **1.** schopný **2.** vynikajúci
able-bodied [,eibəl'bodid] adj. fyzicky schopný
abnormal [æb'no:məl] adj. výnimočný
aboard [ə'bo:d] prep. na palube/palubu, do/vo vlaku, v lietadle • *all aboard!* nastupovať!
abolish [ə'boliš] v. zrušiť
A-bomb [ei,bom] n. atómová bomba
aboriginal [,æbə'ridžənəl] adj. domorodý
about [ə'baut] prep. **1.** o **2.** pri **3.** asi
about adv. okolo
above [ə'bav] prep. nad • *above all* predovšetkým
above adv. **1.** hore **2.** vyššie
abrasion [ə'breizn] n. odrenina
abroad [ə'bro:d] adv. v zahraničí, do zahraničia • *go abroad* ísť do zahraničia
absence [æbsəns] n. **1.** neprítomnosť, absencia **2.** nedostatok čoho *of*
absent [æbsənt] adj. **1.** neprítomný **2.** chýbajúci
absolute [æbsəlu:t] adj. úplný
absolutely [æbsəlu:tli] adv. úplne
abundance [ə'bandəns] n. hojnosť, nadbytok
abuse [ə'bju:z] v. nadávať
abyss [ə'bis] n. priepasť
academic n. vysokoškolský učiteľ
academical [,ækə'demikəl] adj. vysokoškolský

academy [ə'kædəmi] n. inštitúcia, škola
accent [æksənt] n. prízvuk
accept [ək'sept] v. prijať
access [ækses] n. postoj do, k *to*
accident [æksidənt] n. **1.** dopravná nehoda **2.** náhoda • *by accident* náhodou
accidental [,æksi'dentəl] adj. náhodný
accommodate [ə'komədeit] v. ubytovať
accommodation [ə,komə'deišən] n. ubytovanie
accompany [ə'kampəni] v. **1.** odprevadiť **2.** sprevádzať
accordion [ə'ko:diən] n. harmonika
accountant [ə'kauntənt] n. účtovník
accurate [ækjurət] adj. presný
accustom [ə'kastəm] v. zvyknúť si
accustomed [ə'kastəmd] adj. zvyčajný
ache [eik] v. bolieť
ache n. bolesť
achieve [ə'či:v] v. **1.** dosiahnuť
achievement [ə'či:vmənt] n. **1.** výkon **2.** úspech
aching [eikiŋ] adj. boľavý
acquaintance [ə'kweintəns] n. **1.** zoznámenie **2.** známy človek
acquire [ə'kwaiə] v. získať
acrobat [ækrobæt] n. akrobat
acrobatic [,ækrə'bætik] adj. akrobatický
across [ə'kros] adv. **1.** krížom **2.** na druhú stranu, na druhej strane
across prep. cez
act [ækt] v. **1.** správať sa **2.** hrať divadlo
act n. **1.** čin, skutok **2.** zákon **3.** dejstvo *divadelné*
activity [æk'tivəti] n. činnosť, aktivita
actor [æktə] n. herec
actress [æktrəs] n. herečka

actual [æktjuəl] adj. skutočný
add [æd] v. **1.** pridať **2.** *add up* spočítať
adder [ædə] n. zmija
additional [ə'dišənəl] adj. dodatočný, ďalší
address [ə'dres] n. **1.** adresa **2.** prejav
address v. **1.** adresovať komu *to* **2.** osloviť
addressee [,ædre'si:] n. adresát
adjective [ædžəktiv] n. prídavné meno
adjoin [ə'džoin] v. susediť
admirable [ædmərəbəl] adj. obdivuhodný, veľkolepý
admiral [ædmərəl] n. admirál
admiration [,ædmə'reišən] n. obdiv
admire [əd'maiə] v. obdivovať
admirer [əd'mairə] n. obdivovateľ
admit [əd'mit] v. prijať do *into*
admittance [əd'mitəns] n. vstup, prístup • *no admittance* vstup zakázaný
admonish [əd'moniš] v. napomenúť
adolescence [,ædəu'lesnəs] n. dospievanie
adolescent [,ædəu'lesənt] adj. dospievajúci, mladistvý
adore [ə'do:] v. zbožňovať, uctievať
adorn [ə'do:n] v. ozdobiť
adornment [ə'do:nmənt] n. ozdoba
adult [ædalt] n. dospelý človek
advance [əd'va:ns] v. **1.** postúpiť vpred *on* **2.** posunúť dopredu
advance n. **1.** postup **2.** pokrok
advanced [əd'va:nst] adj. pokročilý
advancement [əd'va:nsmənt] n. pokrok
advantage [əd'va:ntidž] n. výhoda

advantageous [ˌædvənteidžəs] adj. výhodný
adventure [əd´venčə] n. dobrodružstvo
adventurer [əd´venčrə] n. dobrodruh
adventurous [əd´venčrəs] adj. dobrodružný
adverb [ædvə:b] n. príslovka
advertisement [əd´və:təsmənt] n. **1.** reklama **2.** inzerát
advice [əd´vais] n. rada
advisable [əd´vaizəbəl] adj. vhodný
advise [əd´vaiz] v. radiť
adviser [əd´vaizə] n. poradca
advocate [ædvəkət] n. advokát
advocate [ædvəkeit] v. obhajovať
aerial [eəriəl] n. anténa
aerial adj. vzdušný, letecký
aerobics [eə´rəubiks] n. aerobik
aeroplane [eərəplein] n. lietadlo
aesthetical [i:s´θəetikəl] adj. estetický
aesthetics [i:sθi:ts] n. estetika
afar [ə´fa:] adv. v diaľke, ďaleko • *from afar* z diaľky
affable [æfəbl] adj. prívetivý
affair [ə´feə] n. záležitosť, vec
affect [ə´fekt] v. **1.** pôsobiť na, dojať **2.** ovplyvniť
affectation [ˌæfek´teišən] n. pretvárka
affection [ə´fekšən] n. **1.** náklonnosť **2.** láska
affiance [ə´faiəns] v. zasnúbiť
affirm [ə´fə:m] v. **1.** tvrdiť **2.** vyhlásiť
affirmative [ə´fə:mətiv] adj. kladný
affix [ə´fiks] v. pripojiť
affluence [æfluəns] n. hojnosť, nadbytok
afflux [æflaks] n. príliv

afford [ə´fo:d] v. dovoliť si
afraid [ə´freid] adj. vyľakaný • *be afraid of* báť sa koho, čoho • *I´m afraid* bohužiaľ
Africa [æfrikə] n. Afrika
African [æfrikən] n. Afričan
African adj. africký
after [a:ftə] prep. **1.** po **2.** za • *day after day* deň čo deň
after adv. neskôr
aftercare [a:ftəkeə] n. domáce ošetrovanie
afternoon [,a:ftə´nu:n] n. popoludnie
aftershave [a:ftəšeiv] n. voda po holení
afterwards [a:ftəvədz] adv. potom, neskôr
again [ə´gen] adv. opäť, znovu
against [ə´genst] prep. proti
age [eidž] n. **1.** vek **2.** staroba
age v. starnúť
agency [eidžənsi] n. agentúra
agent [eidžənt] n. zástupca
aggresion [ə´grešən] n. útok
aggresive [ə´gresiv] adj. útočný
aggressor [ə´gresə] n. útočník
ago [ə´gəu] prep. pred *časovo* • *long ago* dávno • *some time ago* pred časom
agrarian [ə´greəriən] adj. poľnohospodársky
agree [ə´gri:] v. súhlasiť
agreement [ə´gri:mənt] n. súhlas
agriculture [ægri,kalčə] n. poľnohospodárstvo
agricultural [,ægrikalčərəl] adj. poľnohospodársky
ahead [ə´hed] adv. **1.** vpredu **2.** dopredu • *go ahead* pokračuj
aid [eid] v. pomáhať, pomôcť
aid n. **1.** pomoc **2.** pomôcka
ail [eil] n. bolesť

aim [eim] v. mieriť, cieliť na

aim n. cieľ

air [eə] n. **1.** vzduch **2.** ovzdušie • *by air* lietadlom • *on the air* v rozhlase • *in the open air* v prírode

air v. vetrať

airbase [eəbeis] n. letecká základňa

aircraft [eəkra:ft] n. lietadlo

aircrew [eəkru:] n. posádka lietadla

airline [eəlain] n. *airlines* aerolínie, letecká spoločnosť

airmail [eəmeil] n. letecká pošta

airport [eəpo:t] n. letisko

air raid [eə reid] n. letecký útok, nálet

airway [eəwei] n. **1.** letecká linka **2.** *airways* letecká spoločnosť

airy [eəri] adj. vzdušný

alarm [ə'la:m] n. poplach

alarm clock [ə'la:m klok] n. budík

album [ælbəm] n. album

alcohol [ælkəhol] n. alkohol

alien [eiliən] adj. cudzí

alien n. cudzinec

alike [ə'laik] adj. podobný, rovnaký

alike adv. rovnako, tak isto

alive [ə'laiv] adj. živý, nažive

all [o:l] pron. **1.** celý, všetok **2.** každý

all adv. celkom, úplne • *after all* koniec koncov • *all of us* my všetci • *all over the world* na celom svete • *all about* predovšetkým • *not at all* vôbec nie

all n. všetko, všetci

allay [ə'lei] v. utíšiť

alley [æli] n. aleja

alligator [æligeitə] n. aligátor

allow [ə'lau] v. **1.** dovoliť, povoliť **2.** nechať

all right [,o:l'rait] adv. **1.** v poriadku **2.** dobre
all right adj. **1.** dobrý **2.** vhodný
allure [ə'ljuə] v. lákať, prilákať
ally [ə'lai] v. spojiť sa
almond [a:mənd] n. mandľa
almost [o:lməust] adv. skoro, takmer
alone [ə'ləun] adj. **1.** sám **2.** jediný
along [ə'loŋ] prep. po, pozdĺž
along adv. **1.** ďalej, dopredu **2.** spolu
aloud [ə'laud] adv. nahlas, hlasno
alphabet [ælfəbet] n. abeceda
alphabetical [,ælfə'betikəl] adj. abecedný
alpinism [ælpinizm] n. horolezectvo
alpinist [ælpinist] n. horolezec
already [o:l'redi] adv. už
also [o:lsəu] adv. tiež
altar [o:ltə] n. oltár
although [o:l'đəu] conj. hoci
altitude [æltətju:d] n. nadmorská výška
alto [æltəu] n. alt
altogether [,o:ltə'geđə] adv. celkom, úplne
always [o:lwəz, o:lweiz] adv. **1.** vždy **2.** navždy **3.** stále
am [m, əm] v. som
a.m. [,ei 'em] skr. *ante meridiem* ráno, dopoludnia
amaze [ə'meiz] v. udiviť, prekvapiť
amazement [ə'meizmənt] n. úžas, prekvapenie
amazing [ə'meiziŋ] adj. prekvapujúci
ambassador [æm'bæsədə] n. veľvyslanec
ambition [æm'bišən] n. ctižiadosť, ambícia
ambitious [æm'bišəs] adj. ctižiadostivý, ambiciózny

anticipation [æn,tisi'peišən] n. predtucha
antiquarian [,ænti'kweəriən] adj. starožitný
antiquary [æntikwəri] n. starožitník
antique [æn'ti:k] adj. **1.** starobylý, starodávny **2.** staroveký, antický
antique n. starožitnosť
antiquity [æn'tikwiti] n. starovek, antika
anxiety [æŋ'zai'əti] n. úzkosť, strach
anxious [æŋkšəs] adj. plný úzkosti, strachu
any [eni] determ., adv., pron. **1.** akýkoľvek, ktorýkoľvek, hociktorý, každý **2.** *v otázke* nejaký **3.** *po zápore* žiadny, nijaký • *at any time* kedykoľvek • *in any case* v každom prípade
any adv. **1.** *v otázke* trochu **2.** *po zápore* nič
anybody [eni,bodi] pron. ktokoľvek, nikto
anyhow [enihau] adv. v každom prípade, akokoľvek
anyone [eniwan] pron. ktokoľvek, niekto, nikto
anything [eniθiŋ] pron. čokoľvek, hocičo, nič
anyway [eniwei] adv. akokoľvek
anywhere [eniweə] adv. **1.** kdekoľvek, niekde, niekam **2.** nikde, nikam
apart [ə'pa:t] adv., adj. **1.** stranou, bokom **2.** oddelene
apartment [ə'pa:tmənt] n. izba
ape [eip] n. opica bez chvosta
apologize [ə'polədžaiz] v. ospravedlniť sa
apology [ə'polədži] n. ospravedlnenie
apparatus [,æpə'reitəs] n. prístroj, zariadenie
apparent [ə'pærənt] adj. **1.** zjavný, očividný **2.** zdanlivý
appeal [ə'pi:l] n. žiadosť,

prosba
appeal v. žiadať
appear [ə'piə] v. **1.** objaviť sa **2.** zdať sa
appearance [ə'piərəns] n. vzhľad
appetite [æpətait] n. chuť *do jedla*
applaud [ə'plo:d] v. tlieskať
applause [ə'plo:z] n. potlesk
apple [æpəl] n. jablko • *apple pie* jablkový ko-láč • *apple tree* jabloň
appliance [ə'plaiəns] n. zariadenie, prístroj • *domestic appliances* domáce spotrebiče
applicant [æplikənt] n. žiadateľ
application [,æpli'keišən] n. **1.** žiadosť **2.** prihláška • *application form* žiadosť
apply [ə'plai] v. uchádzať sa, žiadať
appoint [ə'point] v. dohodnúť si, stanoviť si
appointment [ə'pointmənt] n. dohodnuté stretnutie, schôdzka
appraisal [ə,preizəl] n. odhad, ocenenie
appraise [ə'preiz] v. odhadnúť, oceniť
apprehension [,æpri'henšən] n. pochopenie, porozumenie
apprehensive [,æpri'hensiv] adj. chápavý
apprise [ə'praiz] v. oboznámiť
approach [ə'prəuč] v. **1.** priblížiť sa **2.** pristúpiť k
appropriate [ə'prəupriət] adj. vhodný
approval [əpru:vəl] n. súhlas
approve [ə'pru:v] v. **1.** súhlasiť **2.** schváliť
apricot [eiprəkot] n. marhuľa
April [eiprəl] n. apríl • *in April* v apríli
aquarelle [,ækwə'rel]

n. akvarela
aquarium [ǝ'kweǝriǝm] n. akvárium
aquatic [ǝ'kwætik] adj. vodný
aqueduct [ækwidakt] n. vodovod
Arab [ærǝb] n. Arab
Arabian [ǝ'reibiǝn] adj. arabský
arable [ærǝbǝl] adj. orný
arch [a:č] n. **1.** oblúk **2.** klenba
arch v. **1.** klenúť sa **2.** ohnúť
archaeological [,a:kiǝ'lodžikǝl] adj. archeologický
archaeologist [,a:ki'olǝdžist] n. archeológ
archaeology [,a:ki'olǝdži] n. archeológia
archaic [a:'keiik] adj. starobylý
archipelago [,a:kǝ'pelǝgǝu] n. súostrovie
architect [a:kitekt] n. architekt
architecture [a:kǝtekčǝ] n. architektúra, staviteľstvo
archive [a:kaiv] n. archív
archivist [a:kivist] n. archivár
Arctic [a:ktik] adj. **1.** arktický, polárny **2.** ľadový
Arctic [a:ktik] n. *the Arctic* Arktída
are [ǝ, a:] v. si, sme, ste, sú
area [eǝriǝ] n. **1.** obsah **2.** plocha, priestor **3.** oblasť
arena [ǝ'ri:nǝ] n. aréna
argue [a:gju:] v. **1.** hádať sa **2.** obhajovať
argument [a:gjǝmǝnt] n. **1.** hádka, spor **2.** dôvod
arise [ǝ'raiz] *arose, arisen* v. vzniknúť, objaviť sa
arithmetic [,ǝriθmǝtik] n. aritmetika
armchair [a:mčeǝ] n. kreslo
armed [a:md] adj. ozbrojený • *armed robbery* ozbrojené prepadnutie
arms [a:mz] n. zbrane
army [a:mi] n. armáda
aroma [ǝ'rǝumǝ] n. vôňa

around [ə'raund] adv. **1.** okolo, dookola **2.** tu, nablízku • *all around* všade okolo
around prep. okolo, dookola
arrange [ə'reindž] v. **1.** usporiadať, upraviť **2.** dohodnúť sa **3.** zariadiť
arrest [ə'rest] v. zatknúť
arrival [ə'raivəl] n. príchod • *on arrival* po príchode
arrive [ə'raiv] v. prísť
arrow [ærəu] n. **1.** šíp **2.** šípka
art [a:t] n. umenie
article [a:tikəl] n. **1.** predmet, časť **2.** článok **3.** *gram.* člen
articulation [a:,tikju'leišən] n. výslovnosť
artist [a:təst] n. **1.** umelec **2.** artista
arts [a:ts] n. umenie
as [əz, æz] adv. ako
as conj. **1.** *pri porovnaní* ako **2.** keď, zatiaľ čo **3.** pretože **4.** akokoľvek, aj keď • *as... as...* tak... ako...
ash [æš] n. popol
ashamed [ə'šeimd] adj. zahanbený • *be ashamed* hanbiť sa
ashore [ə'šo:] adv. na breh, na brehu
ashtray [æštrei] n. popolník
Asia [eišə] n. Ázia
Asian [eišən] adj. ázijský
ask [a:sk] v. **1.** pýtať sa **2.** žiadať, požadovať
asleep [ə'sli:p] adj. spiaci • *fall asleep* zaspať
asphalt [æsflt] n. asfalt
aspic [æspik] n. rôsol, huspenina
ass [æs] n. somár
assemble [ə'sembəl] v. **1.** zhromaždiť (sa) **2.** zložiť, zmontovať
assimilation [ə,simi'leišən] n. asilimácia, prispôsobenie
assist [ə'sist] v. pomôcť

v *in*, s *with*
assistance [ə´sistəns] n. pomoc
assistant [ə´sistənt] n. pomocník • *assistant-shop* predavač, predavačka
association [ə,səusi´eišən] n. asociácia, združenie
assort [ə´so:t] v. triediť
assume [ə´sju:m] v. **1.** predpokladať **2.** predstierať
assure [ə´šuə] v. **1.** uistiť, sľúbiť **2.** poistiť
aster [æstə] n. astra
asthma [æsmə] n. astma
astonish [ə´stoniš] v. udiviť, prekvapiť
astonishment [əs´tonišmənt] n. údiv, úžas
astonishing [əs´tonišiŋ] adj. úžasný
astral [æstrəl] adj. hviezdny
astrology [ə´strolədži] n. astrológia
astronaut [æstrəno:t] n. kozmonaut, astronaut
astronomy [ə´stronəmi] n. astronómia
at [ət, æt] prep. **1.** v, na u, pri *miestne* **2.** o, na, v *časovo* • *at 10 o´clock* o desiatej
athlete [æθli:t] n. atlét, športovec
athletics [æθ´letiks] n. atletika
Atlantic [ət´læntik] adj. atlantický • *the Atlantic Ocean* Atlantický oceán
atlas [ætləs] n. atlas
atmosphere [ætməsfiə] n. atmosféra, ovzdušie
atom [ætəm] n. atóm
atom bomb [ætəm bom] n. atómová bomba
atomic [ə´tomik] adj. atómový
attack [ə´tæk] v. napadnúť, útočiť
attack n. útok
attempt [ə´tempt] v. pokúsiť sa
attend [ə ´tend] v. **1.** zúčastniť sa, navštevovať **2.** obsluhovať, ošetrovať **3.** dávať pozor na *on*

attendance [ə ´tendəns] n. 1. účasť, dochádzka 2. počet prítomných 3. obsluha, starostlivosť, ošetrenie
attendant [ə ´tendənt] n. 1. sprievodca 2. dozorca 3. sluha, opatrovateľka, ošetrovateľ
attention [ə ´tenšən] n. 1. pozor 2. pozornosť, opatera • *pay attention to* venovať pozornosť komu, čomu
attentive [ə ´tentiv] adj. 1. pozorný 2. zdvorilý, láskavý
attest [ə ´test] v. overiť
attic [ætik] n. podkrovie
attract [ə ´trækt] v. priťahovať, lákať
attractive [ə ´træktiv] adj. príťažlivý, pôvabný
attribute [ætrəbju:t] n. vlastnosť
audience [o:diəns] n. publikum, diváci
auditorium [,o:də´to:riəm] n. hľadisko, sála
August [o:gəst] n. august • *in August* v auguste
aunt [a:nt] n. teta
Australia [o´streiliə] n. Austrália
Australian [o´streiliən] n. Austrálčan
Australian adj. austrálsky
Austria [ostriə] n. Rakúsko
Austrian [ostriən] n. Rakúšan
Austrian adj. rakúsky
author [o:θə] n. autor, spisovateľ
autograph [o:təgra:f] n. autogram
automatic [,o:tə´mætik] adj. automatický
automatization [o:,tomətai´zeišən] n. automatizácia
autumn [o:təm] n. jeseň • *in autumn* na jeseň
auxiliary [o:g´ziljəri] adj. pomocný
avalanche [ævəla:nš] n. lavína

avaricious [,ævə´rišəs] adj. lakomý
avenue [ævənju:] n. trieda, avenue
aversion [ə´və:šən] n. odpor
avocation [,ævəu´keišən] n. záľuba
avoid [ə´void] v. vyhnúť sa, vyvarovať sa
await [ə´weit] v. očakávať, čakať
awake [ə´weik] *awoke/awaked, awoken* v. zobudiť sa
away [ə´wei] adv. **1.** preč **2.** ďaleko
awful [o:fəl] adj. hrozný, strašný
axe [æks] n. sekera

B

baby [beibi] n. bábätko, dojča

baby-sitter [beibi ,sitə] n. opatrovateľka detí

bachelor [bæčlə] n. starý mládenec 2. bakalár *univerzitná hodnosť*

bacillus [bə'siləs] n. bacil

back [bæk] n. **1.** chrbát **2.** zadná časť **3.** operadlo **4.** obranca

back adv. **1.** späť, naspäť **2.** vzadu, dozadu

back adj. **1.** zadný **2.** oneskorený

back v. cúvať

backbone [bækbəun] n. chrbtica

background [bækgraund] n. pozadie • *in the background* v pozadí

backward [bækwəd] adj. spätný

bacon [beikən] n. slanina

bad [bæd] *worse, worst* adj. **1.** zlý **2.** chorý **3.** pokazený

badge [bædž] n. odznak

badger [bædžə] n. jazvec

badly [bædli] *worse, worst* adv. zle **2.** vážne, ťažko

badminton [bædmintən] n. bedminton

bag [bæg] n. **1.** vrece, vrecko **2.** taška, kabela, kabelka

bagpipe [bægpaip] n. dudy

bake [beik] v. piecť (sa)

baker [beikə] n. pekár • *at the baker's* v pekárni

bakery [beikəri] n. pekáreň

balance [bæləns] n. rovnováha • *keep the balance* udržať rovnováhu • *lost the balance* stratiť rovnováhu

balcony [bælkəni] n. balkón

bald [bo:ld] adj. plešatý

ball [bo:l] n. **1.** lopta **2.** klbko **3.** ples

ballad [bæləd] n. balada

ballerina [,bælə'ri:nə] n. baletka

ballet [bælei] n. balet

balloon [bə'lu:n] n. **1.** balón, balónik **2.** bublina

bamboo [bæm'bu:] n. bambus

ban [bæn] v. zakázať, vyhnať
banana [bə'na:nə] n. banán
band [bænd] n. **1.** stuha, stužka **2.** pás, pásik, prúžok
band n. **1.** banda **2.** skupina, kapela
band v. *band together* spolčiť sa, združiť sa
bandage [bændidž] n. obväz
bandit [bændət] n. lupič, bandita, zbojník
bang [bæŋ] v. udrieť, buchnúť
bang n. **1.** rana **2.** úder
banister [bænəstə] n. *banisters* zábradlie na schodišti
banjo [bændžəu] n. bendžo
bank [bæŋk] n. **1.** banka **2.** zásoba **3.** breh *rieky*
bank note [bæŋk nəut] n. bankovka
banquet [bæŋkwət] n. slávnostná hostina
baptism [bæptizm] n. krst
baptize [bæp'taiz] v. krstiť
bar [ba:] n. **1.** tyč, tyčinka **2.** závora **3.** zábradlie
bar v. **1.** zavrieť *na závoru* **2.** zatarasiť
barber [ba:bə] n. holič *pánsky* • *barber's* holičstvo
bare [beə] adj. **1.** holý, nahý, bosý **2.** čistý **3.** prázdny
barely [beəli] adv. sotva, ťažko
bark [ba:k] v. brechať, štekať
bark n. brechot, štekot
bark n. kôra stromu
barley [ba:li] n. jačmeň
barn [ba:n] n. stodola
barracks [bærəks] n. kasárne
barrage [bæra:ž] n. priehrada vodná
barrel [bærəl] n. sud
barricade [bærəkeid] n. barikáda
barrier [bæriə] n. ohrada, prekážka
basic [beisik] adj. **1.** hlavný **2.** základný
basics [beisiks] n.základy
basin [beisən] n. **1.** kuchynská misa **2.** umývadlo **3.** nádrž, bazén

bask [ba:sk] v. slniť sa, vyhrievať sa
basket [ba:skət] n. kôš, košík
basketball [ba:skətbo:l] n. basketbal
bass [beis] n. **1.** bas *hlas*, *hud.* tón **2.** basa *hudobný nástroj*
bat [bæt] n. netopier
bath [ba:θ] n. **1.** vaňa **2.** kúpeľ • *have a bath* vykúpať sa
bath v. kúpať (sa)
bathe [beiđ] v. kúpať sa v rieke, mori
bathing costume [beiθiŋ,-kostju:m] n. plavky *dámske*
bathrobe [ba:θrəub] n. kúpací plášť
bathroom [ba:θrum] n. kúpeľňa
baton [bæton] n. **1.** taktovka **2.** štafetový kolík
batter n. tekuté cesto • *pancake batter* palacinkové cesto
battle [bætl] n. bitka, boj, zápas
battle v. bojovať, zápasiť
battlefield [bætlfi:ld] n. bojisko
bay [bei] n. záliv, zátoka
be [bi, bi:] v. **1.** pomocné sloveso **2.** byť, existovať
beach [bi:č] n. pláž, pobrežie • *on the beach* na pláži
beacon [bi:kən] n. **1.** vatra **2.** maják **3.** svetelné znamenie pre chodcov
beak [bi:k] n. zobák
beam [bi:m] n. trám, hrada
beam n. lúč
beam v. žiariť
bean [bi:n] n. bôb, fazuľa
bear [beə] n. medveď
bear *bore, borne* v. **1.** nosiť, niesť **2.** uniesť *váhu*
beard [biəd] n. chlpy *na brade*
beat [bi:t] *beat, beaten* v. **1.** biť, tĺcť **2.** poraziť
beat n. **1.** úder, pulz **2.** tikot hodín **3.** bubnovanie **4.** tempo, takt
beating [bi:tiŋ] n. **1.** bitka **2.** porážka

beautiful [bju:təfəl] adj. krásny
beauty [bju:ti] n. krása
beaver [bi:və] n. **1.** bobor **2.** bobria kožušina
becalm [bi'ka:m] v. utíšiť
because [bi'koz] conj. pretože • *because of* pre, kvôli
become [bi'kam] *became, become* v. stať sa
bed [bed] n. **1.** posteľ, lôžko **2.** dno **3.** záhon • *time for bed* čas ísť spať
bedclothes [bedkləuđz] n. posteľná bielizeň
bedroom [bedrum] n. spálňa
bedspread [bedspred] n. prikrývka na posteľ
bedtime [bedtaim] n. čas na spanie
bee [bi:] n. včela
beech [bi:č] n. buk
beef [bi:f] n. hovädzie mäso • *beef-steak* biftek
beehive [bi:haiv] n. úľ
beer [biə] n. pivo
beet [bi:t] n. *sugar beet* cukrová repa
beetle [bi:tl] n. chrobák
before [bi'fo:] prep. pred
before adv. **1.** predtým, skôr **2.** dopredu, vpredu
before conj. **1.** (skôr) ako **2.** ako
beg [beg] v. **1.** žobrať **2.** prosiť • *I beg your pardon* prepáčte
beggar [begə] n. žobrák
begin [bi'gin] *began, begun* v. začať
beginning [bi'giniŋ] n. začiatok • *from beginning to end* od začiatku do konca
behave [bi'heiv] v. správať sa
behaviour [bi'heivjə] n. správanie
behind [bi'haind] prep. za, spoza
behind adv. **1.** vzadu **2.** pozadu
being [bi:iŋ] n. **1.** bytie, existencia **2.** bytosť
belated [bi'leitəd] adj. oneskorený

Belgium [beldžəm] n. Belgicko
believe [bi'li:v] v. veriť
bell [bel] n. zvon, zvonček
bellow [beləu] v. bučať
belly [beli] n. brucho, žalúdok • *bellyache* bolesti brucha
belong [bi'loŋ] v. patriť komu *to*
beloved [bi'lavd] adj. milovaný
below [bi'ləu] adv. **1.** dolu **2.** nižšie
below prep. pod
belt [belt] n. opasok, remeň
belt v. opásať
bemoan [bi'məun] v. oplakávať
bench [benč] n. lavica, lavička
bend [bend] *bent* v. **1.** ohnúť, zohnúť **2.** ohýbať
bend n. zákruta
beneath [bi'ni:θ] adv. naspodu, dole
beneath prep. pod
beneficent [bi'nefəsənt] adj. dobročinný
beneficial [,benə'fišəl] adj. užitočný, prospešný
benefit [benəfit] n. úžitok, osoh
benevolence [bi'nevələns] n. láskavosť
benevolent [bə'nevələnt] adj. zhovievavý
bent n. sklon, nadanie
beseech [bi'si:č] v. prosiť
beside [bi'said] prep. pri
besides [bi'saidz] adv. okrem toho
best n. **1.** to najlepšie **2.** tí najlepší • *all the best* všetko najlepšie
bet [bet] n. stávka
bet v. staviť (sa) na *on*
betray [bi'trei] v. **1.** zradiť **2.** prezradiť
betrayal [bi'treiəl] n. zrada
better n. **1.** to najlepšie **2.** ten najlepší
between [bi'twi:n] prep. medzi dvoma • *between you and me* medzi nami
bevy [bevi] n. stádo

bewail [bi´weil] v. oplakávať, nariekať

beware [bi´weə] v. dať pozor na *of*

beware n. opatrnosť

bewilder [bi´wildə] v. zmiasť

bewitch [bi´wič] v. okúzliť, očariť

beyond [bi´jond] adv. na druhej strane, na druhú stranu

beyond prep. **1.** za **2.** ďalej ako **3.** nad **4.** okrem

Bible [baibəl] n. Biblia

bibliographer [,bibli´ogrəfə] n. bibliograf

bibliography [,bibli´ogrəfi] n. životopis, bibliografia

bicycle [baisikəl] n. bicykel

bicycle v. bicyklovať sa

biennial [bai´enjlə] adj. dvojročný

big [big] adj. **1.** veľký **2.** významný

bike [baik] n. bicykel

bilberry [bilbəri] n. borievka

bilingual [bai´liŋgwəl] adj. dvojjazyčný

bill [bil] n. účet

bill n. zobák

billion [biljən] n. bilión

bin [bin] n. **1.** zásobník na uhlie **2.** nádoba

bind [baind] *bound* v. *bind up* obviazať

binoculars [bi´nokjələz] n. ďalekohľad

biography [bai´ogrəfi] n. životopis, biografia

biographical [,baiə´græfikəl] adj. životopisný

biography [,baiə´græfi] n. životopis

biological [,baiə´lodžikəl] adj. biologický

biologist [bai´olədžist] n. biológ

biology [bai´olədži] n. biológia

birch [bə:č] n. breza

bird [bə:d] n. vták

bird of prey [,bə:d əv ´prei] n. dravý vták, dravec

birth [bə:θ] n. **1.** pôrod, narodenie • *birthcertificate* rodný list **2.** pôvod

birthday [bə:θdei] n. naro-

deniny
birthmark [bə:θma:k] n. materské znamienko
birthplace [bə:θpleis] n. rodisko
biscuit [biskət] n. sušienka, keks, suchár
bit [bit] n. **1.** kúsok **2.** chvíľka
bite [bait] *bit, bitten* v. **1.** hrýzť **2.** štípať
bite n. **1.** sústo **2.** uhryznutie, uštipnutie
bitter [bitə] adj. horký
black [blæk] adj. **1.** čierny **2.** tmavý **3.** špinavý
black n. **1.** čierna farba **2.** černoch
blackberry [blækbəri] n. černica
blackbird [blækbə:d] n. škorec
blackboard [blækbo:d] n. školská tabuľa
blacken [blækən] v. sčernieť
black pepper [,blæk'pepə] n. čierne korenie
blacksmith [blæk,smiθ] n. kováč
blade [bleid] n. čepeľ noža
blame [bleim] v. **1.** viniť, dávať vinu **2.** zvaliť vinu na *on*
blame n. vina
blank [blæŋk] adj. čistý, prázdny
blank n. **1.** prázdne miesto **2.** slepý náboj
blanket [blæŋkət] n. **1.** prikrývka **2.** pokrývka, deka
blaze [bleiz] n. **1.** šľahajúci plameň **2.** požiar
blaze v. **1.** plápolať, šľahať
bleed [bli:d] *bled* v. **1.** krvácať **2.** odobrať krv
blender [blendə] n. mixér
bless [bles] *blessed/blest* v. požehnať
blessing [blesiŋ] n. požehnanie
blind [blaind] adj. slepý • *colourblind* farboslepý
blind v. oslepnúť
blindness [blaidnis] n. slepota
blink [bliŋk] v. žmurknúť

blink n. žmurknutie
blister [blistə] n. pľuzgier
blizzard [blizəd] n. fujavica, metelica
bloat [bləut] v. údiť
blob [blob] n. kvapka
block [blok] n. kváder, kocka • *block of flats* činžiak
blockade [blo'keid] n. blokáda
block letters [,blok 'letəz] n. paličkové písmo
blond [blond] adj. svetlovlasý, plavovlasý
blonde [blond] n. blondínka, plavovláska
blood [blad] n. krv
blood group [blad gru:p] n. krvná skupina
blood poisoning [blad ,poizəniŋ] n. otrava krvi
blood pressure [blad ,prešə] n. krvný tlak
bloody [bladi] adj. krvavý
bloom [blu:m] n. kvet
bloom v. kvitnúť
blossom [blosəm] n. kvet ovocného stromu
blossom v. kvitnúť
blot [blot] n. machuľa, škvrna
blot v. **1.** robiť machule **2.** vysať pijavým papierom
blotting paper [blotiŋ ,peipə] n. pijak, pijavý papier
blouse [blauz] n. blúzka
blow [bləu] *blew, blown* v. **1.** fúkať, viať **2.** odfúknuť, povievať **3.** vybiť *poistku* • *blow it!* aby to čert vzal • *blow out* sfúknuť
blue [blu:] adj. modrý
bluff [blaf] v. klamať, predstierať
blush [blaš] v. červenať sa
bluster [blastə] v. zúriť, vrieskať **2.** burácať
boar [bo:] n. **1.** kanec **2.** diviak
board [bo:d] n. **1.** lata **2.** tabuľa **3.** strava **4.** výbor • *on board* na palube, vo vlaku, v autobuse
board v. nastúpiť na *palubu, do vlaku, autobusu*
boarding school [bo:diŋ

sku:l] n. internátna škola
boast [bəust] v. chváliť sa, chvastať sa
boat [bəut] n. čln, loď, loďka
bob [bob] v. poskakovať
bobsleigh [bobslei] n. *šport.* boby
body [bodi] n. telo
bodyguard [bodiga:d] n. osobný strážca
bog [bog] n. močiar
boggle [bogl] v. vyľakať sa
boil [boil] v. variť (sa), vrieť
boiler [boilə] n. kotol
bolster [bəulstə] n. podhlavník
bomb [bom] n. bomba
bomb v. bombardovať
bomber [bomə] n. bombardér
bombard [bom´ba:d] v. bombardovať
bone [bəun] n. kosť
bonfire [bonfaiə] n. vatra
bonnet [bonət] n. kapota *auta*
boo [bu:] v. vypískať *koho*
book [buk] n. **1.** kniha **2.** zošit, blok
book v. *book up* rezervovať (si), objednať (si) • *book in* ubytovať sa v hoteli
bookcase [bukkeis] n. knižnica, knihovnička
booklet [buklət] n. brožúrka
bookseller [buk,selə] n. kníhkupec
bookshop [bukšop] n. kníhkupectvo
boot [bu:t] n. **1.** topánky *vysoké* • *bootlace* šnúrka do topánky
booth [bu:đ] n. **1.** stánok **2.** búdka
booty [bu:ti] n. korisť
border [bo:də] n. **1.** okraj, lem **2.** hranica
border v. **1.** hraničiť **2.** olemovať *čím*
borderline [bo:dəlain] n. hraničná čiara, hranica
bore 1. adj. nudný **2.** n. nuda
bore v. nudiť sa
born adj. **1.** narodený **2.** rodený
borrow [borəu] v. požičať si

od *from*

both [bəuθ] pron. obaja, obidvaja, jeden aj druhý • *both ... and...* aj ... aj ... • *both of us* my obaja

bother [bođə] v. robiť (si) starosti, trápiť

bother n. starosti

bottle [botl] n. **1.** fľaša **2.** pohár *kompótový* • *the bottled fruit* zavárané ovocie

bottom [botəm] n. **1.** dno • *at the bottom* na dne **2.** zadok

bounce [bauns] v. **1.** skákať **2.** odraziť sa

bounce n. **1.** rana, buchnutie **2.** odraz

bound n. skok, odraz

bound v. **1.** skákať **2.** odraziť sa

boundary [baundəri] n. hranica

bouquet [bəu'kei] n. kytica

boutique [bu:'ti:k] n. butik

bow [bau] v. **1.** *bow down* klaňať sa **2.** skloniť hlavu, kývnuť hlavou

bow n. úklon

bow n. **1.** luk **2.** sláčik **3.** mašľa

bowl [bəul] n. **1.** misa, miska **2.** váza, čaša

box [boks] n. **1.** krabica **2.** kazeta, debna **3.** búdka **4.** lóža

box v. zabaliť do krabice

box v. boxovať

boxing [boksiŋ] n. *šport.* box

Boxing Day [boksiŋ dei] n. 2. sviatok vianočný

boy [boi] n. chlapec

boyfriend [boifrend] n. priateľ, kamarát

boyhood [boihud] n. chlapčenské roky

boyish [boiiš] adj. chlapčenský

bra [bra:] n. podprsenka

bracelet [breislət] n. náramok

braces [breisəz] n. traky

bracket [brækət] n. zátvorka

brain [brein] n. **1.** mozog **2.** *brains* rozum

brainless [breinlis] adj. hlúpy

brake [breik] n. brzda
brake v. brzdiť
branch [bra:nč] n. **1.** vetva, konár **2.** rameno *rieky*, odbočka *cesty* **3.** pobočka
brave [breiv] adj. odvážny, statočný
bravery [breiværi] n. odvaha, statočnosť
Brazil [brə´zil] n. Brazília
bread [bred] n. chlieb • *bread and butter* chlieb s maslom
breadth [bredθ] n. šírka
break [breik] *broke, broken* v. **1.** rozbiť, zlomiť, roztrhnúť **2.** pokaziť **3.** prerušiť *break down* zničiť
break n. **1.** trhlina, puklina, otvor **2.** prestávka
breakdown [breikdaun] n. porucha
breakfast [brekfəst] n. raňajky • *have breakfast* raňajkovať • *make breakfast* pripraviť raňajky
breakout [breikaut] n. útek z väzenia
breast [brest] n. prsia
breath [breθ] n. **1.** dych **2.** dýchanie
breed [bri:d] *bred* v. chovať, pestovať
breed n. **1.** plemeno, rasa **2.** druh, typ
breeding [bri:diŋ] n. chov, pestovanie
breeze [bri:z] n. vánok
brewery [bru:əri] n. pivovar
brick [brik] n. tehla • *box of bricks* stavebnica
bricklayer [brik,leiə] n. murár
bride [braid] n. nevesta
bridegroom [braidgru:m] n. ženích
bridesmaid [braidzmeid] n. družička
bridge [bridž] n. **1.** most **2.** mostík *na lodi*
brief [bri:f] adj. **1.** krátky **2.** stručný • *in brief* stručne
brief n. krátka správa
briefcase [bri:fkeis] n. kufrík
brigade [bri´geid] n. brigáda
bright [brait] adj. **1.** jasný,

svetlý **2.** bledý
brilliant [briljənt] adj. **1.** žiarivý, jasný **2.** skvelý, vynikajúci
bring [briŋ] *brought* v. priniesť, doniesť • *bring-back* vrátiť, priniesť • *bring down* zostreliť • *bring up* vychovať
brisk [brisk] adj. čulý, živý
Britain [britən] n. Británia
British [britiš] adj. britský
Briton [britn] n. Brit
broad [bro:d] adj. **1.** široký **2.** rozsiahly
broadcast [bro:dka:st] n. rozhlas
broadcast v. vysielať
broaden [bro:dən] v. *broaden out* rozširovať (sa)
brochure [brəučuə] n. brožúra
broken adj. **1.** rozbitý **2.** pokazený
bronchitis [broŋ´kaitəs] n. zápal priedušiek
brook [bruk] n. potok
broom [bru:m] n. metla
brother [brađə] n. brat
brotherhood [brađəhud] n. bratstvo
brother-in-law [brađə in ˌlo:] n. švagor
brow [brau] n. obočie
brown [braun] adj. hnedý
bruise [bru:z] n. modrina
brush [braš] n. **1.** kefa, kefka **2.** štetec
brush v. **1.** kefovať, vyčistiť kefkou **2.** zamiesť metlou **3.** natrieť štetcom
bubble [babəl] n. bublina
bubble gum [babəl gam] n. žuvačka
buck [bak] n. jeleň, srnec, daniel, sob, cap
bucket [bakət] n. vedro, vedierko
buckle [bakəl] n. spona
bud [bad] n. puk, púčik
bud v. pučať
buffalo [bafələu] n. **1.** byvol **2.** bizón
buffet [bufe] n. bufet
build [bild] *built* v. stavať, budovať

builder [bildə] n. staviteľ
building [bildiŋ] n. budova
bulb [balb] n. žiarovka
bull [bul] n. býk
bullet [bulət] n. strela, náboj, guľka
bullfight [bulfait] n. býčí zápas
bullock [bulək] n. vôl
bumblebee [bambəlbi:] n. čmeliak
bump [bamp] v. naraziť, udrieť (sa)
bun [ban] n. sladké pečivo, buchta
bunch [banč] n. zväzok, strapec • *bunch of flowers* kytica
bung [baŋ] n. zátka
bungalow [baŋgələu] n. prízemný domček, chata
bunk [baŋk] n. **1.** lôžko na lodi, vo vlaku **2.** *bunk bed* poschodová posteľ
bunker [baŋkə] n. bunker
burble [bə:bəl] v. bublať, zurčať
burden [bə:dn] n. bremeno
burger [bə:gə] n. hamburger
burglar [bə:glə] n. zlodej, lupič
burgle [bə:gəl] v. vlámať sa
burial [beriəl] n. pohreb • *burialground* cintorín
burn [bə:n] *burnt/burned* v. **1.** horieť **2.** páliť **3.** popáliť **4.** svietiť
burn n. popálenina
burning [bə:niŋ] adj. **1.** horiaci **2.** pálivý
burrow [barəu] n. nora, brloh
bury [beri] v. pochovať
bus [bas] n. autobus
bush [buš] n. ker, krík
bus station [bas ˌsteišən] n. autobusová zastávka
busy [bizi] adj. **1.** zaneprázdnený **2.** zamestnaný
but [bət, bat] conj. **1.** ale (aj) **2.** že **3.** aby
but prep. okrem
but adv. len, iba
butcher [bučə] n. mäsiar • *butcher's* mäsiarstvo
butter [batə] n. maslo
butterfly [batəflai] n. motýľ

buttock [batək] n. zadok
button [batn] n. **1.** gombík **2.** tlačidlo
buy [bai] *bought* v. kúpiť
buyer [baiə] n. kupec
buzz [baz] v. bzučať
buzzard [bazəd] n. jastrab
by [bai] prep. **1.** pri **2.** popri, pozdĺž **3.** do • *on Monday* do pondelka **4.** podľa • *day by day* deň po dni • *by day* vo dne • *by the way* mimochodom
by adv. **1.** okolo **2.** vedľa
bye-bye [ˌbai ˈbai] interj. dovidenia
bypass [baipa:s] n. obchádzka,
byway [baiwei] n. vedľajšia cesta

C

cab [kæb] n. taxík • *cabman* taxikár
cabbage [kæbidž] n. kapusta
cabin [kæbən] n. **1.** kajuta **2.** kabína
cabinet [kæbənət] n.sekretár, skrinka
cable [keibəl] n.**1.** lano **2.** kábel
cable car [keibəl ka:] n. kabína lanovky
cable railway [keibəl ,reilwei] n. lanovka
cacao [kə'kau] n. kakao • *cacao-tree* kakaovník
cactus [kæktəs] pl. *cacti* [kæktai] n. kaktus
cafe [kæfei] n. kaviareň, reštaurácia bez alkoholických nápojov
cafeteria [,kæfə'tiəriə] n. bufet
cage [keidž] n. klietka
cake [keik] n. koláč, zákusok
calcium [kælsiəm] n. vápnik
calculate [kælkjəleit] v. **1.** vypočítať **2.** počítať
calculated [kælkjəleitəd] adj. zámerný, úmyselný
calculation [,kælkju'leišən] n. počítanie
calculator [kælkjəleitə] n. kalkulačka
calendar [kæləndə] n. kalendár
calf [ka:f] pl. *calves* [ka:vz] n. **1.** teľa **2.** lýtko
call [ko:l] v. **1.** volať **2.** predvolať, vyzvať, zavolať **3.** navštíviť, zastaviť sa kde *at* **4.** otvoriť, vyhlásiť **5.** pomenovať • *call in* zavolať lekára
call n. **1.** volanie **2.** výzva **3.** *telef.* hovor **4.** návšteva
call box [ko:l boks] n. telefónna búdka
calm [ka:m] adj. **1.** kľudný, tichý, pokojný **2.** bezveterný
calm n. **1.**ticho, pokoj **2.** bezvetrie
camel [kæməl] n. ťava
camera [kæmərə] n. kamera

cameraman [kæmərəmən] pl. *cameramen* n. kameraman, fotoreportér
camp [kæmp] n. tábor, kemping
camp v. táboriť, kempovať
campfire [kæmpfaiə] n. táborák, táborová vatra
campsite [kæmpsait] n. táborisko
can [kən, kæn] *could* v. môcť
can [kæn] n. plechovica
Canada [kænədə] n. Kanada
Canadian [kə,neidiən] n. Kanaďan
Canadian adj. kanadský
canal [kə'næl] n. prieplav, kanál
canary [kə'neəri] n. kanárik
cancel [kænsəl] v. **1.** zrušiť, odvolať **2.** preškrtnúť
candidate [kændədət] n. kandidát na *for*
candle [kændl] n. sviečka
candy [kændi] n. bonbón
canister [kænəstə] n. plechovica, plechová škatuľka
canned [kænd] adj. konzervovaný
cannery [kænəri] n. konzerváreň
cannibal [kænəbəl] n. ľudožrút
cannon [kænən] n. delo
cannon v. naraziť, vraziť
cannonade [,kænə'neid] n. delostreľba
canoe [kə'nu:] n. kanoe
can opener [kæn ,əupənə] n. otvárač na konzervy
canteen [kæn'ti:n] n. závodná jedáleň
canvas [kænvəs] n. plátno
cap [kæp] n. **1.** čiapka, čapica **2.** veko, vrchnák, uzáver
capability [,keipə'biləti] n. schopnosť, spôsobilosť
capable [keipəbəl] adj. **1.** schopný **2.** zdatný
capacious [kə'peišəs] adj. objemný, priestorný
capacity [kə'pæsəti] n. kapacita
cape [keip] n. plášť, pelerína
capital [kæpətl] n. **1.** hlavné

mesto **2.** veľké písmeno
capital adj. hlavný
capitalism [kæpətəlizəm] n. kapitalizmus
capitalistic [ˌkæpitə'listik] adj. kapitalistický
capitulate [kə'pitjuleit] v. vzdať sa, kapitulovať
capitulation [kəˌpitju'leišən] n. kapitulácia
capsule [kæpsju:l] n. púzdro
captain [kæptən] n. kapitán
caption [kæpšən] n. **1.** nadpis **2.** *film*ový titulok
captious [kæpšəs] adj. záludný
captivate [kæptəveit] v. upútať, okúzliť
captive [kæptiv] adj. zajatý, uväznený
captivity [kæp'təvəti] n. zajatie
capture [kæpčə] v. zajať
capture n. zajatie
car [ka:] n. **1.** auto • *police car* policajné auto • *racing car* závodné auto **2.** železničný vagón, vozeň
caramel [kærəməl] n. karamel
caravan [kærəvæn] n. **1.** obytný príves **2.** maringotka **3.** karavána
caraway [kærəwei] n. rasca
card [ka:d] n. **1.** karta • *a pack of cards* balíček kariet **2.** preukaz, legitimácia **3.** pohľadnica **4.** *card board* kartón **5.** navštívenka
cardigan [ka:digən] n. vesta
care [keə] n. **1.** starostlivosť, opatera **2.** starosť **3.** pozornosť • *take care* byť opatrný, dať si pozor
care v. **1.** starať sa o *for* **2.** dbať, mať záujem
career [kə'riə] n. povolanie, zamestnanie
careful [keəfəl] adj. **1.** pozorný, opatrný **2.** starostlivý
careless [keələs] adj. **1.** nepozorný, neopatrný **2.** bezstarostný
caress v. pohladiť, hladkať
cargo [ka:gəu] n. náklad lode
caries [keəriz] n. zubný kaz

carious [keəriəs] adj. pokazený
carnation [ka:'neišən] n. karafiát
carnival [ka:nəvəl] n. karneval
carnivore [ka:nəvo:] n. mäsožravec
carnivorous [ka:'nivərəs] adj. mäsožravý
carol [kærəl] n. koleda
carp [ka:p] n. kapor
car park [ka: pa:k] n. parkovisko
carpenter [ka:pəntə] n. tesár
carpentry [ka:pəntri] n. tesárčina
carpet [ka:pət] n. koberec
carriage [kæridž] n. **1.** koč **2.** železničný vozeň, vagón
carriageway [kæridžwei] n. vozovka
carrier [kæriə] n. **1.** doručovateľ, nosič **2.** dopravca • *carrier-pigeon* poštový holub
carrot [kærət] n. mrkva
carry [kæri] v. **1.** niesť, nosiť **2.** prepraviť, dopraviť **3.** prenášať
cart [ka:t] n. kára
carter [ka:tə] n. závozník
cartoon [ka:'tu:n] n. **1.** karikatúra **2.** *animated cartoon* kreslený film
cartoonist [ka:'tu:nist] n. karikaturista
cartridge [ka:tridž] n. náboj
carve [ka:v] v. krájať *mäso*
carver [ka:və] n. **1.** rezbár, sochár **2.** nôž
cascade [kæs'keid] n. vodopád
case [keis] n. prípad • *in any case* v každom prípade • *in case of* v prípade
case n. **1.** škatuľa, debna **2.** skriňa **3.** kufor
cash desk [kæš desk] n. pokladňa v obchode
cashier [kæ'šiə] n. pokladník
cask [ka:sk] n. sud, súdok
casket [ka:skət] n. skrinka na šperky
cassette [kə'set] n. kazeta
cast [ka:st] *cast, cast* v. **1.** ho-

diť, vrhnúť 2. zhodiť
caster sugar [ka:stə ,šugə] n. práškový cukor
castle [ka:səl] n. hrad
casual [kæžuəl] adj. **1.** ľahostajný **2.** náhodný, príležitostný
cat [kæt] n. mačka • *tom* kocúr • *kitten* mačiatko
catacombs [kætəku:mz] n. katakomby
catalogue [kætəlog] n. katalóg
catapult [kætəpalt] n. **1.** prak **2.** katapult
catapult v. katapultovať
cataract [kætərækt] n. vodopád
catastrophe [kə'tæstrəfi] n. katastrofa, pohroma
catch [kæč] *caught, caught* v. **1.** chytiť, dohoniť **2.** stihnúť • *catch cold* dostať nádchu
catch n. úlovok
category [kætəgəri] n. kategória
caterpillar [kætə,pilə] n. húsenica
cathedral [kə'θi:drəl] n. katedrála, dóm
catholic [kæθəlik] adj. katolícky
Catholic [kæθəlik] n. katolík
catsuit [kætsu:t] n. nohavicový oblek
cattle [kætl] n. dobytok • *cattle-shed* chliev
cauliflower [koli,flauə] n. karfiol
cause [ko:z] n. **1.** príčina **2.** dôvod
cause v. spôsobiť, zapríčiniť
caution [ko:šən] n. výstraha
caution v. varovať
cautious [ko:šəs] adj. obozretný, opatrný
cave [keiv] n. jaskyňa
cavern [kævən] n. veľká jaskyňa
cayenne [kei'en] n. paprika *mletá*
ceiling [si:liŋ] n. strop
celebrate [seləbreit] v. osláviť, sláviť
celebration [,selə'breišən] n.

oslava
celebrity [sə'lebrəti] n. sláva
celery [seləri] n. zeler
cell [sel] n. **1.** cela **2.** bunka
cellar [selə] n. pivnica
cellophane [seləfein] n. celofán
cellular [seljələ] adj. bunkový
Celsius [selsiəs] n. Celzius
Celtic [keltik, seltik] adj. keltský
cement [si'ment] n. cement
cemetery [semətri] n. cintorín
centigrade [sentəgreid] n. stupeň Celzia
centimetre [sentə,mi:tə] n. centimeter
centipede [sentəpi:d] n. stonožka
central [sentrəl] adj. **1.** centrálny **2.** hlavný
central heating [,sentrəl 'hi:tiŋ] n. ústredné kúrenie
centre [sentə] n. **1.** stred **2.** centrum
century [senčəri] n. storočie
ceramic [si'ræmik] adj. keramický
ceramics [sə'ræmiks] n. keramika
cereal [siəriəl] n. **1.** obilnina **2.** vločky
ceremonial [,serə'məuniəl] adj. slávnostný
ceremony [serəməni] n. obrad, slávnosť
certain [sə:tn] adj. **1.** istý, určitý **2.** nejaký
certainly [sə:tnli] adv. určite, iste, samozrejme
certificate [sə'tifikət] n. úradný list, dokument • *marriage certificate* sobášny list
certification [,sə:tifi'keišən] n. osvedčenie
certify [sə:təfai] v. potvrdiť
chain [čein] n. reťaz
chain v. uviazať na reťaz, spútať
chair [čeə] n. stolička, kreslo
chairman [čeəmən] n. predseda
chairwoman [čeə,wumən] n. predsedkyňa

chalet [čælei] n. salaš, chata
chalk [čo:k] n. krieda
chalkboard [čo:kbo:d] n. školská tabuľa
challenge n. výzva
chamber maid [čeimbə ,meid] n. slúžka
chamber music [čeimbə ,mju:zik] n. komorná hudba
chamber orchestra [čeimbə ,o:kəstrə] n. komorný orchester
chameleon [kə'mi:ljən] n. chameleón
chamois [šæmwa:] n. kamzík
champion [čæmpiən] n. **1.** šampión, víťaz **2.** bojovník
championship [čæmpiənšip] n. *šport.* **1.** šampionát **2.** víťazstvo
chance [ča:ns] n. **1.** náhoda **2.** šanca **3.** príležitosť • *by chance* náhodou
chandelier [,šændə'liə] n. luster
change [čeindž] v. **1.** meniť (sa), striedať sa **2.** vymeniť za *for* **3.** rozmeniť *peniaze* • *small change* drobné peniaze
change n. **1.** zmena **2.** výmena
channel [čænəl] n. **1.** prieplav **2.** kanál
chant [ča:nt] v. **1.** spievať **2.** skandovať
chaos [keios] n. zmätok, chaos
chaotic [kei'otik] adj. chaotický
chapel [čæpəl] n. **1.** kaplnka **2.** modlitebňa
chapter [čæptə] n. kapitola
character [kærəktə] n. **1.** povaha, charakter **2.** vlastnosť
characteristic [,kærəktə'ristik] adj. charakteristický, typický
charcoal [ča:kəul] n. drevené uhlie
charge n. **1.** poplatok, vstupné **2.** náboj • *free of charge* bezplatný
charitable [čærətəbəl] adj. **1.** láskavý, vľúdny **2.** dobro-

činný
charity [čærəti] n. dobročinnosť, milodar
charm [ča:m] n. 1. kúzlo, pôvab, čaro 2. amulet
charm v. okúzliť, očariť
charming [ča:miŋ] adj. okúzľujúci, pôvabný
chart [ča:t] n. 1. tabuľka, graf, diagram 2. námorná mapa
charwoman [ča:,wumən] n. upratovačka
chase [čeis] v. prenasledovať, naháňať
chase n. 1. naháňačka 2. lov
chasm [kæzəm] n. priepasť
chastise [čæstaiz] v. trestať
chatter [čætə] v. klebetiť
cheap [či:p] adj. 1. lacný 2. nízky
cheapen [či:pən] v. zlacniť
cheat [či:t] v. podvádzať
cheat n. 1. podvodník 2. podvod
check [ček] n. 1. kontrola 2. šach
check v. 1. kontrolovať, overiť (si) 2. skontrolovať
checked [čekt] adj. kockovaný
check-in [čekin] v. prihlásiť sa *v hoteli*, ubytovať sa • *check out* odhlásiť sa
checkmate [čekmeit] n. *šach.* šachmat
checkroom [čekrum] n. šatňa
cheek [či:k] n. líce
cheeky [´či:ki] adj. drzý
cheerful [čiəfəl] adj. veselý, radostný
cheers [čiəz] interj. na zdravie!
cheese [či:z] n. syr
cheetah [či:tə] n. gepard
chef [šef] n. šéfkuchár
chemical [kemikəl] adj. chemický
chemical n. chemikália
chemist [keməst] n. 1. chemik 2. lekárnik • *chemist´s shop* drogéria
chemistry [keməstri] n. chémia
cheque [ček] n. šek
cherry [čeri] n. čerešňa

chess [čes] n. šach *hra*
chessboard [česbo:d] n. šachovnica
chest [čest] n. **1.** hruď **2.** truhla
chestnut [česnat] gaštan
chew [ču:] v. žuť
chewing gum [ču:iŋ gam] n. žuvačka
chicken [čikən] n. **1.** kura • *chick* kuriatko **2.** kuracina
chide [čaid] *chided/chid, chid/chidden* v. dohovárať, napomínať
chief [či:f] n. veliteľ, náčelník
chief adj. hlavný
chieftain [či:ftən] n. náčelník kmeňa
child [čaild] n. **1.** dieťa • *only child* jedináčik **2.** potomok
childhood [čaildhud] n. detstvo
childish [čaildiš] adj. detský
chilly [čili] adj. chladný, mrazivý
chimney [čimni] n. komín
chimpanzee [,čimpænzi:] n. šimpanz
chin [čin] n. brada
China [čainə] n. Čína
Chinese [,čai'ni:z] n. **1.** Číňan **2.** čínština
Chinese adj. čínsky
chip [čip] n. *chips* hranolky
chive [čaiv] n. pažítka
chocolate [čokælət] n. čokoláda
chocolate adj. čokoládový
choice [čois] n. **1.** výber **2.** voľba
choir [kwaiə] n. spevácky zbor
choke [čəuk] v. **1.** zadusiť **2.** zaškrtiť
choose [ču:z] *chose, chosen* v. vybrať (si)
chop [čop] v. sekať, štiepať
chop n. rezeň
chord [ko:d] n. **1.** akord **2.** struna
Christ [kraist] n. Kristus
Christian [kriščən] n. kresťan
Christian adj. kresťanský

Christianity [,kristi'nəti] n. kresťanstvo
Christmas [krisməs] n. Vianoce
Christmas Day [,krisməs 'dei] n. 1. sviatok vianočný
Christmas Eve [,krisməs 'i:v] n. Štedrý večer • *Christmas tree* vianočný stromček
chronicle [kronikəl] n. kronika
chubby [čabi] adj. bucľatý
chuckle [čakəl] v. chichotať sa
church [čə:č] n. kostol • *go to church* chodiť do kostola • *at church* v kostole
churchyard [čə:čja:d] n. cintorín pri kostole
cider [saidə] n. jablkový mušt
cigar [si'ga:] n. cigara
cigarette [,sigə'ret] n.cigareta
cigarette lighter [sigə'ret ,laitə] n. zapaľovač
cinema [sinəmə] n. kino • *at the cinema* v kine
cinnamon [sinəmən] n. škorica
cipher [saifə] n. **1.** číslica **2.** šifra
circle [sə:kəl] v. **1.** zakrúžkovať **2.** obiehať
circle n. **1.** kruh **2.** kružnica
circulation [,sə:kjə'leišən] n. obeh, cirkulácia
circus [sə:kəs] n. **1.** cirkus **2.** námestie
cistern [sistən] n. nádrž na vodu, cisterna
citizen [sitəzən] n. občan • *fellow citizen* spoluobčan
citric [sitrik] adj. citrónový
citron [sitrən] n. citrón • *citron-tree* citrónovník
citrus [sitrəs] n. citrus
city [siti] n. veľké mesto
civic [civik] adj. mestský
civics [siviks] n. občianska výchova
civil [sivəl] adj. **1.** občiansky **2.** spoločenský
civil engineer [,sivəl endžə'niə] n. stavebný inžinier

civilization [ˌsivəlaiˈzeišən] n. 1. civilizácia 2. kultúra
civil servant [ˌsivəl ˈsə:vənt] n. štátny úradník/zamestnanec
claim [kleim] v. 1. vymáhať 2. tvrdiť
claim n. 1. nárok 2. tvrdenie
clairvoyant [kleəˈvoiənt] n. jasnovidec
clamber [klæmbə] v. liezť, šplhať sa
clamour [klæmə] n. hluk, krik
clan [klæn] n. rod, kmeň
clap [klæp] v. 1. tlesnúť 2. potľapkať
clarify [klærəfai] v. objasniť, vysvetliť
clarinet [ˌklærəˈnet] n. klarinet
clash [klæš] n. zrážka
clasp [kla:sp] n. 1. spona 2. objatie
class [kla:s] n. 1. *classroom* trieda • *classbook* triedna kniha 2. vyučovacia hodina
classic [klæsik] adj. klasický
classification [ˌklæsifiˈkeišən] n. klasifikácia, triedenie
classify [klæsəfai] v. triediť, klasifikovať
classmate [kla:smeit] n. spolužiak, kolega
classroom [kla:srum] n. trieda
clatter [klætə] v. rachotať, rinčať
claw [klo:] n. 1. dráp, pazúr 2. klepeto
claw v. driapať, škriabať
clay [klei] n. hlina
clean [kli:n] adj. čistý
clean v. čistiť, vyčistiť • *clean up* upratať
cleaner´s [kli:nəz] n. čistiareň
cleanliness [klenlinəs] n. čistota
clear [kliə] adj. 1. jasný, zreteľný 2. priehľadný
clear v. 1. vyjasniť (sa) 2. vyčistiť • *clear off* zmiznúť
clef [klef] n. *hud.* kľúč

clench [klenč] v. zovrieť
clerk [kla:k] n. úradník
clever [klevə] adj. **1.** bystrý, inteligentný **2.** šikovný
click [klik] n. cvaknutie
client [klaiənt] n. klient, zákazník
clliff [klif] n. útes
climate [klaimət] n. podnebie
climatic [klai´mætik] adj. podnebný
climb [klaim] v. **1.** šplhať sa **2.** liezť, škriabať sa
climb n. výstup, stúpanie
climber [klaimə] n. horolezec
clinic [klinik] n. klinika
clink [kliŋk] v. cinknúť, štrngnúť
clip [klip] n. sponka
clip v. zopnúť, zapnúť
cloak [kləuk] n. plášť
cloakroom [kləukrum] n. **1.** šatňa **2.** toaleta
clock [klok] n. hodiny • *it's three o'clock* sú tri hodiny
cloister [kloistə] n. kláštor
close [kləuz] v. **1.** zavrieť, zatvoriť **2.** zakončiť
close adj. **1.** blízky **2.** tesný
close adv. **1.** blízko **2.** takmer, skoro
close n. koniec
closed [kləuzd] adj. zatvorený, uzatvorený
closet [klozət] n. skriňa • *water-closet* záchod
cloth [kloθ] n. **1.** látka **2.** utierka, obrus
clothe [kləuð] v. obliecť
clothes [kləuðz] n. šaty, odev
clothing [kləuðiŋ] n. šatstvo
cloud [klaud] n. oblak, mrak
cloudburst [klaudbə:st] n. prietrž mračien
clouded [klaudid] adj. zamračený
cloudless [klaudlis] adj. bezoblačný
clove [kləuv] n. strúčik cesnaku
clover [kləuvə] n. ďatelina
clown [klaun] n. klaun
club [klab] n. klub
clue [klu:] n. stopa
clumsy [klamzi] adj. nemo-

torný, neobratný
clutch [klač] v. **1.** zovrieť **2.** uchopiť
coach [kəuč] n. **1.** diaľkový autobus **2.** vagón **3.** *šport.* tréner **4.** koč
coach v. *šport.* trénovať
coaching [kəučiŋ] n. **1.** tréning **2.** kondícia
coal [kəul] n. **1.** uhlie **2.** žeravý uhlík
coalmine [kəulmain] n. uhoľná baňa
coast [kəust] n. **1.** pobrežie **2.** breh *morský*
coastal [kəustəl] adj. pobrežný
coastguard [kəustga:d] n. pobrežná hliadka
coat [kəut] n. kabát
cob [kob] n. **1.** kukuričný klas **2.** lieskový orech
cobbler [koblə] n. obuvník
cobra [kəubrə] n. kobra
cobweb [kobweb] n. pavučina
cock [kok] n. kohút
cockpit [kok,pit] n. kabína pilota
cocktail [kokteil] n. koktail
cocoa [kəukəu] n. kakaový prášok, nápoj
coconut [kəukənat] n. kokosový orech
code [kəud] n. kód, šifra
coffee [kofi] n. káva *plody*, nápoj
coffee bar [kofi ba:] n. bufet, espreso
coffeepot [kofipot] n. kanvica na kávu
coffee table [kofi ,teibəl] n. konferenčný stolík
coffin [kofən] n. truhla
cognition [kog´nišən] n. poznanie
coherence [kəu´hiərəns] n. súvislosť, spojitosť
coherent [kəu´hiərənt] adj. logický, súvislý
coin [koin] n. minca
coin v. raziť *mince*
coke [kəuk] n. kola, cokacola
cold [kəuld] adj. studený, chladný • *I´m cold.* Je mi zima

cold n. **1.** zima, chlad **2.** nachladnutie • *catch a cold* nachladnúť • *have a cold* mať nádchu
collar [kolə] n. **1.** golier **2.** obojok *psa*
collar v. **1.** priviazať *koňa* **2.** držať za golier
collarbone [koləbəun] n. kľúčna kosť
colleague [koli:g] n. kolega, spolupracovník
collect [kə'lekt] v. **1.** pozbierať **2.** zbierať
collection [kə'lekšən] n. **1.** zbieranie **2.** zbierka *umelecká*
collective [kə'lektiv] adj. hromadný
collector [kə'lektə] n. zberateľ
college [kolidž] n. **1.** fakulta **2.** vysoká škola
collegian [kə'li:džjən] n. študent
collide [kə'laid] v. **1.** zraziť (sa) s *with* **2.** stretnúť sa
collision [kə'ližən] n. **1.** zrážka **2.** stretnutie
colon [koulən] n. dvojbodka
colonel [kə:nl] n. plukovník
colonist [kolənəst] n. obyvateľ kolónie, osadník
colonize [ˌkolənaiz] v. **1.** osídliť **2.** usadiť sa
colossal [kə'losəl] adj. obrovský
colour [kalə] n. farba
colour v. zafarbiť, natrieť
colour-blind [kaləblaind] adj. farboslepý
coloured [kaləd] adj. farebný
colourless [kaləlis] adj. bezfarebný
colt [kəult] n. žriebä
column [koləm] n. **1.** stĺp **2.** stĺpik
comb [kəum] n. hrebeň
comb v. česať
combat [kombæt] n. boj, konflikt • *single combat* súboj
combat v. bojovať, zápasiť
combatant [kombətənt] n. bojovník, vojak
combative [kombətiv] adj.

bojovný
combustible [kəm´bastəbəl] adj. horľavý, zápalný
come [kam] *came, come* **1.** prísť, prichádzať **2.** vstúpiť • *come back* vrátiť sa • *come from* pochádzať • *come in* prísť • *come into fashion* prísť do módy • *come near* priblížiť sa
comeback [kambæk] n. návrat
comedian [kə´mi:diən] n. komik, komediant
comedy [komədi] n. komédia
comer [kamə] n. návštevník
comet [komət] n. kométa
comfort [kamfət] n. pohodlie
comfortable [kamfætəbəl] adj. **1.** pohodlný **2.** príjemný
comic [komik] adj. **1.** humorný, žartovný **2.** komický
coming [kamiŋ] n. príchod
comma [komə] n. čiarka
command [kə´ma:nd] v. **1.** nariadiť, prikázať **2.** veliť
command n. **1.** nariadenie, rozkaz **2.** velenie • *take command* prevziať velenie
commander [kə´ma:ndə] n. veliteľ
commemorate [kə´meməreit] v. pripomínať pamiatku
commemoration [kə,memə´reišən] n. oslava pamiatky
commend [kə´mend] v. odporučiť
committee [kə´miti] n. výbor, komisia
common [komən] adj. **1.** bežný **2.** spoločný
common room [komən rum] n. spoločenská miestnosť
communicate [kə´mju:nəkeit] v. **1.** oznámiť **2.** nadviazať *kontakt*
company [kampəni] n. **1.** spoločnosť **2.** návšteva
compare [kəm´peə] v. porovnať, porovnávať
compartment [kəm´pa:tmənt] n. oddelenie *vo vlaku*
compass [kampəs] n. **1.** kom-

pas **2.** kružidlo
compel [kəm´pel] v. prinútiť, donútiť
complain [kəm´plein] v. sťažovať sa
complaint [kəm´pleint] n. sťažnosť
complete [kəm´pli:t] adj. úplný, celý
complete v. doplniť, dokončiť
completely [kəm´pli:tli] adv. celkom, úplne
complicated [komplikeitid] adj. zložitý
component [kəm´pəunənt] n. súčiastka
compose [kəm´pəuz] v. **1.** skladať, zložiť **2.** vyriešiť **3.** *hud.* komponovať
composer [kəm´pəuzə] n. **1.** *hud.* skladateľ **2.** spisovateľ
composite [kompəzit] adj. zložený
composition [ˌkompə´zišən] n. **1.** komponovanie, tvorba **2.** skladba, kompozícia
compost [kompost] n. kompost
comprehend [ˌkompri´hend] v. **1.** pochopiť **2.** obsahovať, zahrňovať
compress [kəm´pres] v. **1.** stlačiť **2.** zostručniť
compress [kompres] n. obklad, obväz
comprise [kəm´praiz] v. skladať sa, obsahovať
compulsory [kəm´palsəri] adj. povinný • *compulsory school attendance* povinná školská dochádzka • *compulsory education* povinné vzdelanie • *compulsory service* základná vojenská služba
compute [kəm´pju:t] v. vypočítať, odhadnúť
computer [kəm´pju:tə] n. počítač • *computerised game* počítačová hra • *computer language* počítačový jazyk • *computer programme* počítačový program
conceal [kən´si:l] v. **1.** zata-

jiť, zamlčať **2.** ukryť
concentrate [konsəntreit] v. sústrediť (sa)
concern [kən´sə:n] v. **1.** týkať sa • *I'm concerned* čo sa týka mňa **2.** dotýkať sa niečoho
concert [konsət] n. koncert • *concert hall* koncertná sieň
concerto [kən´čə:təu] n. koncert *pre hudobný nástroj*
conch [koŋk] n. ulita
conclude [kən´klu:d] v. **1.** skončiť, ukončiť **2.** dohodnúť sa **3.** rozhodnúť sa
conclusion [kən´klu:žən] n. **1.** záver, výsledok • *in conclusion* na záver **2.** rozhodnutie
concord [konko:d] n. **1.** zhoda **2.** *hud.* harmónia
conditions [kən´dišənz] n. podmienky, okolnosti • *living conditions* životné podmienky
conduct [kən´dakt] v. **1.** viesť, riadiť **2.** *hud.* dirigovať
conductor [kən´daktə] n. **1.** dirigent **2.** sprievodca
cone [kəun] n. **1.** kužeľ **2.** šiška
confectioner [kən´fekšənə] n. cukrár • *confectioner's* cukráreň
conference [konfərəns] n. konferencia
confide [kən´faid] v. zdôveriť (sa) • *confide in* dôverovať
confidence [konfədəns] n. **1.** sebadôvera **2.** dôvera **3.** odvaha
confidential [,konfi´denšəl] adj. dôverný
confirm [kən´fə:m] v. **1.** potvrdiť **2.** schváliť
conflagration [,konflə´grešn] n. požiar
conflict [konflikt] n. spor, konflikt
conform [kən´fo:m] v. prispôsobiť (sa), podriadiť sa
confuse [kən´fju:z] v. zmiasť, popliesť
congratulate [kən´græčəleit] v. blahoželať, gratu-

lovať
congratulations [kən,græčə'leišənz] n. blahoželanie, gratulácia
coniferous [kə'nifərəs] adj. ihličnatý
connect [kə'nekt] v. *connect up* spojiť
conquer [koŋkə] v. **1.** dobyť, podrobiť si **2.** poraziť
conqueror [koŋkərə] n. dobyvateľ
consequence [konsəkwəns] n. následok, dôsledok
conserve [kən'sə:v] v. **1.** uchrániť, zachovávať **2.** konzervovať *zeleninu a pod.*
conserve [konsə:v] n. zaváranina
consider [kən'sidə] v. rozmýšľať
considerable [kən'sidərəbəl] adj. **1.** značný **2.** dôležitý
considerate [kən'sidərət] adj. pozorný, ohľaduplný
consideration [kən,sidə'reišən] n. **1.** ohľad **2.** zreteľ
consist [kən'sist] v. skladať
consistence [kən'sistəns] n. hustota
conspiracy [kən'spirəsi] n. sprisahanie
conspire [kən'spaiə] v. sprisahať sa
constable [kanstəbəl] n. policajný strážnik, policajt
constant [konstənt] adj. **1.** stály **2.** verný
constellation [,konstə'leišən] n. súhvezdie
constitute [konsti'tju:t] v. **1.** ustanoviť **2.** založiť
constitution [,kostə'tju:šən] n. ústava
constrain [kən'strein] v. **1.** obmedziť **2.** prinútiť
construct [kən'strækt] v. **1.** stavať, vybudovať **2.** vytvoriť
constructor [kən'straktə] n. **1.** staviteľ **2.** konštruktér
consul [konsəl] n. konzul
consulate [konsjələt] n. konzulát

consult [kən´salt] v. radiť sa, poradiť sa • *consulting room* ordinácia
consume [kən´sju:m] v. **1.** konzumovať **2.** spotrebovať
consumer [kən´sju:mə] n. spotrebiteľ
consumption [kən´sampšən] n. spotreba
contact [kontækt] n. **1.** kontakt **2.** spojenie
contact lens [kontækt lenz] n. kontaktné šošovky
container [kən´teinə] n. nádoba, kontajner
contemporary [kən´tempərəri] adj. moderný, dnešný
continent [kontənənt] n. kontinent, svetadiel • *the Continent* Európa
continental [,konti´nentəl] adj. pevninský
continual [kən´tinjuəl] adj. neustály, ustavičný
continue [kən´tinju:] v. pokračovať v *in*
contrabass [,kontrə´beis] n. *hud.* kontrabas
contract [kontrækt] n. zmluva
control [kən´trəul] v. **1.** kontrolovať **2.** riadiť
control n. **1.** kontrola **2.** riadenie • *under control* pod kontrolou
convalesce [,konvə´les] v. zotavovať sa, uzdravovať sa po chorobe
convalescence [,konvə´lesəns] n. zotavenie po chorobe
conversation [,konvə´seišən] n. rozhovor, konverzácia
converse [kən´və:s] v. konverzovať
converse [konvə:s] adj. opačný
converse n. opak
convey [kən´vei] v. dopraviť, prepraviť
convict [kən´vikt] v. usvedčiť, odsúdiť
convince [kən´vins] v. presvedčiť

convoy [konvoı] n. konvoj
cook [kuk] v. variť
cook n. kuchár
cooker [kukə] n. varič, sporák • *cookery book* kuchárska kniha
cookie [kuki] n. sušienka, keks
cooking [kukiŋ] n. varenie
cool [ku:l] adj. **1.** chladný • *get cool* ochladiť sa **2.** pokojný **3.** svieži
cool n. chlad
cooperate [kəu´opəreit] v. spolupracovať
cooperation [kəu,opə´reišən] n. spolupráca
cooperative [kəu´opərətiv] n. družstvo
copartner [kou´pa:tnə] n. spoločník
copier [kopiə] n. xerox
copper [kopə] n. **1.** meď **2.** kotol
copy [kopi] n. **1.** kópia **2.** výtlačok
copy v. **1.** urobiť kópiu
cord [ko:d] n. povraz, lano
cork [ko:k] n. **1.** korok **2.** zátka
corkscrew [ko:kskru:] n. vývrtka
corn [ko:n] n. **1.** zrno, zrnko **2.** obilie, pšenica
corner [ko:nə] n. roh, kút
cornflakes [ko:nfleiks] n. kukuričné vločky, lupienky
cornflour [ko:nflauə] n. kukuričná múka
corporation [,ko:pə´reišən] n. spoločnosť, združenie
corpse [ko:ps] n. mŕtvola
corpuscle [ko:pasl] krvinka
correct [kə´rekt] adj. **1.** správny **2.** presný
correct v. napraviť, opraviť
correspond [,korə´spond] v. dopisovať si, písať si
correspondence [,korə´spondəns] n. **1.** korešpondencia **2.** zhoda, súhlas
corridor [korədo:] n. chodba
cosmetic [koz´metik] n. *cosmetics* kozmetika
cosmetic adj. kozmetický

cosmetician [,kozmə'tišən] n. kozmetička
cosmic [kozmik] adj. kozmický, vesmírny
cosmonaut [kozməno:t] n. kozmonaut
cosmos [kozmos] n. *the cosmos* vesmír, kozmos
cost [kost] n. cena
cost v [cost] *cost, cost* v. stáť *o cene*
costly [kostli] adj. drahý
costume [kostjum] n. **1.** kostým **2.** úbor
cosy [kəuzi] adj. útulný, príjemný
cot [kot] n. **1.** detská postieľka **2.** skladacie ležadlo
cottage [kotidž] n. chalupa, chata
cottage cheese [,kotidž 'či:z] n. tvaroh
cotton [kotən] n. **1.** bavlník **2.** bavlna
couch [kauč] n. pohovka, gauč
cougar [ku:gə] n. puma
cough [kof] v. kašľať • *cough up* vykašľať
cough n. kašľanie
coulisse [ku:li:s] n. kulisa
count [kaunt] v. **1.** *count up* počítať, napočítať do **2.** spočítať
count n. **1.** počítanie **2.** súčet
count n. gróf
counter [kauntə] n. **1.** pult **2.** okienko
counterfeit [kauntəfit] v. **1.** falšovať **2.** predstierať
countess [kauntəs] n. grófka
country [kantri] n. **1.** krajina **2.** *the country* vidiek • *in the country* na vidieku • *country-house* vidiecke sídlo
countryman [kantrimən] n. **1.** krajan **2.** vidiečan
countryside [kantrisaid] n. *the countryside* vidiek
county [kaunti] n. grófstvo
couple [kapəl] n. **1.** pár čoho *of* **2.** *a married couple* manželský pár
coupon [ku:pon] n. **1.** kupón, ústrižok **2.** poukážka

courage [karidž] n. odvaha
courageous [kə'reidžəs] adj. odvážny
courier [kuriə] n. posol
course [ko:s] n. **1.** smer, kurz **2.** priebeh **3.** dráha, trať **4.** chod jedla • *of course* samozrejme
court [ko:t] n. **1.** súdna sieň **2.** *the court* súd **3.** kurt, dvorec **4.** dvor
courteous [kə:tiəs] adj. zdvorilý
courtyard [ko:tja:d] n. dvor, nádvorie
cousin [kazən] n. bratranec, sesternica
cover [kavə] v. prikryť, zakryť čím *with*
cover n. **1.** pokrývka, plachta **2.** obal **3.** kryt, úkryt
cow [kau] n. krava
cowboy [kauboi] n. pastier dobytka, kovboj
cowshed [kaušed] n. kravín
crab [kræb] n. krab
crack [kræk] v. puknúť, prasknúť
crack n. puklina, prasklina
cradle [kreidl] n. kolíska
cramp [kræmp] n. kŕč
cramp n. skoba
cranberry [krænbəri] n. brusnica
crane [krein] n. žeriav
crash [kræš] v. **1.** rozbiť **2.** rachotiť **3.** zrútiť sa **4.** havarovať **5.** vraziť do *into*
crash n. **1.** havária, zrážka **2.** úder, rachot
crater [kreitə] n. kráter
craven [kreivən] adj. zbabelý
craven n. zbabelec
crawl [kro:l] v. plaziť sa, liezť
crayfish [kreifiš] n. rak
crayon [kreiən] n. pastelka
crazy [kreizi] adj. bláznivý, šialený
creak [kri:k] v. škrípať
cream [kri:m] n. **1.** smotana **2.** krém
create [kri'eit] v. stvoriť, vytvoriť
creative [kri'eitiv] adj. tvorivý

creator [kri´eitə] n. tvorca
creature [kri:čə] n. **1.** tvor **2.** bytosť **3.** výtvor
credence [kri:dəns] n. dôvera, viera
credibility [,kredə´biləti] n. dôveryhodnosť
credible [kredəbəl] adj. dôveryhodný
creek [kri:k] n. úzka zátoka, záliv
creep [kri:p] *crept, crept* v. **1.** zakrádať sa, vkradnúť sa **2.** plaziť sa, liezť
cremation [kri´meišən] n. kremácia
crematory [kremətri] n. krematórium
crew [kru:] n. posádka
crib [krib] n. **1.** jasle **2.** jasličky, betlehem
cricket [krikət] n. **1.** *šport.* kriket **2.** cvrček
crime [kraim] n. zločin
criminal [krimənəl] adj. kriminálny
criminal n. zločinec
cringe [krindž] v. hrbiť sa
cripple [kripəl] n. mrzák
cripple v. zmrzačiť
crisis [kraisəs] n. kríza
crisp [krisp] n. *crisps* smažené zemiakové lupienky
critic [kritik] n. kritik
critical [kritikəl] adj. kritický
criticism [kritəsizəm] n. kritika
criticize [kritəsaiz] v. kritizovať
croak [krəuk] v. kvákať
Croatia [krəu´eišə] n. Chorvátsko
crochet [krəušei] v. háčkovať
crockery [krokəri] n. hlinený riad
crocodile [krokədail] n. krokodíl
crop [krop] n. **1.** plodina **2.** úroda
cross [kros] n. **1.** krížik **2.** kríž
cross v. **1.** prechádzať, pretínať **2.** križovať sa
crossing [´krosiŋ] n. **1.** prechod **2.** prejazd
crossroads [krosrəudz] n.

križovatka
crossword [kros,wə:d] n. *crossword puzzle* krížovka
crouch [krauč] v. *crouch down* čupnúť si
crow [krəu] n. vrana
crow v. krákať
crowd [kraud] n. dav, zástup
crowded [kraudəd] adj. preplnený
crown [kraun] n. koruna *ozdoba hlavy panovníka*
crude [kru:d] adj. **1.** surový **2.** hrubý
cruel [kru:əl] adj. krutý, ukrutný
cruise [kru:z] v. plaviť sa
cruiser [kru:zə] n. krížnik
crumb [kram] n. **1.** omrvinka **2.** *crumbs* strúhanka
crumb v. obaliť strúhankou
crumble [krambəl] v. mrviť
crust [krast] n. **1.** kôrka **2.** kôra
crutch [krač] n. barla
cry [krai] v. **1.** plakať **2.** kričať
cry n. **1.** krik, výkrik **2.** plač
cub [kab] n. mláďa
cube [kju:b] n. kocka
cuckoo [kuku:] n. kukučka
cucumber [kju:kambə] n. uhorka
cuff [kaf] n. **1.** manžeta **2.** facka
cultivate [kaltəveit] v. **1.** obrábať **2.** pestovať
cultivation [kalti´veišən] n. **1.** obrábanie pôdy **2.** pestovanie
cultural [kalčərəl] adj. kultúrny
culture [kalčə] n. **1.** kultúra **2.** pestovanie, chovanie
cultured [kalčəd] adj. kultúrny, vzdelaný
cup [kap] n. **1.** šálka **2.** pohár
cupboard [kabəd] n. kredenc, skriňa
cure [kjuə] v. liečiť, vyliečiť
cure n. **1.** liek **2.** uzdravenie **3.** liečenie
curl [kə:l] n. kučera
curly [kə:li] adj. kučeravý
currant [karənt] n. **1.** hrozienko **2.** ríbezľa

current [karənt] adj. súčasný, terajší
curriculum vitae [kə,rikjə-ləm ´vi:tai] n. životopis
curtain [kə:tæn] n. **1.** záclona **2.** opona
curve [kə:v] n. zákruta
custodian [kas´toudjən] n. správca *budovy, múzea a pod.*
custom [kastəm] n. **1.** zvyk **2.** *customs* clo
customer [kastəmə] n. zákazník
customs [kastəmz] n. colnica
cut [kat] *cut, cut* v. **1.** rezať (sa), krájať (sa), strihať (sa), sekať **2.** porezať (sa) **3.** vystrihnúť
cut n. **1.** porezanie **2.** plátok
cuticle [kju:tikəl] n. pokožka
cutlet [katlət] n. rezeň
cycle [saikəl] n. **1.** kolobeh **2.** cyklus
cyclist [saiklist] bicyklista
cyclone [saikləun] n. cyklón
cylinder [siləndə] n. valec
cymbal [simbəl] n. *hud.* cimbal
Cyrillic [sə´rilik] n. cyrilika
Czech [ček] n. **1.** Čech **2.** čeština
Czech adj. český • *the Czech Republic* Česká republika

D

dad [dæd] n. tato
daddy [dædi] n. tato
daffodil [dæfədil] n. narcis
dagger [dægə] n. dýka
daily [deili] adj. denný, každodenný • *daily life* každodenný život
daily adv. denne, každý deň
dairy [deəri] n. mliekáreň • *dairy produce* mliečne výrobky
dairymaid [deərimeid] n. dojička
daisy [deizi] n. sedmikráska
dale [deil] n. údolie
dam [dæm] n. priehrada
dam v. prehradiť
damage [dæmidž] n. škoda
damage v. poškodiť
damp [dæmp] adj. vlhký
damp n. vlhkosť
dance [da:ns] n. tanec
dance v. tancovať • *dancing school* tanečná škola
dancer [da:nsə] n. tanečník, tanečnica
dandelion [dændəlaiən] n. púpava
danger [deindžə] n. nebezpečenstvo
dangerous [deindžərəs] adj. nebezpečný
Danube [dænju:b] Dunaj
dare [deə] v. odvážiť sa, trúfať si
daring [deəriŋ] adj. odvážny, smelý
dark [da:k] adj. tmavý
dark n. **1.** *the dark* tma **2.** zotmenie
darling [da:liŋ] n. miláčik
darling adj. milovaný
dart [da:t] n. **1.** šípka, oštep **2.** žihadlo
data [deitə] n. **1.** údaj, fakt **2.** dáta, údaje
date [deit] n. **1.** dátum **2.** schôdzka, rande
date v. **1.** určiť vek • *up to date* moderný • *out of date* nemoderný **2.** napísať dátum • *datestamp* razítko s dátumom
date n. datľa

daughter [do:tə] n. dcéra
daughter-in-law [do:tə ,in-lo:] n. nevesta *synova manželka*
dawn [do:n] n. úsvit, svitanie
dawn v. svitať, briežďiť sa
day [dei] n. deň • *all day long* celý deň • *every other day* každý druhý deň • *the day after tomorrow* pozajtra • *working day* pracovný deň • *the day before yesterday* predvčerom
daylight [deilait] n. **1.** denné svetlo **2.** úsvit, svitanie
day-to-day [,deitə'dei] adj. **1.** každodenný **2.** zo dňa na deň
dazzle [dæzəl v. oslepiť, oslniť
dead [ded] adj. mŕtvy
deaf [def] adj. hluchý
deaf-mute [,def'mju:t] n. hluchonemý
deafness [defnis] n. hluchota
dear [diə] adj. **1.** drahý **2.** milý *oslovenie* • *Dear Sir* Vážený pán
death [deθ] n. smrť
debark [di'ba:k] v. vylodiť sa
debate [di'beit] n. diskusia
debt [debt] n. dlh
debtor [debtə] n. dlžník
decade [dekeid] n. desaťročie
decathlon [de'kæθlən] n. desaťboj
decay [di'kei] v. hniť, kaziť sa
deceive [di'si:v] v. podviesť, oklamať
December [di'sembə] n. december • *in December* v decembri
decency [di:sənsi] n. slušnosť, mravnosť
decent [di:sənt] adj. slušný
decide [di'said] v. rozhodnúť (sa)
deciduous [di'sidjuəs] adj. listnatý
decision [di'sižən] n. rozhodnutie
decisive [di'saisiv] adj. rozhodný

declare [di´kleə] v. **1.** vyhlásiť **2.** precliť • *customs declaration* colné prehlásenie • *declare war* vyhlásiť vojnu
decline [di´klain] v. **1.** klesať **2.** odbočiť
decorate [dekəreit] v. vyzdobiť
decoration [,dekə´reišən] n. výzdoba
decorative [dekərətiv] adj. ozdobný
decorator [dekəreitə] n. izbový maliar
decoy [di´koi] v. vlákať do *into*
deed [di:d] n. čin, skutok
deep [di:p] adj. **1.** hlboký **2.** tmavý
deep adv. hlboko
deer [diə] n. vysoká zver
defame [di´feim] v. ohovárať
defeat [di´fi:t] v. poraziť
defect [di:´fekt] n. chyba, porucha
defence [di´fens] n. **1.** obrana **2.** ochrana
defend [di´fend] v. brániť
definite [definət] adj. určitý, presný • *definite article* určitý člen
definition [,defə´nišən] n. definícia
definitive [di´finitiv] adj .konečný
degree [di´gri:] n. stupeň
delay [di´lei] v. odložiť, odsunúť
delay n. odklad, oneskorenie, časový odstup
delegate [deləgət] n. delegát, zástupca
delegation [,delə´geišən] n. delegácia
delete [di´li:t] v. vymazať
deliberate [di´libərət] adj. rozvážny
delicacy [delikəsi] n. lahôdka
delicate [delikət] adj. lahodný, jemný
delight [di´lait] n. radosť, potešenie
deliver [di´livə] v. doručiť
delude [di´lu:d] v. oklamať
demand [di´ma:nd] n. požia-

davka, žiadosť
demand v. žiadať, vyžadovať
democracy [di´mokrəsi] n. demokracia
demolish [di´moliš] v. zničiť, zdemolovať
den [den] n. brloh
density [densəti] n. hustota
dental [dentl] adj. zubný
dentist [dentəst] n. zubár
deny [di´nai] v. poprieť, zaprieť
department [di´pa:tmənt] n. 1. oddelenie 2. ministerstvo • *Department of Education* ministerstvo školstva
department store [di´pa:tmənt sto:] n. obchodný dom
departure [di´pa:čə] n. odchod
depend [di´pend] v. závisieť, byť závislý
dependant [di´pendənt] n. rodinný príslušník
depot [depəu] n. sklad
depth [depθ] n. hĺbka
derrick [derik] n. žeriav
describe [di´skraib] v. opísať
description [di´skripšən] n. opis
desert [dezət] n. púšť
design [di´zain] v. 1. navrhnúť 2. určiť
design n. 1. plán, návrh, projekt 2. návrhárstvo
designate [dezigneit] v. 1. určiť 2. označiť
designer [di´zainə] n. návrhár, projektant, konštruktér, výtvarník
desire [di´zaiə] v. 1. túžiť 2. priať si, chcieť
desire n. 1. túžba 2. prosba, prianie
desk [desk] n. písací stôl
despair [dis´peə] n. zúfalstvo
despair v. zúfať
despite [di´spait] prep. *despite of* napriek komu, čomu
dessert [di´zə:t] n. dezert
destine [destin] v. určiť
destiny [destəni] n. osud
destroy [di´stroi] v. zničiť

detach [di´tæč] v. oddeliť od *from*

detail [di:teil] n. podrobnosť, maličkosť • *in detail* podrobne

detective [di´tektiv] n. detektív

detergent [di´tə:džənt] n. čistiaci prostriedok

determine [di´tə:mən] v. **1.** rozhodnúť **2.** určiť

detonate [detəneit] v. vybuchnúť

detonation [,dətəu´neišən] n. výbuch

devastate [devəsteit] v. devastovať, zničiť

devastation [,devəs´teišən] n. devastácia, zničenie

develop [di´veləp] v. **1.** vyvinúť sa **2.** rozvinúť (sa)

development [di´veləpmənt] n. **1.** rozvoj • *developing country* rozvojová krajina **2.** vývoj, pokrok

devote [di´vəut] v. *devote to* venovať komu, čomu

devoted [di´vəutəd] adj. oddaný

dew [dju:] n. rosa

diagonal [dai´gənəl] n. *geom.* uhlopriečka

diagram [daiəgræm] n. diagram, graf

dial [daiəl] n. **1.** ciferník **2.** číselník

dial v. vytočiť telefónne číslo, volať

dialect [daiəlekt] n. nárečie

dialogue [daiəlog] n. dialóg, rozhovor

diamond [daiəmənd] n. **1.** diamant **2.** kosoštvorec

diary [daiəri] n. **1.** denník **2.** diár

dice [dais] n. kocka

dictation [dik´teišən] n. diktát

diction [dikšən] n. prednes

dictionary [dikšənəri] n. slovník

die [dai] v. umrieť, zomrieť

diet [daiət] n. diéta

differ [difə] v. líšiť sa od *from*

defference [difərəns] n. rozdiel
difficult [difikəlt] adj. **1.** ťažký **2.** tvrdohlavý
difficulty [difikəlti] n. *difficulties* ťažkosti, problémy
dig [dig] *dug* v. **1.** kopať motykou, rýľovať **2.** vykopať
digit [didžət] n. číslica
digital [didžətl] adj. **1.** číslicový **2.** digitálny
diligence [dilədžəns] n. usilovnosť, horlivosť
diligent [dilədžənt] adj. pracovitý, usilovný, horlivý
dilution [dai´lju:šən] n. roztok
dim [dim] adj. **1.** matný **2.** zakalený
dimple [dimpəl] n. jamka na líci
dine [dain] v. obedovať, večerať
dining car [dainiŋ ka:] n. jedálenský vozeň
dinning room [dainiŋ rum] n. jedáleň
dinner [dinə] n. obed, večera *hlavné jedlo dňa* • *dinner time* čas na obed • *dinner duty* služba v jedálni
dip [dip] v. namočiť, ponoriť do *in/into*
diploma [də´pləumə] n. diplom
direct adj. **1.** priamy **2.** presný
directly [də´rektli] adv. **1.** priamo **2.** okamžite, ihneď
director [də´rektə] n. **1.** riaditeľ **2.** režisér *filmový*
directory [dai´rektəri] n. zoznam, adresár • *telephone directory* telefónny zoznam
dirt [də:t] n. **1.** špina, nečistota **2.** blato
dirty [də:ti] adj. špinavý
disadvantage [,disəd´va:ntidž] n. nevýhoda
disadvantageous [,disədva:n´teidžəs] adj. nevýhodný
disagree [,disə´gri:] v. nesúhlasiť
disallow [,disə´lau] v. ne-

uznať, nedovoliť
disappear [,disə'piə] v. **1.** zmiznúť **2.** stratiť sa
disappoint [,disə'point] v. **1.** sklamať **2.** zmariť, prekaziť
disappointed [,disə'pointəd] adj. sklamaný
disappointment [,disə'pointmənt] n. sklamanie
disaster [di'za:stə] n. katastrofa, nešťastie, pohroma
discsiple [di'saipəl] n. žiak
discipline [disəplən] n. disciplína, poriadok
disco [diskəu] n. diskotéka
discover [dis'kavə] v. **1.** objaviť **2.** zistiť **3.** vypátrať
discovery [dis'kavəri] n. **1.** objavenie **2.** objav
discrimination [di,skrimə'neišən] n. diskriminácia • *racial discrimination* rasová diskriminácia
discus [diskəs] n. *šport.* disk
discuss [di'skas] v. diskutovať, hovoriť
discsussion [di'skašən] n. diskusia, rozhovor
disease [di'zi:z] n. choroba
disembark [,disəm'ba:k] v. vylodiť (sa)
dish [diš] n. **1.** misa **2.** tanier **3.** jedlo
dishes [di'šəz] n. riad
dishonest [dis'onəst] adj. nečestný
disinfect [,disən'fekt] v. dezinfikovať
disinfection [disin'fekšən] n. dezinfekcia
dislike [dis'laik] v. nemať rád
dismantle [dis'mæntl] v. rozobrať, rozmontovať
dismay [dis'mei] v. zhroziť sa
disobedience [,disə'bi:djəns] n. neposlušnosť
disobey [,disə'bei] v. neposlúchať
disorder [dis'o:də] n. neporiadok, výtržnosť
dispel [di'spel] v. rozptýliť
disposition [,dispə'zišən] n. povaha

dispute [di´spju:t] v. hádať sa
dispute n. hádka
disqualification [dis,kwoləfə´keišən] n. vylúčenie, diskvalifikácia
disqualify [dis´kwoləfai] v. vylúčiť, diskvalifikovať
dissolve [di´zolv] v. **1.** rozpustiť (sa), rozplynúť sa **2.** vyriešiť
distance [distəns] n. vzdialenosť
distant [distənt] adj. vzdialený
distinct [di´stiŋkt] adj. odlišný, rozdielny
distinguish [di´stiŋgwiš] v. **1.** rozoznať **2.** rozlíšiť
distribute [di´stribju:t] v. rozdať, rozdeliť
distribution [,distrə´bju:šən] n. rozdelenie
district [distrikt] n. **1.** obvod, štvrť **2.** okres, kraj, oblasť
disturb [di´stə:b] v. vyrušovať, rušiť
ditch [dič] n. priekopa, kanál
divan [di´vən] n. diván, pohovka, gauč
dive [daiv] v. *dive down* ponoriť sa **2.** potápať sa
dive n. skok do vody
diver [daivə] n. potápač
divide [də´vaid] v. rozdeliť sa/si, oddeliť
divisible [di´vizəbl] adj. deliteľný
division [də´vižən] n. **1.** rozdelenie **2.** oddelenie **3.** *mat.* delenie
divorce [də´vo:s] n. rozvod
divorce v. rozviesť
do [du:] *did, done* v. **1.** pomocné sloveso **2.** plnovýznamové sloveso **1.** robiť, urobiť **2.** pracovať
dockyard [dokja:d] n. lodenica
doctor [doktə] n. lekár
document [dokjəmənt] n. **1.** dokument **2.** preukaz, doklad
doe [dəu] n. **1.** laň, srna **2.** zajačica
dog [dog] n. pes
doll [dol] n. bábika na hranie

dollar [dolə] n. dolár
dolphin [dolfən] n. delfín
domain [də'mein] n. odbor, oblasť
dome [dəum] n. kupola, dóm
domestic [də'mestik] adj. **1.** domáci **2.** rodinný **3.** domácky
dominance [domənəns] n. nadvláda
dominant [dominənt] adj. prevládajúci
dominate [domәneit] v. ovládať, vládnuť
domino [domənəu] n. kocka *domina*
donate [dəu'neit] v. darovať
donation [dəu'neišən] n. dar
done adj. skončený, urobený
donkey [doŋki] n. somár
donor [dəunə] n. darca
door [do:] n. dvere • *next door* vedľa • *doormat* rohožka pred dverami
doorkeeper [do:,ki:pə] n. domovník
doorknob [do:nob] n. kľučka
doormat [do:mæt] n. rohožka
doorway [do:wei] n. vchod
dot [dot] n. bodka
double [dabəl] adj. dvojitý
double v. zdvojnásobiť
double-decker [,dabəl'dekə] n. poschodový autobus
doubt [daut] v. pochybovať
doubt n. pochybnosť, podozrenie
doubtful [dautfəl] adj. neistý, pochybný
doubtless [dautləs] adv. **1.** pravdepodobne **2.** nepochybne
dough [dəu] n. cesto
dove [dav] n. holub, holubica
down [daun] adv. **1.** dolu **2.** preč
down adj. **1.** smutný **2.** idúci dolu • *be down* byť na dne
down prep. dolu
downstairs [,daun'steəz] adv. prízemie
doze [dəuz] v. driemať
dozen [dazən] n. tucet
dozy [dəuzi] adj. ospalý
drag [dræg] v. **1.** ťahať **2.** vliecť (sa)

dragon [drægən] n. drak
drain [drein] v. vysušiť, vyschnúť
drake [dreik] n. káčer
drama [dra:mə] n. **1.** divadelná hra **2.** dráma
dramatic [drə'mætik] adj. divadelný
dramatist [dræmətəst] n. dramatik
drapery [dreipəri] n. obchod s textilom
draught [dra:ft] n. prievan
draughts [dra:fts] n. dáma *hra*
draughtsman [dra:ftsmən] n. **1.** kreslič **2.** projektant
draw [dro:] *drew, drawn* v. kresliť
draw n. remíza
drawbridge [dro:bridž] n. padací most
drawer [dro:] n. zásuvka
drawing [dro:iŋ] n. **1.** kreslenie • *drawing-board* rysovacia doska **2.** kresba
drawing pin [dro:iŋ pin] n. pripináčik
dream [dri:m] n. sen
dream *dreamed/dreamt* v. snívať, mať sen
dreamlike [dri:mlaik] adj. neskutočný, ako sen
dredger [dredžə] n. bager
drench [drenč] v. premočiť
dress [dres] v. obliecť (sa)
dress n. oblečenie, odev, šaty • *evening dress* večerné šaty
dresser [dresə] n. príborník
dressing gown [dresiŋ gaun] n. župan
dressing room [dresiŋ rum] n. šatňa
dressmaker [dres,meikə] n. krajčírka
dribble [dribəl] v. **1.** kvapkať **2.** driblovať
dried [draid] adj. sušený
drill v. **1.** vŕtať • *drilling-machine* vŕtačka **2.** vyvŕtať **3.** drilovať, vycvičiť
drink [driŋk] *drank, drunk* v. **1.** piť **2.** *drink up* vypiť
drink n. nápoj
drinking water [driŋkiŋ

,wotə] n. pitná voda
drip [drip] v. *drip down* kvapkať
drip n. kvapka
drive [draiv] *drove, driven* v. šoférovať
drive n. jazda
driver [draivə] n. vodič
driving licence [draiviŋ ,laisəns] n. vodičský preukaz • *driving wheel* volant
drizzle [drizəl] v. mrholiť
droop [dru:p] v. zvädnúť
drop [drop] v. **1.** spadnúť **2.** klesnúť
drop n. **1.** kvapka **2.** trochu **3.** cukrík
drown [draun] v. utopiť (sa)
drug [drag] n. **1.** liek **2.** droga
drum [dram] n. **1.** *hud.* bubon **2.** bubnovanie
drum v. bubnovať
drummer [dramə] n. bubeník
drumstick [dram ,stik] n. palička na bubnovanie
drunk adj. opitý
drunkard [draŋkəd] n. opilec
dry [drai] adj. **1.** suchý **2.** smädný **3.** nealkoholický
dry [dried] v. **1.** sušiť, vysušiť **2.** vyschnúť
dryer [draiə] n. sušič, sušička
dual [dju:əl] adj. dvojitý, dvojaký
duck [dak] n. kačica
duct [dakt] n. potrubie
due [dju:] adj. povinný
due n. povinnosť • *dues* poplatky
duel [dju:əl] n. súboj
dull [dal] adj. **1.** matný **2.** tupý **3.** oblačný **4.** nudný
dumb [dam] adj. **1.** nemý **2.** tichý **3.** hlúpy
dumpling [dampliŋ] n. knedľa
ddung [daŋ] n. hnoj
dung v. hnojiť
dungarees [,daŋgə'ri:z] n. montérky
during [djuəriŋ] prep. počas, cez
dusk [dask] n. súmrak, šero

dust [dast] n. prach, prášok
dustbin [dastbin] n. smetník
duster [dastə] n. prachovka
dustman [dastmən] n. smetiar
dusty [dasti] adj. **1.** zaprášený, prašný **2.** matný, nejasný
Dutch [dač] adj. holandský
Dutch n. **1.** holandčina **2.** holanďan **3.** *the Dutch* holanďania
duty [dju:ti] n. povinnosť • *be on duty* byť v službe
duty-free [,dju:ti´fri:] adj. oslobodený od cla/od poplatkov
dwarf [dwo:f] n. *dwarves* trpaslík, škriatok
dwell [dwel] *dwelt/dwelled, dwelt/dwelled* v. žiť, bývať
dwelling [dweliŋ] n. obydlie, dom, byt
dye [dai] n. farba, farbivo
dye v. farbiť
dynamite [dainəmait] n. dynamit

E

each [i:č] determ. každý • *each of us* každý z nás
each other [i:č ´aðə] pron. navzájom
eagle [i:gəl] n. orol
ear [iə] n. **1.** ucho *orgán sluchu* • *earache* bolesť uší • *earing* náušnica
earl [ə:l] n. gróf
early [ə:li] adj. **1.** skorý • *early childhood* predškolský vek • *early adolescence* puberta
early adv. skoro
earn [ə:n] v. zarobiť (si)
earnest [ə:nəst] adj. vážny, seriózny
earnings [ə:niŋz] n. zárobok, mzda
earphones [iəfəunz] n. slúchadlá
earing [iəriŋ] n. náušnica
earth [ə:θ] n. **1.** *the Earth* zem **2.** zem
earthen [ə:θən] adj. hlinený
earthly [ə :θli] adj. pozemský
earthquake [ə:θkweik] n. zemetrasenie
earthworm [ə:θwə:m] n. dážďovka
easily [i:zəli] adv. ľahko
east [i:st] n. *the* east východ
east adj. východný
Easter [i:stə] n. Veľká noc • *at Easter* na Veľkú noc
easy [i:zi] adj. **1.** ľahký **2.** pohodlný
easy adv. ľahko • *take it easy* nič si z toho nerob
eat [i:t] *ate, eaten* v. jesť • *eating habits* stravovacie návyky
eatable [i:təbəl] adj. jedlý, chutný
ebb [eb] n. odliv • *ebb and flow* odliv a príliv
echo [ekəu] n. ozvena
ecology [i´kolədži] n. ekológia, životné prostredie
economic [,ekə´nomik] adj. ekonomický
economist [i´konəməst] n. ekonóm
edge [edž] n. kraj, okraj

edible [edəbəl] adj. jedlý
editor [edətə] n. redaktor
educate [edjukeit] v. **1.** vychovať **2.** vzdelať
education [ˌedjuˈkeišən] n. **1.** výchova **2.** vzdelanie • *Ministry of Education* ministerstvo školstva
educational [ˌedjuˈkeišənəl] adj. výchovný • *educational certificate* vysvedčenie • *educational film* vzdelávací film
educator [edjukeitə] n. vychovávateľ, učiteľ
eel [i:l] n. úhor
effect [iˈfekt] n. účinok
effective [iˈfektiv] adj. účinný
efficiency [iˈfišənsi] n. výkonnosť
efficient [iˈfišənt] adj. schopný, zdatný
effort [efət] n. úsilie, snaha
e.g. [ˌi:ˈdži:] skr. *for example* napríklad
egg [eg] n. vajce, vajíčko • *white* bielok • *yolk* žĺtok • *soft-boiled egg* vajíčko na mäkko • *hard-boiled egg* vajíčko na tvrdo • *boiled egg* varené vajíčko
eggshell [egšel] n. škrupina vajca
egoism [i:gəuizəm] n. sebectvo
egoistical [ˌegəuˈistikəl] adj. sebecký
egotism [egəutizm] n. samoľúbosť
Egypt [i:džipt] Egypt
eight [eit] num. osem
eighteen [ˌeiˈti:n] num. osemnásť
eighty [eiti] num. osemdesiat
either [aiđə] determ. **1.** jeden alebo druhý **2.** jeden aj druhý • *either of you* jeden z vás
either conj. *either ... or ...* buď ... alebo ...
elastic [iˈlæstik] n. pružný, elastický
elastic band [iˌlæstik ˈbænd] n. gumička
elasticity [iˌlæsˈtisiti] n.

pružnosť
elbow [elbəu] n. lakeť
elder [eldə] adj. starší *o človeku*
eldest [eldəst] adj. najstarší
election [i'lekšən] n. voľby • *general elections* všeobecné voľby
eelectric [i'lektrik] adj. elektrický
electric chair [i,lektrik 'čeə] n. elektrické kreslo
electrician [ilek'trišən] n. elektrotechnik
electricity [i,lek'trisəti] n. elektrina • *power station* elektráreň
electron [i'lektron] n. elektrón
elegant [eləgənt] adj. elegantný, vkusný
element [eləmənt] n. **1.** prvok **2.** zrnko
elementary [,elə'mentəri] adj. **1.** jednoduchý **2.** základný • *elementary school* základná škola • *elementary education* základné vzdelanie
elephant [eləfənt] n. slon
eleven [i'levən] num. jedenásť
elf [elf] n. škriatok
elipse [i'lips] n. *geom.* elipsa
else [els] adj. *v opyt. vete a po zápore* iný
else adv. inde • *or else* inak • *what else?* čo ešte*?*
elsewhere [els'weə] adv. niekde inde
e-mail [i:meil] skr. *electronic mail* elektronická pošta
embankment [im'bæŋkmənt] n. hrádza, násyp
embark [im'ba:k] v. nalodiť (sa)
embarrass [im'brəs] v. uviesť do rozpakov
embassy [embəsi] n. veľvyslanectvo
embrace [im'breis] v. objať (sa)
embrace n. objatie
embroider [im'broidə] v. vyšívať
emergency [i'mə:džənsi] n.

naliehavý prípad • *in an emergency* v prípade naliehavosti
emergent [i´mə:džənt] adj. naliehavý
emigrant [emigrənt] n. vysťahovalec
emigrate [eməgreit] v. vysťahovať sa
emigration [ˌemi´greišən] n. vysťahovanie do cudziny
emotion [i´məušən] n. **1.** cit **2.** dojatie
emotional [i´moušənəl] adj. citový
emphasize [emfəsaiz] v. zdôrazniť
empire [empaiə] n. ríša
employ [im´ploi] v. zamestnať
employee [im´ploii:] n. zamestnanec
employer [im´ploiə] n. zamestnávateľ
employment [im´ploimənt] n. zamestnanie • *employment oportunity* pracovná príležitosť
empty [empti] adj. prázdny
empty v. **1.** *empty out* vyprázdniť **2.** vysypať, vyliať
enable [i´neibəl] v. umožniť
enchant [in´ča:nt] v. **1.** očariť, okúzliť **2.** začarovať
encircle [in´sə:kəl] v. obkľúčiť, obkolesiť
enclose [in´kləuz] v. ohradiť
encourage [in´karidž] v. povzbudiť, dodať odvahu
encyclopedia [in´saiklə´pi:diə] n. encyklopédia
end [end] n. **1.** koniec **2.** zvyšok **3.** smrť • *from beginning to end* od začiatku do konca
end v. skončiť, zakončiť
endeavour [in´devə] v. snažiť sa
endeavour n. snaha, úsilie
ending [endiŋ] n. koniec
endless [endləs] adj. nekonečný
endurance [in´djuərəns] n. trpezlivosť, vytrvalosť
enemy [enəmi] n. nepriateľ
energy [enədži] n. energia,

sila
enfranchise [in´frænčaiz] v. oslobodiť
engagement [in´geidžmənt] n. zasnúbenie
engine [endžən] n. **1.** motor **2.** lokomotíva
engineer [,endžə´niə] n. **1.** inžinier **2.** strojvodca
England [iŋglənd] n. Anglicko
English [iŋgliš] n. angličtina
English adj. anglický
Englishman [iŋglišmən] n. Angličan
enigma [i´nigmə] n. záhada
enigmatic [,enig´mætik] adj. záhadný
enjoin [in´džoin] v. prikázať
enjoy [in´džoi] v. **1.** mať radosť z **2.** tešiť sa
enlarge [in´la:dž] v. zväčšiť
enlist [in´list] v. **1.** vstúpiť do armády **2.** zapísať sa, prihlásiť sa
enmity [enmiti] n. nepriateľstvo
enormous [i´no:məs] adj. obrovský
ensign [ensain] n. odznak
ensure [in´šuə] v. zaručiť, zaistiť
enter [entə] v. **1.** vojsť, vstúpiť **2.** prihlásiť (sa) **3.** zapísať (sa) do *in*
entertain [,entə´tein] v. **1.** zabaviť **2.** hostiť
entertainment [,entə´teinmənt] n. zábava
enthusiasm [in´θju:zizəm] n. nadšenie
enthusiastic [in,θju:ziæstik] adj. nadšený
entire [in´taiə] adj. **1.** celý **2.** úplný
entirely [in´taiəli] adv. celkom, úplne
entity [entiti] n. **1.** vec **2.** bytosť
entrance [entrəns] n. vchod, vstup
entrepreneur [,ontrəprə´nə:] n. podnikateľ
entry [entri] n. **1.** vstup **2.** vchod
envelop [ən´veləp] v. zabaliť

envelope [envələup] n. obálka
envious [enviəs] adj. závistlivý
environment [in´vaiərənmənt] n. **1.** prostredie **2.** *the environment* životné prostredie
envy [envi] n. závisť
epidemic [ˌepə´demik] n. epidémia
epidemic adj. nákazlivý
epoch [i:pok] n. epocha, obdobie
equal [i:kwəl] adj. rovnaký • *equal opportunity* rovnaká príležitosť
equal v. rovnať sa
equally [i:kwəli] adv. rovnako
equation [i´kweižən] n. rovnica
equator [i´kweitə] n. *the equator* rovník
era [iərə] n. letopočet
erase [i´reiz] v. vymazať, vygumovať
eraser [i´reizə] n. huba, špongia *na zmývanie*
err [ə:] v. mýliť sa
error [erə] n. **1.** chyba **2.** priestupok
erudite [erudait] adj. učený
eruption [i´rapšən] n. výbuch, erupcia
escape [i´skeip] v. utiecť
escape n. útek
especially [i´spešəli] adv. obzvlášť, najmä, hlavne
espionage [espiəna:ž] n. špionáž
espresso [e´spresəu] n. espresso *káva z kávovaru*
essay [esei] n. esej, písomná práca
essential [i´senšəl] adj. základný
establish [i´stæbliš] v. založiť
estate [i´steit] n. **1.** veľkostatok **2.** pozemok
esteem [i´sti:m] n. vážnosť, úcta
esteem v. vážiť si
estimate [estəmeit] v. odhadnúť
estimate n. odhad

estuary [esčuəri] n. ústie rieky
etc [et ˈset ərə] adv. skr. *et cetera* a tak ďalej
ethic [eθik] n. morálka
ethics [eθiks] n. etika • *ethical instruction* etická výchova
Europe [juərəp] n. Európa
European [ˌjuərəˈpi:ən] adj. európsky
evacuate [iˈvækjueit] v. vysťahovať, evakuovať
evacuation [iˌvækjuˈeišən] n. vysťahovanie
evaluate [iˈvæljueit] v. oceniť, ohodnotiť
eve [i:v] n. predvečer sviatku • *New Year's Eve* Silvester • *Christmas Eve* Štedrý večer
even [i:vən] adv. **1.** dokonca **2.** ešte
evening [i:vniŋ] n. večer • *evening class* večerná škola • *evening dress* večerné šaty • *evening course* večerný kurz
event [iˈvent] n. **1.** udalosť **2.** *šport.* disciplína • *at all events* v každom prípade
ever [evə] adv. *v opyt. a podm. vete* niekedy, *po zápore* nikdy, kedy • *ever after* naveky • *for ever* navždy
every [evri] determ. každý • *every other day* každý druhý deň • *every now and then* zriedka
everybody [evribodi] pron. každý
everyday [evridei] adj. každodenný, všedný
everyone [evriwan] pron. každý
everything [evriθiŋ] pron. všetko
everywhere [evriweə] adv. všade
evidence [evədəns] n. **1.** dôkaz **2.** svedectvo
evident [evədənt] adj. očividný, zjavný
evil [i:vəl] adj. odporný
evil n. nešťastie

evolution [,i:və'lu:šən] n. vývoj
exact [ig'zækt] adj. presný
exactly [ig'zæktli] adv. presne
exam [ig'zæm] n. skúška
examination [ig,zæmə'neišən] n. 1. lekárska prehliadka, vyšetrenie 2. skúška
examine [ig'zæ'mən] v. 1. prehliadnuť, vyšetriť 2. skúšať
examiner [ig'zæminə] n. skúšajúci
example [ig'za:mpəl] n. 1. príklad, ukážka 2. *for example* napríklad
excellent [eksələnt] adj. vynikajúci, skvelý, výborný
except [ik'sept] prep. okrem
exception [ik'sepšən] n. výnimka
exchange [iks'čeindž] n. *telefónna* ústredňa
exchange v. vymeniť (si)
excite [ik'sait] v. rozrušiť
excitement [ik'saitmənt] n. rozrušenie
exclaim [ik'skleim] v. zvolať, vykríknuť
exclamation [,eksklə'meišən] n. zvolanie, výkrik • *exclamation mark* výkričník
excursion [ik'skə:šən] n. výlet, zájazd, exkurzia
excuse [ik'skju:z] v. ospravedlniť, prepáčiť • *excuse slip* ospravedlnenie do školy • *excuse me* prepáčte
execute [eksəkju:t] v. popraviť
execution [,eksə'kju:šən] n. poprava
executioner [,eksə'kju:šənə] n. kat
exemplar [ig'zemplə] n. vzor
exemplary [eg'zempləri] adj. 1. príkladný, ukážkový 2. výstražný
exercise [eksəsaiz] n. 1. cvičenie 2. pohyb, cvik 3. výcvik
exercise v. cvičiť

exertion [ig´zə:šən] n. úsilie, námaha
exhibitor [ig´zibitə] n. vystavovateľ
exist [ig´zist] v. existovať, byť
existence [ig´zistəns] n. **1.** existencia, jestvovanie **2.** život
exit [egzət] n. východ, výjazd z diaľnice *from*
exit v. odísť
expand [ik´spænd] v. rozpínať sa, rozšíriť sa
expansion [ik´spænšən] n. **1.** rozpínavosť **2.** rozšírenie, expanzia
expect [ik´spekt] v. očakávať
expectation [,ekspek´teišən] n. očakávanie, nádej
expedition [,ekspə´dišən] n. výprava, expedícia *vedecká*
expel [iks´pel] v. **1.** vyhnať z *from* **2.** vylúčiť zo školy
expensive [iks´pensiv] adj. drahý *cenovo*
experience [iks´piəriəns] n. **1.** skúsenosť **2.** zážitok
experiment [iks´perəmənt] n. experiment, pokus
experimental [iks´perimentəl] adj. pokusný • *experimental research* experimentálny výskum
expert [ekspə:t] n. expert, odborník
explain [ik´splein] v. vysvetliť
explanation [,eksplə´neišən] n. vysvetlenie
explode [ik´spləud] v. vybuchnúť, explodovať
explore [ik´splo:] v. preskúmať, prebádať
explorer [iks´plo:rə] n. bádateľ
explosion [ik´spləužən] n. výbuch, explózia
export [ik´spo:t] v. vyvážať
exporter [eks´po:tə] n. vývozca
exposition [,ekspəu´zišən] n. výstava
extend [ik´stend] v. **1.** rozší-

riť, predĺžiť **2.** rozpínať sa
extension [iks´tenšən] n. rozšírenie, predĺženie
extensive [ik´stensiv] adj. rozsiahly, značný
extinct [ik´stiŋkt] adj. vyhynutý
extinction [ik´stiŋkšən] n. vyhynutie
extinguish [ik´stiŋgwiš] v. zahasiť oheň • *fire extinguisher* hasiaci prístroj
extra [ekstrə] adj. mimoriadny
extraction [iks´trækšən] v. vytrhnutie zuba
extraordinary [iks´tro:dinəri] adj. mimoriadny
eye [ai] n. oko
eyebrow [aibrau] n. obočie
eyebrow pencil [aibrau ,pensəl] n. ceruzka na obočie
eyelash [ailæš] n. očná riasa
eyelid [ailid] n. očné viečko
eyeliner [ai,lainə] n. ceruzka *na maľovanie kontúr očí*
eyesight [aisait] n. zrak

F

fable [feibəl] n. bájka
fabric [fæbrik] n. látka, tkanina
fabulous [fæbjuləs] adj. rozprávkový
face [feis] n. **1.** tvár **2.** predná strana/stena **3.** povrch **4.** ciferník
fact [fækt] n. **1.** fakt **2.** skutočnosť • *in fact* v skutočnosti
factory [fæktəri] n. továreň, závod
fad [fæd] n. módny výstrelok
fade [feid] v. *fade away* **1.** zvädnúť **2.** vyblednúť
fail [feil] v. sklamať, zlyhať
fail n. neúspech
fair [feə] adj. **1.** čestný **2.** svetlý
fairy [feri] n. škriatok, víla
fairy tale [feri ,teil] n. *fairy story* rozprávka
faith [feiθ] n. **1.** dôvera **2.** sľub
faithful [feiθfəl] adj. **1.** verný **2.** spoľahlivý
falcon [fo:lkən] n. sokol
fall [fo:l] *fell, fallen* v. padnúť, spadnúť • *fall asleep* zaspať • *fall in love* zamilovať sa
fall n. pád
falls [fo:lz] n. vodopád
false [fo:ls] adj. **1.** falošný **2.** nesprávny
falsehood [fo:lshud] n. lož, klamstvo
falsity [fo:lsəfai] v. falšovať
falter [fo:ltə] v. koktať, zajakávať sa
fame [feim] n. sláva
familiar [fə'miliə] adj. **1.** dobre známy **2.** rodinný
family [fæməli] n. rodina
famish [fæmiš] v. hladovať
famous [feiməs] adj. **1.** slávny **2.** pozoruhodný
fan [fæn] n. **1.** vejár **2.** ventilátor **3.** fanúšik
fancy [fænsi] n. fantázia
fantastic [fæn'tæstik] adj. fantastický, nádherný, úžasný

fantasy [fæntəsi] n. fantázia, predstavivosť
far [fa:] adv. *farther/further, farthest/furthest* ďaleko
far adj. *farther/further, farthest/furthest* vzdialený
faraway [fa:rəwei] adj. vzdialený, ďaleký
fare [feə] n. cestovné • *full fare* plné cestovné • *half fare* polovičné cestovné
farm [fa:m] n. farma
farm v. hospodáriť
farmer [fa:mə] n. farmár, poľnohospodár
farmyard [fa:mja:d] n. dvor na farme
farther [fa:đə] adv. ďalej
farther adj. vzdialenejší
fascinate [fæsəneit] v. očariť, okúzliť
fascism [fæšizəm] n. fašizmus
fascist [fæšəst] n. fašista
fascist adj. fašistický
fashion [fæšən] n. móda • *latest fashion* posledná móda
fashionable [fæšənəbəl] adj. 1. módny, moderný 2. elegantný
fast [fa:st] adj. 1. rýchly 2. pevný • *fast train* rýchlik
fast adv. 1. rýchlo 2. pevne
fasten [fa:sən] v. upevniť, pripevniť
fast food [fa:st fu:d] n. rýchle občerstvenie
fat [fæt] adj. tučný
fat n. tuk, masť
father [fa:đə] n. 1. otec 2. *fathers* predkovia
father-in-law [fa:đə in ,lo:] n. svokor
Father Christmas [,fa:đə 'krisməs] n. Ježiško
fatigue [fə'ti:g] n. únava
fatigue v. unaviť
fatty [fæti] adj. tučný, mastný
fault [fo:lt] n. 1. chyba 2. porucha
fauna [fo:nə] n. živočíšstvo
favour [feivə] n. láskavosť
favourite [feivərət] n. 1. obľúbená vec/osoba 2. favorit
favourite adj. obľúbený

fax [fæks] n. telefax, fax
fax v. faxovať, posielať správy
fear [fiə] n. **1.** strach z *of* **2.** obava o *of*
fear v. báť sa, obávať sa
fearless [fiələs] adj. nebojácny
feast [fi:st] n. **1.** hostina **2.** sviatok **3.** hody
feast v. hostiť sa, hodovať
feather [feđə] n. pero, perie
feature [fi:čə] n. **1.** charakteristický znak **2.** črta tváre
february [februəri] n. február
fee [fi:] n. poplatok, vstupné
feeble [fi:bəl] adj. slabý
feed [fi:d] *fed, fed* v. kŕmiť, dať jesť
feed n. krmivo, jedlo
feeding bottle [fi:diŋ ,botl] n. detská fľaša
feel [fi:l] *felt, felt* v. **1.** cítiť, pocítiť **2.** cítiť sa
feeling [fi:liŋ] n. pocit
fellow [feləu] n. kamarát, spoločník
fellowship [feləušip] n. priateľstvo
felt-tip [feltip] n. fixka
female [fi:meil] adj. **1.** samičí **2.** ženský
female n. samica
fen [fen] n. močiar
fence [fens] n. **1.** plot, ohrada **2.** prekážka
fence v. ohradiť, oplotiť
fence v. šermovať
fencer [fensə] n. šermiar
fencing [fensiŋ] n. oplotenie
ferry [feri] n. kompa
fertile [fə:tail] adj. úrodný
fertilize [fə:təlaiz] v. hnojiť
festival [festəvəl] n. **1.** sviatok **2.** festival
festive [festiv] adj. slávnostný, sviatočný
festivity [fə'stivəti] n. sviatok, slávnosť
feudal [fju:dəl] adj. feudálny
feudalism [fju:dəlizəm] n. feudalizmus
fever [fi:və] n. horúčka, teplota
few [fju:] adv. málo • *a few* **1.** niekoľko **2.** trochu

fiancé [fi´ansei] n. snúbenec
fiancée [fi´ansei] n. snúbenica
fib [fib] v. klamať
fiction [fikšən] n. **1.** beletria **2.** výmysel
fiddle [fidl] n. husle
fiddler [fidlə] n. huslista
field [fi:ld] n. **1.** pole **2.** *šport.* ihrisko **3.** bojisko
fifteen [,fif´ti:n] num. pätnásť
fifty [fifti] num. päťdesiat
fifty-fifty [,fifti´fifti] adj. rovnakým dielom, napolovicu
fig [fig] n. figa
fight [fait] *fought, fought* v. bojovať
fight n. zápas
fighter [faitə] n. **1.** bojovník **2.** bojové lietadlo **3.** bitkár
figure [figə] n. **1.** postava **2.** číslica **3.** obrázok
figure skating [figə ,skeitiŋ] n. krasokorčuľovanie
figurine [,figjə´ri:n] n. soška, figurína
file [fail] n. pilník aj na nechty
fill [fil] v. plniť (sa), naplniť (sa)
fillet [filət] n. filé, rezeň
filling [filiŋ] n. plomba
filling station [filiŋ ,steišən] n. benzínová pumpa
film [film] n. film
film v. filmovať, natočiť
filter [filtə] n. filter
final [fainl] adj. konečný, posledný
finally [fainəli] adv. **1.** konečne **2.** nakoniec
find [faind] *found, found* v. **1.** nájsť, vypátrať **2.** zistiť
finder [faində] n. nálezca
finding [findiŋ] n. nález, zistenie
fine [fain] adj. **1.** vynikajúci, výborný, skvelý **2.** jemný
fine adv. výborne, skvele
fine n. pokuta
fine art [,fain ´a:t] n. umelecké dielo
finger [fiŋgə] n. prst na ruke
fingernail [fiŋgəneil] n. necht
fingerprint [fiŋgə,print] n. odtlačok prsta

fingertip [fiŋgə,tip] n. konček prsta
finish [finiš] v. **1.** skončiť (sa) **2.** *finish off* dokončiť
finish n. koniec, záver
finished [finišt] adj. dokončený, hotový
Finland [finlənd] n. Fínsko
fir [fə:] n. jedľa
fir cone [fə: kəun] n. šuška
fire [faiə] n. **1.** oheň **2.** paľba
• *on fire* v plameňoch
fire v. strieľať
fire alarm [faiə ə,la:m] n. požiarny poplach
fire brigade [faiə bri,geid] n. požiarnici, hasiči
fire engine [faiə ,endžən] n. hasičská striekačka
fire extinguisher [faiə ik,stiŋgwišə] n. hasiaci prístroj
fireman [faiəmən] n. požiarnik, hasič
fireplace [faiəpleis] n. krb
firewood [faiəwud] n. drevo na kúrenie
firework [faiəwə:k] n. **1.** raketa **2.** *fireworks* ohňostroj
firm [fə:m] adj. **1.** pevný **2.** rozhodný **3.** prísny
firm n. firma, podnik
first [fə:st] adj. prvý
first adv. najprv, najskôr
first aid [,fə:st ˈeid] n. prvá pomoc
first name [fə:st neim] n. krstné meno
fish [fiš] n. **1.** ryba **2.** rybacina
fish v. chytať ryby, rybárčiť
fisherman [fišəmən] n. rybár
fishery [fišəri] n. rybolov
fishing [fišiŋ] n. rybačka
fishy [fiši] adj. rybí
fist [fist] n. päsť
fit [fit] v. **1.** hodiť sa **2.** svedčať
fit adj. **1.** schopný, vhodný **2.** vo forme, fit
fitness [fitnəs] n. telesná kondícia, zdravie
fitter [fitə] n. montér
five [faiv] num. päť
fix [fiks] v. **1.** pripevniť, upevniť **2.** namerať

3. opraviť
fixed [fikst] adj. pevný
fizz [fiz] v. syčať
flag [flæg] n. zástavka, vlajka
flagpole [flægpəul] n. stožiar
flake [fleik] n. vločka
flame [fleim] n. plameň, oheň
flame v. **1.** horieť, plápolať, lesknúť sa **2.** blikať na *at*
flashlight [flæšlait] n. **1.** blesk **2.** vrecková baterka
flask [fla:sk] n. termoska
flat [flæt] n. **1.** byt **2.** *flats* nížina, rovina
flat adj. plochý, rovný, plytký
flavour [fleivə] n. chuť
flavour v. ochutiť čím *with*
flaw [flo:] n. **1.** kaz, chyba **2.** trhlina
flea [fli:] n. blcha
fleck [flek] n. **1.** zrnko, zrniečko **2.** škvrna
fleet [fli:t] n. loďstvo, flotila
flexible [fleksəbəl] adj. ohybný, pružný
flicker [flikə] v. blikať
flight [flait] n. **1.** let, lietanie **2.** kŕdeľ
flip [flip] n. premet, salto
flipper [flipə] n. plutva
float [fləut] v. vznášať sa, plávať
flock [flok] n. **1.** kŕdeľ, stádo **2.** zástup
flood [flad] n. potopa, povodeň
flood v. **1.** zatopiť, zaplaviť **2.** rieka rozvodniť (sa)
floodlight [fladlait] n. reflektor
flood tide [flad taid] n. príliv
floor [flo:] n. **1.** podlaha **2.** poschodie
floopy disk [,flopi 'disk] n. disketa
flora [flo:rə] n. flóra
flour [flauə] n. múka
flow [fləu] v. **1.** tiecť, plynúť *čas* **2.** prúdiť
flow n. tok, prúd
flowchart [fləuča:t] n. diagram
flower [flauə] n. kvet
flower v. kvitnúť
flowerbed [flauəbed] n. záhon

flowerpot [flauəpot] n. kvetináč
flu [flu:] n. chrípka
fluent [flu:ənt] adj. plynulý
fluid [flu:əd] adj. tekutý, plynný
fluid n. tekutina
flurry [flari] n. metelica
flush v. **1.** *flush out* vypláchnuť **2.** spláchnuť
flute [flu:t] n. flauta
flutter [flatə] v. **1.** mávať krídlami **2.** chvieť sa
fly [flai] *flew, flown* v. **1.** lietať, letieť **2.** viať
fly n. mucha
flying saucer [ˌflaiiŋ ˈso:sə] n. lietajúci tanier
flyover [flai əuvə] n. nadjazd
foal [fəul] n. žriebä
foam [fəum] n. pena
fodder [fodə] n. krmivo
fog [fog] n. hmla
folk [fəuk] n. ľudová hudba
folk adj. ľudový
folklore [fəuklo:] n. folklór
follow [foləu] v. **1.** nasledovať **2.** prenasledovať
following [foləuiŋ] adj. nasledujúci
food [fu:d] n. jedlo, potrava
foodstuff [fu:dstaf] n. potraviny
fool [fu:l] n. blázon, hlupák
fool adj. bláznivý, hlúpy
foolish [fu:liš] adj. **1.** hlúpy, nerozumný **2.** bláznivý **3.** pochabý
foot [fut] n. **1.** noha *chodidlo* **2.** stopa • *on foot* peši
football [futbo:l] n. **1.** futbal **2.** futbalová lopta
footballer [futbo:lə] n. futbalista
footpath [futpa:θ] n. cestička, chodník
footprint [futprint] n. **1.** šľapaj **2.** odtlačok nohy
footstep [futstep] n. krok
footwear [futweə] n. obuv
for [fə, fo:] prep. **1.** pre **2.** na **3.** za **4.** do
for conj. pretože
forbid [fəˈbid] v. **1.** zakázať **2.** nedovoliť
force [fo:s] n. sila, moc

force v. donútiť, prinútiť
forearm [fo:ra:m] n. predlaktie
forecast [fo:ka:st] n. predpoveď počasia
forefathers [fo:,fa:đəz] n. predkovia
forefinger [fo:,fiŋgə] n. ukazovák
forehead [forəd] n. čelo
foreign [forən] adj. 1. zahraničný 2. cudzí
foreigner [forənə] n. cudzinec
forename [fo:neim] n. krstné meno
foresee [fo:'si:] *foresaw, foreseen* v. predvídať
forest [forəst] n. les, hora
forester [forəstə] n. lesník
forever [fə'revə] adv. naveky, navždy
forget [fə'get] *forgot, forgotten* v. zabudnúť
forgive [fə'giv] *forgave, forgiven* v. odpustiť, prepáčiť
fork [fo:k] n. 1. vidlička 2. vidly
form [fo:m] n. 1. tvar, obrys 2. formulár
form v. tvoriť, formovať
former [fo:mə] adj. bývalý, minulý
formerly [fo:məli] adv. kedysi
formula [fo:mjələ] n. 1. vzorec 2. predpis, recept 3. formula
forsake [fə'seik] *forsook, forsaken* v. opustiť, zanechať
fort [fo:t] n. pevnosť
fortification [,fo:təfə'keišən] n. opevnenie
fortify [fo:təfai] v. opevniť
fortnight [fo:tnait] n. štrnásť dní
fortress [fo:trəs] n. pevnosť
fortunate [fo:čənət] adj. šťastný
fortunately [fo:čənətli] adv. našťastie
fortune [fo:čən] n. 1. majetok 2. osud 3. šťastie
forty [fo:ti] num. štyridsať
forward [fo:wəd] adv.

forwards vpred, dopredu
foundation [faun´deišən] n. *Foundation* nadácia
founder [faundə] n. zakladateľ
fountain [fauntən] n. 1. fontána 2. prameň
fountain pen [fauntən pen] n. plniace pero
four [fo:] num. štyri
foursome [fo:səm] n. štvorica
fourteen [,fo:´ti:n] num. štrnásť
fourth [fo:θ] num. 1. štvrtý 2. štvrtina
fox [foks] n. líška *zviera*
fox v. zmiasť,oklamať
foxy [foksi] adj. prefíkaný
fraction [frækšən] n. mat. zlomok
fracture [frækčə] n. zlomenina
fracture v. zlomiť (sa)
fragile [frædžail] adj. 1. krehký 2. slabý
fragrance [freigrəns] n. vôňa, aróma
fragrant [freigrənt] adj. voňavý
frame [freim] n. 1. rám 2. postava
France [fra:ns] n. Francúzsko
frank [fræŋk] adj. úprimný
fraternal [frə´tə:nl] adj. bratský
fraternity [frə´tə:nəti] n. bratstvo
fraud [fro:d] n. 1. podvod 2. podvodník
freckle [frekəl] n. peha
free [fri:] adj. 1. slobodný 2. voľný 3. bezplatný • *for free* zadarmo
free adv. 1. bezplatne, zadarmo 2. voľne, slobodne
freedom [fri:dəm] n. sloboda
freeze [fri:z] *froze, frozen* v. 1. *freeze up* zamrznúť 2. mrznúť 3. zmraziť
freeze n. mráz
freezer [fri:zə] n. mraznička
freezing point [fri:ziŋ point] n. bod mrazu
freight [freit] n. náklad

French [frenč] n. francúzština
French adj. francúzsky
frequent [fri:kwənt] adj. bežný, častý
fresh [freš] adj. **1.** čerstvý **2.** svieži **3.** sladký *o vode*
freshwater [frešwo:tə] adj. sladkovodný
Friday [fraidi] n. piatok • *on Friday* v piatok • *on Fridays* každý piatok
fridge [fridž] n. chladnička
friend [frend] n. priateľ, priateľka
friendly [frendly] adj. kamarátsky, priateľský
friendship [frendšip] n. kamarátstvo, priateľstvo
fright [frait] n. strach
frighten [fraitn] v. naľakať sa
fringe [frindž] n. ofina
frog [frog] n. žaba
from [frəm, fro:m] prep. **1.** z **2.** od
front adj. predný
frontier [frantiə] n. hranice
frost [frost] n. mráz
frost v. zmrznúť
frosty [frosti] adj. mrazivý
frown [fraun] v. mračiť sa
frown n. vráska
fruit [fru:t] n. **1.** ovocie • *fruit-juice* ovocná šťava **2.** plod
fruity [fru:ti] adj. ovocný
fry [frai] v. smažiť • *frying pan* panvica
fryer [fraiə] n. panvica na smaženie
fuel [fjuəl] n. palivo
fulfil [ful´fil] v. splniť sa
full [ful] adj. **1.** plný **2.** úplný
full adv. priamo, rovno • *fullage* plnoletosť
full stop [,ful ´stop] n. bodka
fully [fuli] adv. úplne, celkom
fume [fju:m] v. zúriť
fun [fan] n. zábava
fund [fand] n. zásoba
funeral [fju:nərəl] n. pohreb
funnel [fanæl] n. lievik
funny [fani] adj. zábavný, smiešny
fur [fə:] n. **1.** srsť **2.** kožu-

šina **3.** *furcoat* kožuch
furious [fjuəriəs] adj. zúrivý
furnish [fə:niš] v. zariadiť nábytkom
furniture [fə:nič ə] n. nábytok
furrier [fariə] n. kožušník
furrow [farəu] n. **1.** brázda **2.** vráska
further [fə:đə] adv. ďalej
further adj. ďalší
furthermore [ˌfə:đə´mo:] adv. okrem toho
furthermost [fə:đəməust] adj. najvzdialenejší
fury [fjuəri] n. zúrivosť, zlosť
fuss [fas] n. zmätok, krik
future [fju:čə] n. budúcnosť • *in the future* v budúcnosti
future adj. budúci

G

gab [gæb] v. tárať
gad [gæd] v. túlať sa
gaiety [geiəti] n. veselosť, radosť
gain [gein] v. nadobudnúť, získať
galaxy [gæləksi] n. galaxia
gale [geil] n. víchor, víchrica
gallant [gælənt] adj. galantný
gallery [gæləri] n. galéria
gallop [gæləp] n. cval
gallows [gæləuz] n. šibenica
galosh [gə'loš] n. galoša
game [geim] n. hra, zápas
gamekeeper [geim,ki:pə] n. hájnik
gammon [gæmən] n. údená šunka
gander [gændə] n. gunár
gang [gæŋ] n. banda
gangster [gæŋstə] n. bandita, gangster
gaol [džeil] n. žalár, väzenie
gap [gæp] n. diera, otvor
gape [geip] v. zívať
garage [gæra:ž] n. garáž
garage v. garážovať
garden [ga:dn] n. záhrada • *in the garden* v záhrade
gargle [ga:gl] v. kloktať
garland [ga:lənd] n. veniec
garlic [ga:lik] n. cesnak
garnish [ga:niš] n. ozdoba, okrasa
garnish v. ozdobiť
garret [gærət] n. **1.** pôjd **2.** podkrovie
garrison [gærəsən] n. **1.** posádka **2.** pevnosť **3.** tábor
gas [gæs] n. plyn
gasp [ga:sp] v. dychčať, lapať po dychu
gate [geit] n. brána, vráta • *gateway* vchod
gather [gæđə] v. *gather in/up* zbierať aj úrodu
gathering [gæđəriŋ] n. stretnutie, zhromaždenie
gay [gei] adj. radostný, veselý
gem [džem] n. drahokam
general [dženərəl] adj. všeobecný • *General Post Office* hlavná pošta

general n. generál
generally [dženərəli] adv. zvyčajne
generation [ˌdženəˈreišən] n. generácia, pokolenie
generous [dženərəs] adj. štedrý, nápomocný, veľkorysý
genius [dži:niəs] n. génius
gentle [džentl] adj. mierny, jemný, tichý
gentleman [džentlmən] n. **1.** džentlmen **2.** pán, muž
genuine [dženjuən] adj. **1.** pravý, nefalšovaný **2.** úprimný
genus [dži:nəs] n. druh, trieda
geographical [džiəˈgræfikəl] adj. zemepisný
geography [dži:ˈogrəfi] n. zemepis
geological [džiəˈlodžikəl] adj. geologický
geology [džiˈolədži] n. geológia
geometrical [džiəˈmetrikəl] adj. geometrický
geometry [džiˈomətri] n. geometria
germ [džə:m] n. baktéria, mikrób
German [džə:mən] n. **1.** Nemec **2.** nemčina
German adj. nemecký
Germany [džə:məni] n. Nemecko
germinate [džə:məneit] v. klíčiť, pučať
gesticulate [džesˈtikjuleit] v. gestikulovať
gesticulation [ˌdžestikjuˈleišən] n. gestikulácia
gesture [džesčə] n. pohyb tela, posunok
get [get] *got, got* v. **1.** dostať, mať **2.** získať **3.** stihnúť vlak **4.** nastúpiť do *into* **5.** vystúpiť z *off/out/of* • *get away* odísť • *getback* vrátiť sa • *get off* vyraziť na cestu • *get on* robiť pokroky, dariť sa • *get together* zísť sa • *get up* vstať z postele
geyser [gi:zə] n. gejzír
ghastly [ga:stli] adj. strašný,

hrozný
ghost [gəust] n. duch, prízrak
ghostly [gəustli] adj. strašidelný
gibbet [džibit] n. šibenica
gibe [džaib] v. posmievať sa
gift [gift] n. **1.** dar **2.** nadanie, talent
gifted [giftəd] adj. nadaný
gigantic [džai´gæntik] adj. obrovský
giggle [gigəl] v. chichotať sa
gild [gild] *gilded / gilt* v. pozlátiť
gill [gil] n. horský potok
gingerbread [džindžəbred] n. perník
giraffe [džə´ra:f] n. žirafa
girl [gə:l] n. dievča, deva
girlfriend [gə:lfrend] n. priateľka, milá
give [giv] *gave, given* v. **1.** dať, podať, ponúknuť **2.** darovať
giver [givə] n. darca
glacial [gleisiəl] adj. ľadový
glacier [glæsiə] n. horský ľadovec
glad [glæd] adj. **1.** majúci radosť **2.** vďačný
gladden [glædn] v. potešiť, urobiť radosť
glade [gleid] n. čistina
glamorous [glæmərəs] adj. čarovný
glamour [glæmə] n. **1.** čaro **2.** pôvab
glare [gleə] v. gániť, zazerať
glare n. svetlo, žiara
glass [gla:s] n. **1.** sklo **2.** pohár
glasses [gla:səz] n. okuliare
glasshouse [gla:shaus] n. skleník
glaze [gleiz] v. obliať polevou
glazier [gleizə] n. sklenár
glen [glen] n. údolie, úžľabina
glide [glaid] v. **1.** kĺzať sa **2.** plachtiť
glider [glaidə] n. **1.** klzák **2.** plachtár
glimmer [glimə] n. záblesk
glimpse [glimps] v. letmo zazrieť

glitter [glitə] v. trblietať sa
global [gləubəl] adj. celosvetový
globe [gləub] n. **1.** guľa **2.** glóbus **3.** *the globe* zemeguľa
gloom [glu:m] n. smútok
gloomy [glu:mi] adj. temný
glorify [glo:rəfai] v. oslavovať
glorious [glo:riəs] adj. slávny
glory [glo:ri] n. sláva, česť
glove [glav] n. rukavica
glower [glauə] v. mračiť sa
glow-worm [gləuwə:m] n. svätojánska muška
glue [glu:] n. lepidlo
glue v. lepiť
gnash [næš] v. škrípať zubami
gnat [næt] n. komár
gnawer [no:ə] n. hlodavec
go [gəu] *goes, went, gone* v. **1.** ísť, odísť **2.** viezť sa • *go into* vojsť do • *go together* hodiť sa k sebe • *go up* rásť
goal [gəul] n. **1.** *šport.* bránka **2.** gól
goalkeeper [gəul ,ki:pə] n. brankár
goat [gəut] n. koza, cap
goblet [goblit] n. pohár
goblin [goblin] n. škriatok
god [god] n. boh • *my god* božemôj • *thank god* vďaka bohu
godchild [godčaild] n. krstňa
goddaughter [god ,do:tə] n. krstná dcéra
goddess [godəs] n. bohyňa
godfather [god,fa:đə] n. krstný otec
godmother [god,mađə] n. krstná mama
godparent [god,peərənt] n. krstný rodič
godson [godsan] n. krstný syn
goer [gəuə] n. **1.** chodec **2.** návštevník
goggle [gogəl] v. vyvaľovať oči na *at*
goggles [gogəlz] n. ochranné okuliare
gold [gəuld] n. zlato

gold adj. zlatý
goldsmith [gəuld,smiθ] n. zlatník
golf [golf] n. golf
gong [goŋ] v. zazvoniť
good [gud] adj. *better, best* **1.** dobrý, správny **2.** užitočný • *for good* navždy • *in good time* v pravý čas • *good luck!* veľa šťastia! • *Good Friday* Veľký piatok • *good-bye* zbohom
good-looking [,gud ´lukiŋ] adj. dobre vyzerajúci
good-natured [,gud ´neičəd] adj. **1.** dobromyseľný **2.** láskavý
goodness [gudnəs] n. dobrota, láskavosť
goods [gudz] n. tovar
goose [gu:s] n. hus
gooseberry [guzbəri] n. egreš
gorilla [gə´rilə] n. gorila
gossamer [gosəmə] n. **1.** babie leto **2.** pavučina
gossip [gosəp] n. **1.** klebetenie, ohováranie **2.** klebeta
gourd [guəd] n. dyňa
government [gavəmənt] n. vláda
governor [gavənə] n. guvernér
gown [gaun] n. **1.** dlhé večerné šaty **2.** talár **3.** župan
grace [greis] n. **1.** pôvab **2.** zdvorilosť
graceful [greisful] adj. pôvabný
gracious [greišəs] adj. láskavý, milý
gradual [grædžuəl] adj. postupný
graduate [grædžuət] n. absolvent vysokej školy/univerzity
graduate v. absolvovať školu
graduation [,grædžu´eišən] n. promócia, maturita
grain [grein] n. **1.** zrno, zrnko **2.** obilie
gram [græm] n. gram
grammar [græmə] n. **1.** gramatika **2.** učebnica gramatiky
grammar school [græmə-

,sku:l] n. gymnázium, stredná škola
gramme [græm] n. gram
gramophone [græməfəun] n. gramofón
granary [grænəri] n. sýpka, obilnica
grand [grænd] adj. veľkolepý, skvelý
grandad [grændæd] n. dedo, deduško
grandchild [grænčaild] n. vnúča
granddaughter [græn ,do:tə] n. vnučka
grandfather [grænd ,fa:đə] n. starý otec
grandmother [græn ,mađə] n. stará matka
grandson [grænsan] n. vnuk
granite [grænət] n. žula
granny [græni] n. babi, babička
grape [greip] n. zrnko hrozna
grapefruit [greipfru:t] n. grep, grepfruit
graph [gra:f] n. diagram
grasp [gra:sp] v. uchopiť, chytiť
grass [gra:s] n. **1.** tráva **2.** trávnik
grasshopper [gra:s ,hopə] n. kobylka
grateful [greitfəl] adj. vďačný
grater [greitə] n. strúhadlo
gratis [greitis] adv. zadarmo
grave [greiv] n. hrob • *grave-stone* náhrobný kameň
gravel [grævəl] n. štrk
gravitation [grævi´teišən] n. gravitácia
gravy [greivi] n. šťava *mäsová*
grease [gri:s] n. tuk, masť
grease v. namazať, namastiť
great [greit] adj. **1.** významný **2.** dôležitý
Greece [gri:s] n. Grécko
greedy [gri:di:] adj. nenásytný, pažravý
Greek [gri:k] n. **1.** Grék **2.** gréčtina
Greek adj. grécky
green [gri:n] adj. zelený
green n. **1.** zeleň **2.** trávnik

greengrocer [gri:n ,grəusə] n. zeleninár, ovocinár
greenhouse [gri:nhaus] n. skleník
green pepper [,gri:n 'pepə] n. zelená paprika
greet [gri:t] v. **1.** pozdraviť, zdraviť **2.** vítať
greeting [gri:tiŋ] n. **1.** pozdrav **2.** *greetings* pozdravy, blahoželanie
grenade [grə'neid] n. *voj.* granát
grey [grei] adj. sivý, šedý
greyhound [greihaund] n. chrt
grief [gri:f] n. zármutok, žiaľ
grieve [gri.v] v. trápiť sa, smútiť
grill [gril] v. opekať (sa), grilovať (sa)
grill n. ražeň, rošt
grimace [gri'meis] n. úškľabok
grime [graim] n. špina
grin [grin] v. škeriť sa, smiať sa
grind [graind] *ground* v. **1.** *grind up* mlieť **2.** škrípať zubami **3.** brúsiť
grisly [grizli] adj. strašný, odpudzujúci
grizzly bear [,grizli 'beə] n. medveď
grocer [grəusə] n. obchodník s potravinami
grocery [grəusəri] n. obchod s potravinami
groom [gru:m] n. ženích
grotesque [grəu'tesk] n. groteska
ground [graund] n. **1.** *the ground* zem **2.** pôda **3.** pozemok
group [gru:p] n. **1.** skupina **2.** hudobná skupina
grow [grəu] *grew, grown* v. rásť • *grow up* vyrásť, dospieť • *grow old* zostárnuť
growth [grəuč] n. rast
grub [grab] n. larva
guard [ga:d] n. stráž, hliadka
guard v. strážiť, chrániť • *be on guard* byť na stráži
guardian angel [,ga:diən

'eindžəl] n. anjel strážny
guess [ges] v. hádať
guest [gest] n. hosť
guide [gaid] n. turistický sprievodca, aj kniha
guide v. sprevádzať, viesť cestou
guinea pig [gini pig] n. morské prasiatko
guitar [gi'ta:] n. gitara • *play the guitar* hrať na gitaru
gulf [galf] n. záliv, zátoka
gull [gal] n. morská čajka
gulp [galp] v. *gulp down* náhlivo hltať
gulp n. hlt, dúšok
gum [gam] n. ďasno
gum n. **1.** lepidlo **2.** žuvačka
gum v. prilepiť
gun [gan] n. **1.** strelná zbraň **2.** delo
gunner [ganə] n. delostrelec
gun-powder [gan ,paudə] n. pušný prach
gut [gat] n. črevo • *blind gut* slepé črevo
gutter [gatə] n. **1.** jarok **2.** odkvap
gymnasium [džim'neiziəm] n. telocvičňa
gymnastics [džim'næstiks] n. gymnastika, telocvik

H

habit [hæbət] n. zvyk, návyk
habitable [hæbitəbl] adj. obývateľný
habitation [ˌhæbi´teišən] n. bývanie
habitude [hæbitju:d] n. návyk
hag [hæg] n. ježibaba, čarodejnica
hail [heil] n. ľadovec, krúpy
hail v. zavolať, zamávať
hair [heə] n. **1.** vlas **2.** vlasy, srsť
hairdo [heədu:] n. dámsky účes
hairdresser [heəˌdresə] n. kaderník
hairstyle [heəstail] n. účes
hale [heil] adj. zdravý
half [ha:f] n. polovica • *half an hour* pol hodiny **2.** *šport.* polčas
halfback [ha:fbæk] n. futbalový záložník
half-hearted [ˌha:f ´ha:təd] adj. ľahostajný
half-time [ˌha:f ´taim] n. polčas, prestávka v hre
hall [ho:l] n. **1.** predizba, hala **2.** sála, sieň, hľadisko
hallelujah [ˌhlə´lu:jə] interj. aleluja
hallucinate [hə´lu:səneit] v. blúzniť
halve [ha:v] v. **1.** zmenšiť/skrátiť na polovicu **2.** rozpoliť
ham [hæm] n. šunka
hamburger [hæmbə:gə] n. hamburger
hammer [hæmə] n. kladivo
hammer v. zatĺkať kladivom
hand [hænd] n. **1.** ruka **2.** ručička *hodín*
hand-bag [hændbæg] n. kabelka
handbook [hændbuk] n. príručka
handcuffs [hændkafs] n. putá
handicraft [hændikra:ft] n. zručnosť, remeslo
handkerchief [hæŋkačif] n. vreckovka

handle v. **1.** vziať do rúk **2.** riadiť
handshake [hændšeik] n. podanie / stisnutie rúk *pri pozdrave*
handsome [hænsəm] adj. pekný muž
handy [hændi] adj. **1.** šikovný, užitočný **2.** obratný, zručný
hang [hæŋ] *hung, hung* v. **1.** zavesiť **2.** visieť
hanger [hæŋə] n. vešiak
hanging [hæŋiŋ] n. poprava obesením
hangman [hæŋmən] n. kat
happen [hæpən] v. stať sa, udiať sa
happening [hæpəniŋ] n. udalosť
happiness [hæpinəs] n. šťastie
happy [hæpi] adj. šťastný
harbour [ha:bə] n. prístav
hard [ha:d] adj. tvrdý
hard adv. usilovne
hardy [ha:di] adj. otužilý
hare [heə] n. zajac
harm [ha:m] n. zranenie
harmonica [ha:´monikə] n. ústna harmonika
harmony [ha:məni] n. súlad, harmónia
harp [ha:p] n. harfa
harpoon [ha:´pu:n] n. harpúna
hart [ha:t] n. jeleň
harvest [ha:vəst] n. žatva
haste [heist] n. zhon
hasten [heisən] v. ponáhľať sa
hat [hæt] n. klobúk
hatch [hæč] v. *hatch out* vyliahnuť sa
hate [heit] v. nenávidieť
hate n. nenávisť, odpor
haughty [ho:ti] adj. pyšný
have [v,əv, həv, hæv] *has, had* v. mať *pomocné sloveso*
have v. *have/has got* **1.** mať, vlastniť **2.** *have a cold* mať nádchu
hawk [ho:k] n. jastrab
hay [hei] n. seno • *make hay* sušiť seno

haystack [heistæk] n. stoh sena
haze [heiz] n. riedka hmla
hazel [heizəl] n. lieska • *hazelnut* lieskový oriešok
he [hi:] pron. on
head [hed] n. hlava
head v. *head up* ísť / stáť v čele
headache [hedeik] n. bolesť hlavy
headmaster [ˌhed ˈma:stə] n. riaditeľ školy
headphones [hedfəunz] n. slúchadlá
heal [hi:l] v. *heal over/up* hojiť sa
health [helθ] n. zdravie
healthy [helθi] adj. zdravý
heap [hi:p] n. hromada
hear [hiə] *heard, heard* v. **1.** počuť **2.** dopočuť sa **3.** vypočuť (si)
hearing [hiəriŋ] n. sluch
hearth [ha:θ] n. ohnisko, kozub
hearty [ha:ti] adj. srdečný, priateľský, úprimný
heat [hi:t] v. **1.** ohriať (sa) **2.** kúriť
heat n. horúčava, teplo
heating [hi:tiŋ] n. kúrenie
heatstroke [hi:tstrəuk] n. úpal
heaven [hevən] n. nebo
heavy [hevi] adj. ťažký
hedge [hedž] n. živý plot
hedgehog [hedžhog] n. jež
heel [hi:l] n. **1.** päta **2.** podpätok
height [hait] n. výška
heir [eə] n. dedič
hell [hel] n. peklo
hello [həˈləu] interj. ahoj
helm [helm] n. kormidlo
help [help] v. pomôcť s *with*
help n. pomoc
hen [hen] n. sliepka
her [ə,hə, hə:] pron. **1.** jej **2.** svoj, ju
herb [hə:b] n. **1.** bylina **2.** liečivá bylinka
herd [hə:d] n. stádo, črieda
herdsman [hə:dzmən] n. pastier
here [hiə] adv. tu, sem

hero [hiərəu] n. hrdina
heroism [herəuizəm] n. hrdinstvo
herring [heriŋ] n. sleď
hers [hə:z] pron. samostatne **1.** jej **2.** svoj
herself [ə'self,hə'self, hə:'self] pron. **1.** seba/sa, sebe/si **2.** sama
hesitate [hezəteit] v. váhať
hi [hai] interj. *hovor.* ahoj
hide [haid] *hid, hidden* v. skryť (sa)
hideous [hidiəs] adj. škaredý
hiding [haidiŋ] n . skrýša, úkryt
high [hai] adj. vysoký
high jump [hai džamp] n. *the high jump* skok do výšky
highly [haili] adv. vysoko
high road [hai rəud] n. *the high road* hlavná cesta
hike [haik] v. ísť na peší výlet
hill [hil] n. kopec, vrch
him [im, him] pron. ho, neho, nemu, jemu, ho, ňom, ním
himself [im'self, him'self] pron. **1.** seba/sa, sebe/si **2.** sám
hinder [hində] v. prekážať, brániť
hip [hip] n. bok, bedro
hire [haiə] v. prenajať si
hire n. prenájom, nájom
his [iz, hiz] determ. aj samostatne **1.** jeho **2.** svoj
hiss [his] v. syčať
history [histəri] n. **1.** dejiny **2.** dejepis
hit [hit] *hit, hit* v. **1.** udrieť, trafiť **2.** naraziť **3.** udrieť si/sa
hit [hit] n. úder
hitch-hike [hičhaik] v. ísť autostopom
hive [haiv] n. **1.** úľ **2.** roj
hoarse [ho:s] adj. zachrípnutý
hobble [hobəl] v. krívať
hobby [hobi] n. koníček, záľuba
hockey [hoki] n. pozemný hokej
hold [həuld] *held. held* v. **1.** držať, aj v rukách **2.** udržať

hole [həul] n. **1.** jama **2.** diera
holiday [holədi] n. **1.** voľno **2.** dovolenka, prázdniny
holy [həuli] adj. svätý, posvätný
home [həum] n. **1.** domov **2.** domovina, vlasť **3.** domov, útulok • *at home* doma
home adj. domáci
homesick [həum,sik] adj. túžiaci po domove
homework [həumwə:k] n. domáca úloha
honest [onəst] adj. **1.** statočný, čestný **2.** úprimný
honesty [onəsti] n. **1.** statočnosť, čestnosť **2.** úprimnosť
honey [hani] n. med
honour [onə] n. česť
hood [hud] n. **1.** kapucňa **2.** pančucha - maska lupiča
hook [huk] n. hák, háčik
hoot [hu:t] n. sova
hop n. chmeľ
hope [həup] v. dúfať
hope n. nádej
hornet [ho:nət] n. sršeň
horrible [horəbəl] adj. strašný, hrozný
horse [ho:s] n. kôň
horsefly [ho:sflai] n. ovad
horseman [ho:smən] n. jazdec
horseshoe [ho:sšu:] n. podkova
hose [həuz] n. hadica
hose n. spodky
hospital [hospitl] n. nemocnica
host [həust] n. hostiteľ
hostage [hostidž] n. rukojemník
hostel [hostl] n. študentský domov, ubytovňa
hostess [həustəs] n. **1.** hostiteľka **2.** letuška
hostile [hostail] adj. nepriateľský
hot [hot] adj. **1.** horúci **2.** štipľavý
hot dog [,hot ´dog] n. párok v rožku
hotel [həu´tel] n. hotel
hour [auə] n. hodina
house [haus] n. dom • *keep*

house viesť domácnosť
houseboat [hausbəut] n. obytný čln
household [haushəuld] n. domácnosť
houskeeper [haus,ki:pə] n. gazdiná
housewife [hauswaif] n. domáca pani
hover [hovə] v. vznášať sa
how [hau] adv. ako • *how are you?* ako sa máš? • *how do you do?* teší ma, že vás poznávam
however [hau'evə] adv. **1.** akokoľvek **2.** napriek tomu **3.** však, bohužiaľ
howl [haul] v. zavýjať
huff [haf] v. fučať
hug [hag] v. objať
huge [hju:dž] adj. ozrutný, obrovský
hum [ham] v. bzučať
human [hju:mən] adj. ľudský
humanity [hju:'mænəti] n. ľudstvo
humid [hju:məd] adj. vlhký
humidity [hju:'midəti] n. vhlkosť
humiliate [hju:'milieit] v. ponížiť, pokoriť
humour [hju:mə] n. **1.** humor **2.** žart, vtip
hump [hamp] n. **1.** hrboľ **2.** hrb
hundred [handrəd] num. sto
Hungarian [haŋ'geəriən] n. **1.** Maďar **2.** maďarčina
Hungarian adj. maďarský
Hungary [haŋgəri] n. Maďarsko
hunger [haŋgə] n. hlad
hunt [hant] v. **1.** poľovať **2.** loviť
hunt n. **1.** poľovačka **2.** lov **3.** revír
hurdle [hə:dl] n. prekážka
hurl [hə:l] v. vrhnúť, hodiť
hurrah [hu'ra:] interj. hurá!
hurricane [harəkən] n. víchor, uragán, hurikán
hurry [hari] v. ponáhľať sa • *hurry up* ponáhľať sa
hurt [hə:t] *hurt, hurt* v. zraniť, ublížiť

husband [hazbənd] n. manžel

hygiene [haidži:n] n. **1.** hygiena **2.** čistota

I

I [aj] pron. ja
ice [ais] n. **1.** ľad **2.** icecream *ovocná vodová zmrzlina*
iceberg [aisbə:g] n. plávajúci ľadovec
icecream [ˌais´kri:m] n. mliečna zmrzlina
ice-hockey [ais´hoki] n. ľadový hokej
ice-skate [ais´skeit] v. korčuľovať sa
icicle [aisikəl] n. cencúľ
icy [aisi] adj. ľadový, studený
idea [ai´diə] n. myšlienka
ideal [ˌai´diəl] adj. dokonalý, ideálny
ideal n. ideál, vzor
identify [ai´dentəfai] v. identifikovať
identity [ai´dentəti] n. totožnosť
identity card [ai´dentəti ka:d] n. občiansky preukaz
idiom [idiəm] n. idióm, jazykové ustálené spojenie
idiot [aidiət] n. idiot
idle [aidl] adj. lenivý
idle v. leňošiť, zaháľať
idler [aidlə] n. leňoch
idol [aidl] n. idol
idolater [ai´dolətə] n. zbožňovateľ
idolize [aidəlaiz] v. zbožňovať
if [if] conj. **1.** ak **2.** keby **3.** či
ignoble [ig´nəubəl] adj. nečestný
ignore [ig´no:] v. nevšímať si
ill [il] *worse, worst* adj. chorý
ill adv. zle
ill n. zlo
illegible [i´ledžəbəl] adj. nečitateľný
illness [ilnis] n. choroba
illusion [i´lu:žən] n. falošná predstava, ilúzia
illusive [i´lu:siv] adj. klamný
illustrate [iləstreit] v. ilustrovať
illustration [ˌilə´streišən] n. obrázok, ilustrácia
illustrator [iləstreitə] n. ilustrátor
imagination [iˌmædžə-

´neišən] n. obrazotvornosť
imagine [i´mædžən] v. **1.** predstaviť si **2.** vymýšľať si
imitate [iməteit] v. napodobiť
immediately [i´mi:diətli] adv. ihneď, okamžite
immigrant [iməgrənt] n. prisťahovalec
immigrate [imigreit] v. prisťahovať sa
immigration [,imi´greišən] n. prisťahovalectvo
immobile [i´məubail] adj. nepohyblivý
immodest [i´modist] adj. neskromný
immune [i´mju:n] adj. odolný
immune system [im´ju:n ,sistəm] n. *the immune system* imunitný systém
immunity [i´mju:niti] n. odolnosť
impassion [im´pæšən] v. rozrušiť
impatience [im´peišəns] n. netrpezlivosť
impatient [im´peišənt] adj. **1.** netrpezlivý **2.** nedočkavý na *for*
imperative [im´perətiv] adj. **1.** naliehavý, nevyhnutný **2.** rozkazovačný **3.** rozkazovací spôsob
implement [impləmənt] n. nástroj, náradie
impolite [,impə´lait] adj. nezdvorilý
import [impo:t] v. dovážať
import [im´po:t] n. dovoz
important [im´po:tənt] adj. dôležitý
imposing [im´pəuziŋ] adj. veľkolepý
impossible [im´posəbəl] adj. nemožný
impress [im´pres] v. urobiť dojem, ovplyvniť, zapôsobiť
impression [im´prešən] n. dojem
impressive [im´presiv] adj. pôsobivý
imprison [im´prizən] v. väz-

niť, uväzniť
improve [im'pru:v] v. zlepšiť sa, zdokonaliť sa
improvement [im'pru:vmənt] n. zdokonalenie, zlepšenie
imprudent [im'pru:dənt] adj. nerozvážny
impudent [impju:dənt] adj. drzý
impulse [impals] n. podnet
impurity [im'pjuəriti] n. nečestnosť
in [in] prep. **1.** v, vnútri, na **2.** do • *in any case* v každom prípade • *in all* spolu • *in that* pretože
in adv. **1.** vnútri, dnu **2.** doma
in adj. **1.** vnútorný **2.** smerujúci dovnútra
inaccurate [in'ækjərət] adj. nepresný, nesprávny
inaction [in'ækšən] n. nečinnosť
inapplicable [,inə'plikəbəl] adj. nepoužiteľný
inappropriate [,inə'prəupriit] adj. nevhodný
inapt [in'æpt] adj. neschopný
inattention [,inə'tenšən] n. nepozornosť
inattentive [,inə'tentiv] adj. nepozorný
incidence [insidəns] n. náraz
incident [insədənt] n. **1.** udalosť, príhoda **2.** konflikt
incidental [,insi'dentəl] adj. náhodný
inclination [,iŋklə'neišən] n. náklonnosť, záľuba
incline [in'klain] v. prinútiť
include [in'klu:d] v. obsahovať ako súčasť
including [in'klu:diŋ] prep. vrátane
income [iŋkam] n. príjem, *plat*
incorrect [,inkə'rekt] adj. nesprávny
increase [in'kri:s] v. rásť, pribúdať
increase [iŋkri:s] n. rast
incredible [in'kredəbəl] adj. neuveriteľný
index finger [indeks ,fiŋgə] n. ukazovák

Indian summer [,indiən ´samə] n. babie leto
indifference [in´difərəns] n. ľahostajnosť
indifferent [in´difərənt] adj. ľahostajný
indirect [,ində´rekt] adj. nepriamy • *indirect speech* nepriama reč
individual [,ində´vidžuəl] adj. 1. jednotlivý 2. zvláštny
individual n. jednotlivec
indivisible [,indi´vizəbl] adj. nedeliteľný
indoor [indo:] adj. domáci, izbový, bytový
indoors [,in´do:z] adv. doma
industrial [in´dastriəl] adj. priemyslový
industry [indəstri] n. priemysel
infant [infənt] n. 1. dojča 2. dieťa
infect [in´fekt] v. 1. nakaziť 2. zamoriť
infection [in´fekšən] n. nákaza
infectious [in´fekšəs] adj. nákazlivý
infinite [infənət] adj. nekonečný
inflexible [in´fleksəbəl] adj. neohybný
inflow [infləu] n. prítok
influence [influəns] n. vplyv
influence v. ovplyvňovať
influenza [,influ´enzə] n. chrípka
influx [inflaks] n. prílev
inform [in´fo:m] v. oznámiť, informovať
information [,infə´meišən] n. oznam, správa, informácia
inhabit [in´hæbit] v. obývať
inhabitant [in´hæbətənt] n. obyvateľ
inhale [in´heil] v. vdýchnuť, vdychovať
inheritance [in´herətəns] n. dedičstvo
inhibition [,inhi´bišən] n. zákaz
inhuman [in´hju:mən] adj. neľudský
initial [i´nišəl] adj. začiatoč-

ný, úvodný
initiate [i´nišieit] v. podnietiť
initiative [i´nišətiv] n. iniciatíva
inject [in´džekt] v. dať injekciu
injection [in´džekšən] n. injekcia
injure [indžə] v. ublížiť, zraniť
injury [indžəri] n. **1.** ublíženie, zranenie **2.** rana
injustice [in´džastəs] n. krivda
ink [iŋk] n. atrament
inland [inlənd] adj. vnútrozemský
inland [in´lænd] adv. vnútrozemie
inlet [inlet] n. malá morská zátoka, záliv
inn [in] n. krčma, hostinec • *innkeeper* hostinský
innocent [inəsənt] adj. nevinný
inquire [in´kwaiə] v. pýtať sa, informovať sa
inquiry [in´kwaiəri] n. vyšetrovanie, pátranie • *inquiry office* informačná kancelária
inscribe [in´skraib] v. označiť
inscription [in´skripšən] n. **1.** vyrytý nápis **2.** venovanie, **3.** nadpis
insect [insekt] n. hmyz
inside [insaid] adj. **1.** vnútorný **2.** známy, dôverný
inside [in´said] adv. vnútri, dovnútra
insist [in´sist] v. **1.** trvať na názore na *niečom* **2.** prikázať
inspire [in´spaiə] v. povzbudiť
instant [instənt] n. okamih
instant adj. okamžitý
instead [in´sted] adv. namiesto toho • *instead of* namiesto koho/čoho
institution [‚instə´tju:šən] n. inštitúcia
instruct [in´strakt] v. dať pokyny
instruction [in´strakšən] n.

návod
instructor [in´straktə] n. učiteľ, inštruktor
instrument [instrəmənt] n. nástroj • *musical instruments* hudobné nástroje
insult [in´salt] v. uraziť
insult [insalt] n. urážka
insurance [in´šuərəns] n. poistenie • *insurance policy* poistka • *health insurance* zdravotné poistenie
insure [in´šuə] v. poistiť
intellect [intəlekt] n. rozum
intelligent [in´telədžənt] adj. bystrý, rozumný, múdry, vzdelaný
intend [in´tend] v. zamýšľať
interchange [,intə´čeindž] v. zameniť, vymeniť
interchange n. výmena
interest [intrəst] n. záujem • *be interested in* zaujímať sa o
interesting [intrəstiŋ] adj. zaujímavý, pútavý
intermediate [,intə´mi:diət] adj. stredný
international [,intə´næšənəl] adj. medzinárodný
interpreter [in´tə:prətə] n. prekladateľ
interspace [intə´speis] n. medzera
interval [intəvəl] n. prestávka, medziobdobie medzi *between*
interview [intəvju:] n. **1.** pohovor **2.** rozhovor
intimate [intəmət] adj. dôverný, blízky
intimate [intəmeit] v. naznačiť, nadhodiť komu *to*
intimidate [in´timədeit] v. vystrašiť, vyľakať
into [intə, intu:] prep. smer do, dovnútra
intonation [in,təu´neišən] n. intonácia
introduce [,intrə´dju:s] v. zoznámiť, predstaviť komu *to*
introduction [,intrə´dakšən] n. **1.** *introductions* zoznámenie, predstavenie **2.** úvod

intruder [in´tru:də] n. votrelec
invasion [in´veižən] n. vpád, nájazd
invent [in´vent] v. vynájsť, vymyslieť
invention [in´venšən] n. vynález
inventive [in´ventiv] adj. vynaliezavý
investigate [in´vestəgeit] v. vyšetrovať, pátrať
investigation [in´vesti´geišən] n. **1.** vyšetrovanie **2.** výskum
invisible [in´vizəbəl] adj. neviditeľný
invitation [,invə´teišən] n. **1.** pozvanie **2.** pozvánka
invite [in´vait] v. pozvať
iodine [aiədi:n] n. jód
Ireland [aiələnd] n. Írsko
Irish [aiəriš] n. **1.** *the Irish* Íri **2.** írčina
Irish adj. írsky
Irishman [aiərišmən] n. Ír
Irishwoman [aiəriš ,wumən] n. Írka
iron [aiən] n. **1.** železo • *iron stone* železná ruda • *ironworks* železiareň **2.** žehlička
ironing [aiəniŋ] n. žehlenie
irresponsibility [iris,ponsə´biliti] n. nezodpovednosť
island [ailənd] n. ostrov
isle [ail] n. ostrovček
issue [išu:] n. **1.** spor **2.** ústie
it [it] pron. ten tá, to, on, ona, ono
Italian [i´tæliən] n. **1.** Talian **2.** taliančina
Italian adj. taliansky
Italy [itəli] n. Taliansko
its [its] determ. **1.** jeho, jej **2.** svoj
itself [it´self] pron. **1.** seba, sa, sebe, si **2.** osobne, sám

J

jack [džæk] n. námorník
jacket [džækət] n. sako
jaguar [džægjuə] n. jaguár
jail [džeil] n. väzenie
jam [džæm] n. zaváranina, lekvár
jangle [džæŋgəl] v. cengať, štrngať
janitor [džænitə] n. domovník
January [džænjuəri] n. január • *in January* v januári
Japanese [,džæpəni:z] **1.** Japonec **2.** japonský
jar [dža:] n. džbán, krčah
javelin [džævələn] n. oštep
jaw [džo:] n. čeľusť
jazz [džæz] n. džez • *jazz band* džezový orchester
jealous [dželəs] adj. žiarlivý
jealousy [dželəsi] n. žiarlivosť
jeans [dži:nz] n. texasky, džínsy
jeep [dži:p] n. džíp
jeer [džiə] v. posmievať sa
jelly [dželi] n. huspenina, rôsol
jellyfish [dželifiš] n. medúza
jerkin [džə:kin] n. vesta
jerky [dže:ki] adj. kostrbatý
jest [džest] v. žartovať
Jesus [dži:zəs] Ježiš
jet [džet] n. prúdové lietadlo, tryskáč
Jew [džu:] n. Žid
jewel [džu:əl] n. drahokam, klenot
jewellery [džu:ələri] n. klenoty, šperky
Jewish [džu:iš] adj. židovský
jingle [džiŋgəl] v. cengať
jitters [džitəz] n. *the jitters* tréma
job [džob] n. práca, zamestnanie • *apply for job* hľadať prácu • *full-time job* práca na plný úväzok • *part-time job* práca na čiastočný úväzok **2.** pracovná úloha **3.**vec, záležitosť
job n. bodnutie
jocose [džə ˈkəus] adj. žartovný

jogging [džogiŋ] n. beh pre zdravie • *go jogging* behať pre zdravie
join [džoin] v. **1.** *join together* spojiť s **2.** pripojiť sa (k) **3.** spojiť sa **4.** stať sa členom čoho • *join the army* vstúpiť do armády
joke [džəuk] n. **1.** žart, vtip **2.** detská hračka
joke v. žartovať, vtipkovať
joker [džəukə] n. **1.** vtipkár **2.** šašo **3.** žolík
jolly [džoli] adj. veselý, príjemný
journal [džə:nəl] n. denník, odborný časopis
journalist [džə:nələst] n. novinár
journey [džə:ni] n. cestovanie, cesta
joy [džoi] n. šťastie, radosť
Jr. skr. *junior* ml. mladší, syn
jubilate [džu:bileit] v. jasať
jubilee [džu:bəli:] n. výročie, jubileum
judge [džadž] v. súdiť *na súde*
judge n. sudca
judgement [džadžmənt] n. **1.** súd **2.** rozsudok • *pass judgement* vyniesť rozsudok
jug [džag] n. krčah
juggler [džaglə] n. žonglér
juice [džu:s] n. šťava
juicy [džu:si] adj. šťavnatý
July [džu´lai] n. júl • *in July* v júli
jump [džamp] v. **1.** skočiť **2.** *jump across* preskočiť **3.** poskočiť **4.** *jump down* zoskočiť **5.** *jump up* vyskočiť
jump n. **1.** skok **2.** prekážka
jumpsuit [džampsu:t] n. kombinéza
junction [džaŋkšən] n. križovatka
June [džu:n] n. jún • *in June* v júni
jungle [džaŋgəl] n. džungľa
junior [džu:niə] adj. mladší než *to*
junior school [džu:niə ˌsku:l] n. základná škola v Británii (7- 11 rokov)

jurist [džuərist] n. právnik
jury [džuəri] n. porota na súde/súťaži
just [džəst] adv. **1.** práve, presne **2.** len, iba • *just now* práve teraz
just adj. spravodlivý
justice [džastəs] n. **1.** spravodlivosť **2.** súd **3.** sudca

K

kale [keil] n. kel
kangaroo [ˌkæŋgəˈru:] n. kengura
kayak [kaiæk] n. kajak
keen [ki:n] adj. **1.** dychtivý **2.** bystrý
keep [ki:p] *kept, kept* v. **1.** držať, vlastniť **2.** udržať, zachovať **3.** zostať • *keep silent* mlčať • *keep back* neprezradiť • *keep on* pokračovať • *keep house* viesť domácnosť • *keep from* zatajiť
keep n. veža
keeper [ki:pə] n. **1.** dozorca **2.** opatrovateľ **3.** majiteľ
keepsake [ki:pseik] n. darček na pamiatku
keg [keg] n. súdok
kennel [kenl] n. psia búda
kerb [kə:b] n. obrubník, okraj chodníka
kerchief [kə:či:f] n. šatka
kernel [kə:nəl] n. jadierko
kerosene [kerəsi:n] n. petrolej
ketchup [kečəp] n. kečup
kettle [ketl] n. kanvica, kotlík
key [ki:] n. **1.** kľúč **2.** klávesa, tlačidlo
key v. naladiť
keyboard [ki:bo:d] n. klávesnica
keyhole [ki:həul] n. kľúčová dierka
kick [kik] v. **1.** kopnúť **2.** streliť gól • *kick off* otvoriť hru vo futbale
kick n. **1.** kopnutie, výkop **2.** kopanec
kid [kid] n. **1.** kozľa **2.** ľudské mláďa
kidney [kidni] n. oblička
kill [kil] v. zabiť, usmrtiť
killer [kilə] n. vrah
killing [kiliŋ] n. **1.** vražda **2.** úlovok
kiln [kiln] n. pec
kilogram [kiləgræm] n. kilogram
kilometre [kilə,mi:tə] n. kilometer
kin [kin] n. príbuzenstvo

kind [kaind] n. **1.** odroda, druh **2.** trieda

kind adj. láskavý, priateľský, vľúdny • *it is kind of you* je to od vás milé

kindergarten [kindəga:tən] n. škôlka, materská škola

kindhearted [kaind ´ha:tid] adj. dobrosrdečný

kindly [kaindli] adj. láskavý, vľúdny

kindness [kaindnəs] n. láskavosť, vľúdnosť

kindred [kindrəd] n. príbuzný, blízky

king [kiŋ] n. kráľ

kingdom [kiŋdəm] n. kráľovstvo • *United Kingdom* Spojené kráľovstvo

kiosk [ki:osk] n. stánok, kiosk

kipper [kipə] n. losos

kiss [kis] v. pobozkať

kiss n. bozk

kitchen [kičən] n. kuchyňa

kitchen garden [,kičən ´ga:dən] n. zeleninová záhrada

kite [kait] n. **1.** papierový drak **2.** jastrab, dravec

kitten [kitən] n. mačiatko

knead [ni:d] v. **1.** miesiť cesto **2.** masírovať

knee [ni:] n. koleno

kneel [ni:l] *knelt, knelt* v. *kneel down* kľaknúť

knell [nel] n. umieráčik

knife [naif] n. nôž

knight [nait] n. rytier

knit [nit] v. pliesť

knob [nob] n. gombík

knock [nok] v. **1.** udierať, búchať **2.** klopať *na dvere*

knock n. **1.** úder, náraz **2.** klopanie

knot [not] n. uzol

knot v. *knot together* **1.** uviazať na uzol **2.** zauzliť sa

know [nəu] *knew, known* v. **1.** vedieť **2.** poznať • *I don´t know* neviem • *you know* veď vieš

knowledge [nolidž] n. vedomosti

know adj. známy

kohlrabi [,kəul ´ra:bi] kaleráb

L

label [leibəl] n. nálepka
laboratory [lə'borətəri] n. laboratórium
labyrinth [læbərinθ] n. bludisko
lace [leis] n. šnúrka do topánky
lace v. zašnurovať
lack [læk] v. chýbať
lack n. nedostatok
lacquer [lækə] n. lak
lacquer v. lakovať
ladder [lædə] n. rebrík
ladle [leidl] n. naberačka
lady [leidi:] n. **1.** žena **2.** dáma, pani
lady-bird [leidi bə:d] n. lienka
lagoon [lə'gu:n] n. lagúna
lake [leik] n. jazero, rybník
lamb [læm] n. **1.** jahňa **2.** jahňacina
lame [leim] adj. chromý, krívajúci
lament [lə'ment] v. nariekať, bedákať
lamentation [,læmen'teišən] n. nárek, plač
laminate [læmineit] n. doska
lamp [læmp] n. lampa
lampshade [læmpšeid] n. tienidlo lampy
land [lænd] n. **1.** zem, pevnina **2.** kraj **3.** pôda, pozemok **4.** *the land* vidiek
land v. vystúpiť na breh
landing [lændiŋ] n. pristátie
landlady [lænd,leidi] n. domáca pani
landlord [lændlo:d] n. domáci pán
landscape [lændskeip] n. kraj, krajina
landslide [lændslaid] n. lavína
lane [lein] n. poľná cestička
language [læŋgwidž] n. **1.** jazyk **2.** reč
lank [læŋk] adj. chudý
lantern [læntən] n. **1.** lampáš **2.** maják
lap [læp] n. **1.** *šport.* etapa **2.** hlt
lap v. držať v náručí

lard [la:d] n. bravčová masť
larder [la:də] n. komora, špajza
large [la:dž] adj. veľký, objemný, rozsiahly
lark [la:k] n. škovránok
larva [la:və] n. larva
larynx [læriŋks] n. hrtan
laser [leizə] n. laser
lash n. bič
lasso [læsu:] n. laso
last [la:st] adj. **1.** *the last* posledný • *the latest* najnovší **2.** minulý, predchádzajúci
last adv. naposledy
last n. zvyšok
last v. trvať
lasting [la:stiŋ] adj. trvalý
late [leit] adj. **1.** meškajúci **2.** neskorý • *be late* prísť neskoro **3.** zosnulý **4.** bývalý
late adv. neskoro
later [leitə] adv. potom, neskôr
lateral [lætərəl] adj. bočný
latest [leitəst] adj. najnovší, posledný
lath [la:θ] n. latka, dlaha
lathe [leið] n. sústruh
lather [la:ðə] n. pena
latitude [lætətju:d] n. zemepisná šírka
latter [lætə] adj. nedávny
laugh [la:f] v. **1.** smiať sa **2.** vysmiať
laugh n. **1.** smiech **2.** zábava
launch [lo:nč] v. vypustiť *do vesmíru*
laundry [lo:ndri] n. **1.** práčovňa **2.** špinavé prádlo
lavatory [lævətəri] n. záchod, toaleta
law [lo:] n. zákon
lawn [lo:n] n. trávnik
lawn party [lo:n ,pa:ti] n. záhradná slávnosť
lawyer [lo:jə] n. právnik
lay [laid] v. *laid, laid* klásť, umiestniť • *lay the table* prestrieť stôl
laziness [leizinəs] n. lenivosť
lazy [leizi] adj. lenivý
lead [li:d] *led, led* v. sprevádzať, viesť
lead adj. hlavný
lead [led] n. **1.** olovo **2.** tuha

ceruzky
leader [li:də] n. vodca
leaf [li:f] n. list *stromu, papiera*
leaflet [li:flət] n. leták
league [li:g] n. spolok, liga
leak [li:k] v. tiecť
leak n. diera
lean [li:n] *leant/leaned* v. **1.** nakloniť sa **2.** oprieť sa **3.** vykláňať sa
lean adj. štíhly
leap [li:p] *leapt/leaped* v. preskočiť
leap n. skok
leap year [li:p jiə] n. priestupný rok
learn [lə:n] *learnt/learned* v. učiť sa
lease [li:s] n. prenájom
least adv. aspoň
leather [leðə] n. vypracovaná koža
leave [li:v] *left, left* v. **1.** odísť, odcestovať **2.** nechať, zanechať, opustiť
leaven [levən] n. droždie
lecture [lekčə] n. prednáška
lecture v. prednášať
lecturer [lekčərə] n. lektor
left [left] adj. ľavý
left n. *the* left ľavá strana
left adv. vľavo
leg [leg] n. **1.** noha celá **2.** stehno
legend [ledžənd] n. povesť, báj, legenda
leggins [legiŋz] n. legíny
legible [ledžəbəl] adj. čitateľný
legion [li:džən] n. légia
leisure [ležə] n. voľný čas • *be at leisure* mať voľno
lemon [lemən] n. citrón
lemonade [,lemə'neid] n. limonáda, citronáda
lend [lend] *lent, lent* v. požičať komu
length [leŋθ] n. dĺžka, vzdialenosť
lenghten [leŋθən] v. predĺžiť sa
lens [lenz] n. lupa, objektív • *contact lenses* kontaktné šošovky
lentil [lentəl] n. šošovica

leopard [lepəd] n. leopard
less [les] adv. menej • *less and less* čoraz menej
less pron. menší
lesson [lesən] n. **1.** vyučovacia hodina **2.** lekcia **3.** cvičenie
let [let] *let, let* v. dovoliť, nechať • *let's go* poďme! • *let me help you* dovoľ, aby som ti pomohol
let n. nájom, prenájom
letter [letə] n. **1.** list **2.** písmeno • *letter-box* schránka na listy
lettuce [letəs] n. hlávkový šalát
lexicon [leksikən] n. slovník
liability [,laiə'biləti] n. záväzok
liable [laiəbəl] adj. zodpovedný
liar [laiə] n. luhár
liberate [libəreit] v. oslobodiť
liberation [,libə'reišən] n. oslobodenie
liberty [libəti] n. sloboda
librarian [lai'breəriən] n. knihovník
library [laibrəri] n. knižnica
licence [laisəns] n. **1.** preukaz **2.** povolenie
lick [lik] v. lízať
lid [lid] n. viečko, vrchnák
lie [lai] v. **1.** ležať **2.** *lie down* ľahnúť si
life [laif] n. život
life belt [laif belt] n. záchranný pás
lifeboat [laifbəut] n. záchranný čln
lifeguard [laifga:d] n. plavčík
lift [lift] v. *lift up* zdvihnúť sa
lift n. výťah
light [lait] n. svetlo • *moonlight* mesačné svetlo • *sunlight* slnečné svetlo
light v. **1.** *light up* rozjasniť sa **2.** rozsvietiť • *the light is on* je rozsvietené
light adj. ľahký
lighter [laitə] n. zapaľovač
lighthouse [laithaus] n. maják

lightning [laitniŋ] n. blesk
lightning conductor [laitniŋkən,daktə] n. hromozvod
like [laik] v. mať rád, páčiť sa
like prep. **1.** takto **2.** ako • *it is like him* to je celý on
like adj. **1.** rovnaký **2.** podobný
likely [laikli] adj. **1.** možný **2.** nádejný
liking [laikiŋ] n. záľuba, sklon
lilac [lailək] n. orgován
lily [lili] n. ľalia
lily of the valley [,lili əv ðə ´væli] n. konvalinka
limb [lim] n. úd, končatina
limit [limət] n. hranica, medza
limit v. obmedziť
limitation [,limi´teišən] n. ohraničenie
limousine [limu:zi:n] n. limuzína
limp [limp] v. krívať
line [lain] n. čiara, priamka, linajka • *horizontal line* vodorovná čiara • *vertical line* zvislá čiara
line v. linajkovať
linen [linən] n. posteľná bielizeň
liner [lainə] n. dopravná loď
linger [liŋgə] v. váhať
lingual [liŋgwəl] adj. jazykový
linguist [liŋgwist] n. jazykovedec
linguistics [liŋ´gwistiks] n. jazykoveda
lion [laiən] n. lev
lioness [laiənəs] n. levica
lip [lip] n. pera
lipstick [lip,stik] n. rúž
liquid [likwəd] n. tekutina
lisp [lisp] v. šušľať
list [list] n. zoznam, katalóg
listen [lisən] v. **1.** počúvať koho, čo *to* **2.** načúvať
literary [litərəri] adj. literálny
literature [litərəčə] n. literatúra
litre [litə] n. liter
litter [litə] n. odpadky, smeti
little [litl] *less/lesser, least*

adj. malý
little *less, least* adv. málo
little finger [,litl'fiŋgə] n. malíček na ruke
littoral [litərəl] adj. pobrežný
livable [livəbəl] adj. obývateľný
live [liv] v. **1.** žiť, byť na žive **2.** prežiť **3.** bývať
live [laiv] adj. živý
livelihood [laivlihud] n. živobytie
liver [livə] n. pečeň
livestock [laivstok] n. statok
living room [liviŋ rum] n. obývačka
lizard [lizəd] n. jašterica
load [ləud] n. náklad
load v. *load up* naložiť
loaf [ləuf] n. bochník
loam [ləum] n. hlina
loan [ləun] n. pôžička
loathe [ləuð] v. nenávidieť
lobby [lobi] n. vstupná hala, chodba
lobster [lobstə] n. morský rak
local [ləukəl] adj. miestny • *local government* miestna samospráva
locality [ləu'kæləti] n. miesto, kraj
locate [ləu'keit] v. umiestniť
lock [lok] n. **1.** zámka **2.** priehrada **3.** prameň *vlasov*
lock v. zamknúť
locksmith [lok,smiθ] n. zámočník
locomotive n. lokomotíva
locust [ləukəst] n. kobylka
lodge [lodž] v. ubytovať sa
lodge n. vrátnica
lodger [lodžə] n. podnájomník
lodging house [lodžiŋ haus] n. ubytovňa
lodgings [lodžiŋz] n. podnájom
loft [loft] n. povala, podkrovie
lofty [lofti] adj. vznešený
log [log] n. poleno
logarithm [logəriθm] n. logaritmus
logic [lodžik] n. logika
logical [lodžikəl] adj. logický
logo [ləugəu] n. znak, logo

loin [loin] n. ľadvina
lollipop [lolipop] n. lízatko
lonely [ləunli] adj. **1.** opustený, sám **2.** osamelý
long [loŋ] adj. **1.** dlhý **2.** ďaleký
long adv. dlho • *long ago* dávno • *for a long time* dlho • *all day long* po celý deň
long-distance [ˌloŋˈdistəns] adj. medzimestský *hovor*
longitude [londžitju:d] n. zemepisná dĺžka
long jump [loŋ džamp] n. *the long jump* skok do diaľky
long-term [ˌloŋ ˈtə:m] adj. dlhodobý
look [luk] v. **1.** pozerať sa na *at* **2.** *look for* hľadať **3.** vyzerať **4.** všimnúť si • *look after* dozerať na • *look into* skúmať, vyšetrovať • *look up* dariť sa lepšie
loop [lu:p] n. slučka
loose [lu:s] adj. **1.** voľný **2.** nepriviazaný
loosen [lu:sən] v. **1.** uvoľniť sa **2.** rozviazať sa
loot [lu:t] n. korisť
Lord's Prayer [ˌlo:dzˈpreə] n. Otčenáš
lorry [lori] n. nákladné auto
lose [lu:z] *lost, lost* v. **1.** stratiť **2.** prehrať
loss [los] n. strata
lost [lost] adj. **1.** stratený **2.** zablúdený **3.** mŕtvy
lot [lot] n. **1.** *lots* množstvo čoho *of* • *a lot of* veľa **2.** los **3.** osud
lotion [ləušən] n. pleťová voda, voda po holení
lottery [lotəri] n. lotéria
loud [laud] adj. hlasný
loudspeaker [ˌlaudˈspi:kə] n. reproduktor
lounge [laundž] n. **1.** obývacia izba **2.** spoločenská miestnosť **3.** čakáreň na letisku
louse [laus] n. voš
lovable [lavəbəl] adj. roztomilý
love [lav] n. **1.** náklonnosť, láska **2.** záľuba

love v. milovať • *be in love with* byť zamilovaný do
lovely [lavli] adj. **1.** rozkošný, roztomilý **2.** príjemný, pekný
low [ləu] adj. **1.** nízky **2.** malý
low adv. nízko
lowlands [ləuləndz] n. nížina
loyal [loiəl] adj. verný, oddaný
lubricate [lu:brikeit] v. olejovať *stroj*
lucid [lu:səd] adj. **1.** jasný **2.** bystrý
luck [lak] n. **1.** osud, náhoda **2.** šťastie • *for luck* pre šťastie • *good luck*! veľa šťastia! • *bad luck* smola
luckily [lakili] adv. našťastie
ludicrous [lu:dikrəs] adj. smiešny
lug [lag] v. vliecť, ťahať
luggage [lagidž] n. batožina
lugubrious [lu:´gju:briəs] adj. žalostný
lull [lal] v. uspať, utíšiť
lullaby [laləbai] n. uspávanka
lump [lamp] n. *lump sugar* kocka cukru
lunatic [lu:nətik] adj. šialený
lunch [lanč] n. obed • *have lunch* obedovať • *make lunch* pripraviť obed
lung [laŋ] n. *lungs* pľúca
lunge [landž] v. skočiť, vrhnúť sa
lurch [lə:č] v. knísať sa, tackať sa
lurk [lə:k] v. zakrádať sa, číhať na
lustre [lastə] n. sláva
lusty [lasti] adj. silný, zdravý
luxurious [lag´zjuəriəs] adj. prepychový, nádherný
luxury [lakšəri] n. prepych
lynx [liŋks] n. rys
lyric [lirik] adj. lyrický

M

macaroni [ˌmækəˈrəuni] n. makaróny
machine [məˈši:n] n. stroj
machinist [məˈši:nist] n. strojník
mackerel [mækərəl] n. *zool.* makrela
mad [mæd] adj. **1.** šialený od *with* **2.** zblázneny do
madam [mædəm] n. pani *oslovenie*
magazine [ˌmægəˈzi:n] n. časopis
maggot [mægət] n. larva
magic [mædžik] n. kúzlo, čaro
magic adj. zázračný
magician [məˈdžišən] n. kúzelník
magnet [mægnət] n. magnet
magnetic [mægˈnetik] adj. **1.** príťažlivý **2.** magnetický
magnetism [mægnitizm] n. magnetizmus
magnetize [mægnitaiz] v. magnetizovať
magnificence [mægˈnifisəns] n. veľkolepost
magnificent [mægˈnifəsənt] adj. . veľkolepý, nádherný
magnify [mægnifai] v. zväčšovať • *magnifier* lupa
magpie [mægpai] n. *zool.* straka
maid [meid] n. slúžka
maiden name [meidn neim] n. dievčenské meno
mail [meil] n. *the mail* pošta • *air mail* letecká pošta
mailbox [meilboks] n. poštová schránka
main [mein] adj. hlavný, základný
mainly [meinli] adv. najmä, predovšetkým
maintain [meinˈtein] v. **1.** pokračovať **2.** udržiavať
maintenance [meintənəns] n. údržba
maize [meiz] n. kukurica
majestic [məˈdžestik] adj. vznešený
majesty [mædžəsti] n. **1.** majestátnosť **2.** veličenstvo

major [meidžə] adj. väčší, dôležitejší
major n. major
majority [mə'džorəti] n. **1.** väčšina **2.** plnoletosť
make [meik] *made*, *made* v. **1.** vyrobiť z *from/of/out* **2.** vykonať • *make friends* spriateliť sa • *make the bed* ustlať • *make peace* uzavrieť mier • *make fun* žartovať
malady [mælədi] n. choroba
male [meil] adj. **1.** mužský **2.** samčí
malicious [mə'lišəs] adj. zlomyseľný
mallet [mælit] n. palica
mammal [mæməl] n. cicavec
mammoth [mæməθ] n. mamut
man [mæn] n. **1.** muž **2.** človek
manage [mænidž] v. **1.** riadiť **2.** zariadiť **3.** zvládnuť
management [mænidžmənt] n. vedenie
manager [mænidžə] n. **1.** riaditeľ **2.** manažér **3.** správca
mandate [mændeit] n. rozkaz
manful [mænful] adj. chlapský
manicure [mænikjuə] n. manikúra
manifest [mænəfest] adj. zrejmý, očividný
manifest v. prehlásiť
manifest n. prehlásenie
manifestation [,mænəfe'steišən] n. prejav
manifold [mænəfəuld] adj. mnohonásobný, rozmanitý
manipulate [mə'nipjuleit] v. narábať, zaobchádzať s
manipulation [mə,nipju'leišən] n. manipulácia
mankind [,mæn'kaind] n. ľudstvo
manly [mænli] adj. odhodlaný
manner [mænə] n. **1.** spôsob **2.** správanie sa
manners [mænəz] n. spôsoby
manor [mænə] n. **1.** veľko-

statok **2.** vidiecke sídlo
manservant [mæn, sə:vənt] n. sluha
mansion [mænšən] n. panské sídlo, zámok
mantle [mæntl] n. dlhý plášť
manual [mænjuəl] adj. **1.** ručný **2.** telesný
manual n. príručka
manufactory [,mænju'fæktəri] n. továreň
manufacture [,mænju'fækčə] v. vyrábať
manufacture n. výroba
manure [mə'njuə] n. hnojivo
many [meni] adv., pron. **1.** mnoho **2.** mnohí • *how many?* koľko? • *a great many* veľmi veľa
map [mæp] n. mapa
map v. zakresliť, vyznačiť
maple [meipəl] n. *bot.* javor
march [ma:č] v. pochodovať
March [ma:č] n. marec • *in March* v marci
mare [meə] n. *zool.* kobyla
marine [məri:n] adj. **1.** morský **2.** námorný
marine n. námorník
marital [mæritəl] adj. manželský
marjoram [ma:džərəm] n. *bot.* majoránka
mark [ma:k] n. **1.** značka, stopa **2.** označenie **3.** známka
mark v. **1.** označiť **2.** vyznačiť
market [ma:kət] n. trh, tržnica
marketplace [ma:kətpleis] n. trhovisko
marmalade [ma:məleid] n. lekvár z pomarančov
marriage [mæridž] n. **1.** sobáš **2.** manželstvo
married [mærid] adj. **1.** vydatá **2.** ženatý • *get married* oženiť sa, vydať sa
marry [mæri] v. **1.** oženiť sa, vydať sa **2.** zosobášiť
marsh [ma:š] n. močiar
marshal [ma:šəl] n. maršál
martial [ma:šəl] adj. **1.** vojenský **2.** vojnový, bojovný
marvel [ma:vəl] n. div, zá-

zrak
marvel v. čudovať sa
marvellous [´ma:vələs] adj. skvelý
mascot [mæskət] n. talizman
mask [ma:sk] n. maska • *gas mask* plynová maska
mason [meisən] n. **1.** kamenár **2.** murár
mass [mæs] n. **1.** hmota **2.** omša
mass v. hromadiť sa
Mass n. *the Mass* omša
massage [mæsa:dž] v. masírovať
massage n. masáž
masseur [mæ´sə] n. masér
massive [mæsiv] adj. **1.** masívny **2.** mohutný, pevný
mass media [,mæs ´mi:diə] n. *the mass media* masovokomunikačné prostriedky
master [ma:stə] n. **1.** pán **2.** kapitán **3.** majster
master adj. majstrovský
master v. dokonale ovládať, vedieť
masterpiece [ma:stəpi:s] n. majstrovské dielo
mat [mæt] n. rohožka
match [mæč] n. športový zápas
match n. zápalka
matchbox [mæčboks] n. zápalková škatuľka
mate [meit] n. kamarát, druh
material [mə´tiəriəl] n. látka, hmota, materiál
material adj. materiálny
maternal [mə´tə:nl] adj. materský
maternity [mə´tə:niti] n. materstvo • *maternity leave* materská dovolenka • *maternity hospital* pôrodnica
mathematic [,mæθə´mætikəl] adj. matematický
mathematician [,mæθəmə´tišən] n. matematik
mathematics [,mæθə´mætiks] n. matematika
matins [mætənz] n. ranná motlitba
matrimony [mætriməni] n. manželstvo
matter [mætə] n. **1.** záleži-

tosť, vec • *no matter* na tom nezáleží **2.** *the matter* problém • *what's the matter?* čo sa deje?

maturity [mə'tjuəriti] n. dospelosť

may [mei] možno, asi • *you may be right* možno máš pravdu

May [mei] n. máj • *in May* v máji

maybe [meibi:] adv. azda, možno

mayday [meidei] n. **S.O.S.** volanie o pomoc

mayor [meə] n. starosta

mazy [meizi] adj. zmätený

me [mi, mi:] pron. mňa, mne, mi, ma, mnou

meadow [medəu] n. lúka

meal [mi:l] n. jedlo

mean [mi:n] adj. **1.** lakomý **2.** protivný, zlý

mean v. *meant, meant* **1.** mieniť, zamýšľať **2.** znamenať

means [mi: nz] n. **1.** spôsob **2.** finančné prostriedky • *by no means* v žiadnom prípade

meanwhile [mi:nwail] adv. zatiaľ, medzitým

measles [mi:zəlz] n. *the measles* osýpky

measure [mežə] v. **1.** merať **2.** odhadnúť

measure n. **1.** opatrenie **2.** rozsah, množstvo

meat [mi:t] n. mäso • *pork meat* bravčové mäso • *beef meat* hovädzie mäso • *veal meat* teľacie mäso

mechanic [mi'kænik] adj. mechanický

mechanician [,mekə'nišən] n. mechanik

medal [medl] n. medaila, vyznamenanie

meddle [medl] v. miešať sa, zasahovať do

medial [mi:djəl] adj. priemerný

medical [medikəl] adj. lekársky

medicament [me'dikəmənt] n. liek

medicinal [me´disənəl] adj. liečivý
medicine [medsən] n. **1.** liek **2.** medicína
medieval [,medi´i:vəl] adj. stredoveký
meditate [mediteit] v. premýšľať
medium [mi:diəm] adj. **1.** stredný **2.** priemerný
meet [mi:t] *met, met* v. **1.** stretnúť sa **2.** zoznámiť sa
meeting [mi:tiŋ] n. **1.** zhromaždenie **2.** stretnutie
melodic [mi´lodik] adj. melodický
melody [melədi] n. nápev, melódia
melon [melən] n. melón
melt [melt] *melt, melt* v. **1.** topiť sa **2.** taviť sa
member [membə] n. člen
Member of Parliament [,membə əv ´pa:ləmənt] n. poslanec
member ship [membə šip] n. členstvo
memoirs [memwa:z] n. pamäti
memorial [mə´mo:riəl] n. pamätník, pomník
memory [meməri] n. **1.** pamäť **2.** spomienka
mend [mend] v. opraviť
mention [menšən] v. **1.** zmieniť sa **2.** spomenúť
mention n. zmienka
menu [menju:] n. jedálny lístok
mercy [mə:si] n. súcit
mere [miə] adj., adv. obyčajný, iba, len
merely [miəli] adv. iba
meridian [mə´ridiən] n. poludník
mermaid [mə:meid] n. morská panna
merry [meri] adj. **1.** veselý, radostný **2.** zábavný • *merry-go-round* kolotoč
mesh [meš] n. sieť
mess [mes] n. **1.** neporiadok **2.** špina **3.** zmätok
message [mesidž] n. správa, odkaz
messenger [mesindžə] n. posol

metabolism [me´tæbəlizm] n. metabolizmus
metal [metl] n. kov
metallic [mə´tælik] adj. kovový
metallurgy [mə´tælədži] n. hutníctvo
meteor [mi:tiə] n. meteor
meteorologic [mi:tjə,rə´lodžik] adj. meteorologický
meteorology [mi:tjə´rolədži] n. meteorológia
meter [mi:tə] n. merací prístroj
method [meθəd] n. postup, metóda
metre [mi:tə] n. meter *dĺžková miera*
microbe [maikrəub] n. mikrób
microfilm [maikrəfilm] n. mikrofilm
microphone [maikrəfəun] n. mikrofón
microscope [maikrəskəup] n. mikroskop
midday [,mid´dei] n. poludnie
middle [midl] adj. stredný, prostredný
middle n. **1.** *the middle* stred • *in the middle of* uprostred **2.** pás, driek
middle finger [,midl´fiŋgə] n. prostredník (prst)
midge [midž] n. *zool.* komár
midnight [midnait] n. polnoc
might [mait] n. moc
mighty [maiti] adj. mocný
migrate [mai´greit] v. sťahovať sa
migration [mai´greišən] n. sťahovanie
mild [maild] adj. mierny, pokojný
mile [mail] n. míľa
militant [militənt] adj. bojovný
military [milətəri] adj. vojenský, armádny
milk [milk] n. mlieko • *tea with milk* čaj s mliekom
milkman [milkmən] n. mliekar
milk shake [,milk´šeik] n. mliečny koktail

milk tooth [milk tu:θ] n. mliečny zub
milky [milki] adj. mliečny • *Milky Way* Mliečna dráha
mill [mil] n. **1.** mlyn **2.** továreň
miller [milə] n. mlynár
millenium [mi'leniəm] n. tisícročie
milliard [milja:d] num. miliarda
millimetre [milimi:tə] n. milimeter
million [miljən] num. milión
millionaire [,miljə'neə] n. milionár
mime [maim] n. pantomíma
mince [mins] v. krájať, mlieť
mincemeat [minsmi:t] n. plnka
mind [maind] n. **1.** myseľ **2.** pamäť • *never mind* nevadí
mine [main] pron. môj
mine n. baňa
mine v. **1.** dolovať **2.** dobývať, ťažiť
mineral [minərəl] n. nerast, hornina
mineralogy [,minə'rælədži] n. mineralógia
mineral water [minərəl,-wo:tə] n. minerálna voda
miniature [minjəčə] n. miniatúra
minimum [minəməm] adj. minimálny
mining [mainiŋ] n. banský priemysel
minister [minəstə] n. minister
ministry [minəstri] n. ministerstvo
minor [mainə] adj. menší
minster [minstə] n. chrám
mint [mint] n. **1.** mäta **2.** mentolový cukrík
minus [mainəs] adj. záporný
minute [minət] n. minúta • *minute hand* minútová ručička
minute v. zapísať
miracle [mirəkəl] n. div, zázrak
miraculous [mi'rækjuləs] adj. zázračný
mirror [mirə] n. zrkadlo

misadventure [,misəd-'venčə] n. nešťastie
misdeed [,mis'di:d] n. zločin
miser [maizə] n. lakomec
misery [mizəri] n. trápenie
misfortune [mis'fo:čən] n. nešťastie
mishap [mishæp] n. nehoda
miss [mis] v. **1.** zmeškať • *miss a train* zmeškať vlak **2.** chýbať komu
miss n. **1.** slečna **2.** miss
missing [misiŋ] adj. chýbajúci
mission [mišən] n. misia
missionary [mišənəri] n. misionár
mist [mist] n. riedka hmla
mistake [mə'steik] *mistook, mistaken* v. mýliť si
mistake n. omyl, chyba • *by mistake* omylom • *make a mistake* urobiť chybu
mister [mistə] n. pán, pane
mistletoe [misəltəu] n. imelo
mistress [mistrəs] n. pani domu, majiteľka
mistrust [mis'trast] n. nedôvera
misunderstand [,misandə-'stænd] *misunderstood, misunderstood* v. zle porozumieť, nechápať
mitigate [mitəgeit] v. zmierniť, utíšiť
mitten [mitən] n. **1.** *mittens* palčiaky **2.** rukavica bez prstov
mix [miks] v. *mix up* spojiť sa, zmiešať sa s *with*
mix n. zmes
mixture [miksčə] n. zmiešanina
moan [məun] v. stonať
mob [mob] n. dav
mobile [məubail] adj. pohyblivý, pojazdný
mobility [məu'biliti] n. pohyblivosť
mobilization [,məubilai'zeišən] n. mobilizácia
moccasin [mokəsin] n. mokasína
mock [mok] v. posmievať sa
mock adj. falošný, nepravý
mockery [mokəri] n. výsmech

modal [məudəl] adj. spôsobový • *modal verb* spôsobové sloveso
mode [məud] n. móda
model [modl] n. **1.** model **2.** modelka, manekýnka
model v. tvarovať, modelovať
moderate [modərət] adj. stredný
modern [modən] adj. moderný
modernize [modənaiz] v. modernizovať
modest [modəst] adj. skromný
modesty [modisti] n. skromnosť
modify [modəfai] v. upraviť, zmeniť
moist [moist] adj. vlhký
moisten [moisən] v. navlhčiť
molar [məulə] n. zadný zub, stolička
molasses [mə'læsəz] n. sirup
mole [məul] n. **1.** krtko **2.** materské znamienko **3.** mólo
molecular [məu'lekjulə] adj. molekulárny
molecule [molikju:l] n. molekula
molest [məu'lest] v. obťažovať
mollify [molifai] v. upokojiť
moment [məumənt] n. okamih • *at the moment* práve teraz
monarch [monək] n. panovník, vládca
monarchy [monəki] n. monarchia
monastery [monəstri] n. kláštor
Monday [mandi] n. pondelok
money [mani] n. **1.** peniaze **2.** bohatstvo • *be in the money* byť bohatý
monitor [monətə] n. monitor
monitory [monitəri] adj. varovný
monk [maŋk] n. mních
monkey [maŋki] n. opica
monocle [monokəl] n. monokel

monogram [monəgræm] n. monogram
monologue [monəlog] n. monológ
monsoon [mon´su:n] n. *the monsoon* monzún
monster [monstə] n. obluda
month [manθ] n. mesiac *kalendárny*
monthly [manθli] adv. mesačne
monument [monjəmənt] n. pamätník, pomník
monumental [,monju´mentəl] adj. význačný
mood [mu:d] n. nálada
moody [mu:di] adj. náladový
moon [mu:n] n. *the Moon* Mesiac
moonlight [mu:nlait] n. mesačný svit
moonshot [mu:nšot] n. let na Mesiac
moor [muə] n. bažina
moor v. kotviť, zakotviť loď
moral [morəl] adj. mravný, morálny
moral n. zásada
morale [mo´ra:l] n. morálka
more [mo:] adv. **1.** viac než *than* **2.** viacej • *once more* ešte raz • *no more* už nie
morgue [mo:g] n. márnica
morning [mo: niŋ] n. **1.** ráno • *good morning* dobré ráno **2.** dopoludnie • *in the morning* ráno
morose [mə´rəus] adj. mrzutý, nevľúdny
mortal [mo:təl] adj. smrteľný
mortar [mo:tə] n. malta
mortuary [mo:čuəri] n. márnica
mosaic [məu´zeiik] n. mozaika
mosquito [məs´ki:təu] n. komár
moss [mos] n. bažina
most [məust] adv. najväčšmi
most adj. **1.** najviac **2.** najväčší
mostly [məustli] adv. **1.** najmä **2.** väčšinou
motel [məu´tel] n. motel
moth [moθ] n. moľ

mother [maðə] n. matka
mother-in-law [maðə in lo:] n. svokra
motion [məušən] n. **1.** pohyb **2.** posunok
motivate [məutiveit] v. motivovať
motive [məutiv] n. **1.** motív **2.** námet, téma
motor [məutə] n. motor
motorbike [məutəbaik] n. motorka
motorcar [məutəka:] n. motorové vozidlo
motorway [məutəwei] n. diaľnica, autostráda
motto [motəu] n. heslo
mound [maund] n. val, násyp
mount [maunt] v. **1.** nastúpiť na **2.** jazdiť na *on*
mountain [mauntən] n. vrch, hora
mountaineer [,mauntə'niə] n. horolezec
mourn [mo:n] v. smútiť, trúchliť
mourning [mo: niŋ] n. **1.** smútok **2.** smútočné šaty
mouse [maus] n. myš
moustache [mə'sta:š] n. fúzy
mouth [mauθ] n. ústa
movable [mu:vəbəl] adj. pohyblivý
move [mu:v] v. **1.** pohybovať sa **2.** sťahovať sa • *move in* nasťahovať sa
movement [mu:vmənt] n. **1.** pohyb **2.** posunok **3.** hnutie
moving staircase [,mu: viŋ 'steəkeis] n. pohyblivé schody
mow [məu] *mowed/mown* v. kosiť, žať
Mr [mistə] skr. *Mister* n. pán
Mrs [misiz] skr. *Mistress* n. pani
Ms [miz] skr. *Miss n.* slečna, pani
much [mač] *more, most* adv. **1.** veľmi **2.** dosť **3.** často • *how much? how many?* koľko?
much *more, most* adv. veľa
muck [mak] n. špina
mud [mad] n. blato, bahno
muffin [mafən] n. koláčik

mug [mag] n. hrnček
muggy [magi] adj. dusný
mule [mju:l] n. mulica
multiple [maltəpəl] adj. mnohonásobný
multiplication [,maltipli'keišən] n. násobenie
multiply [maltəplai] v. násobiť čím *by*
mum [mam] n. mama
mummy [mami] *n.* **1.** mamička **2.** múmia
municipal [mju:'nisəpəl] adj. mestský, obecný
munition [mju:'nišən] n. strelivo
murder [mə:də] n. vražda
murder v. zavraždiť
murderer [mə:dərə] n. vrah
murmur [mə:mə] v. šeptať
muscle [masəl] n. sval
muse n. múza, inšpirácia
museum [mju:'zi:əm] n. múzeum
mushroom [mašru:m] n. hríb
music [mju:zik] n. hudba
musical [mju:'zikəl] adj. hudobný
musical instrument [,mju:zikəl instrəmənt] n. hudobný nástroj
musician [mju:'zišən] n. hudobník
must [məst, mast] v. musieť, mať povinnosť
mustard [mastəd] n. horčica
mute [mju:t] adj. tichý, nemý
mutiny [mju:təni] n. vzbura na lodi
mutual [mju:čuəl] adj. spoločný
muzzle [mazəl] n. ňufák
my [mai] pron. **1.** môj **2.** svoj
myself [mai'self] pron. **1.** sa, si **2.** sám osobne
mysterious [mi'stiəriəs] adj. tajomný, záhadný
mystery [mistəri] n. tajomstvo, záhada
mystify [mistəfai] v. oklamať, popliesť
myth [miθ] n. báj, mýtus
mythology [mi'θolədži] n. mytológia

N

nail [neil] n. **1.** klinec **2.** necht • *nail varnish* lak na nechty

nail v. pribiť

naked [neikəd] adj. nahý

name [neim] n. **1.** meno, názov • *family name* dievčenské meno • *first name* krstné meno • *surname* priezvisko **2.** povesť

name day [neim dei] n. meniny

namely [neimli] adv. totiž

nape [neip] n. šija, zátylok

napkin [næpkən] n. obrúsok, servítka

nappy [næpi] n. plienka *detská*

narcissus [na:´sisəs] n. *bot.* narcis

narcosis [na:´kəusis] n. narkóza

narrate [nə´reit] v. porozprávať, opísať

narration [nə´reišən] n. príbeh, rozprávanie

narrow [nærəu] adj. úzky

nasty [na:sti] adj. škaredý, zlovestný

nation [neišən] n. **1.** národ **2.** ľud **3.** štát

national [næšənəl] adj. národný

nationalism [næšənəlizəm] n. vlastenectvo

nationalist [næšənəlist] n. vlastenec

nationality [,næšə´nælәti] n. **1.** štátna príslušnosť **2.** národnosť

national service [,næšənəl´sə:vis] n. povinná vojenská služba

native [neitiv] adj. **1.** rodný • *native place* rodisko **2.** rodený

native n. rodák

natural [næčərəl] adj. prírodný

natural gas [,næčərəl gæs] n. zemný plyn

naturally [næčərəli] adv. samozrejme

nature [neičə] n. **1.** príroda

2. povaha
naughty [no:ti] adj. neposlušný
nausea [no:ziə] n. nevoľnosť
naval [neivəl] adj. **1.** námorný **2.** lodný
navel [neivəl] n. pupok
navigate [nævəgeit] v. viesť, riadiť loď
navigation [,nævi´geišən] n. plavba
navigator [,nævi´geitə] n. navigátor
navy [nievi] n. vojnové loďstvo
near [niə] *nearer, nearest* adj. **1.** blízky **2.** dôverný
near *nearer, nearest* adv. **1.** blízko **2.** takmer
nearby [niəbai] adj. vedľajší, susedný
nearly [niəli] adv. skoro, takmer
neat [ni:t] adj. čistotný
necessary [nesəsəri] adj. nevyhnutný, potrebný na *for*
neck [nek] n. krk
necklace [nekləs] n. náhrdelník
neckline [neklain] n. výstrih
nectar [nektə] n. nektár
need [ni:d] n. potreba
need v. potrebovať
needful [ni:dfəl] adj. nutný, potrebný
needless [ni:dləs] adj. zbytočný
needle [ni:dl] n. **1.** ihla **2.** ihlica
negate [ni´geit] v. zničiť
negation [ni´geišən] n. negácia
negative [negətiv] adj. záporný
negative n. zápor
Negress [ni:grəs] n. černoška
Negro [ni:grəu] n. černoch
neighbour [neibə] n. sused
neighbour-hood [neibə hud] n. susedstvo
neither [naiðə] adj. žiadny z dvoch
neither conj. *neither ... nor* ani ... ani
nephew [nefju:] n. synovec

nerve [nə:v] n. nerv • *It gets on my nerves.* Ide mi to na nervy

nervous [nə:vəs] adj. nervózny

nest [nest] n. **1.** hniezdo **2.** úkryt, brloh

net [net] n. sieť

net v. uloviť

never [nevə] adv. **1.** nikdy **2.** vôbec nie • *never mind* nevadí

neverthless [ˌnevəðeˈles] adv. predsa len, napriek tomu

new [nju:] adj. **1.** nový **2.** čerstvý

newcomer [nju:kamə] n. nováčik, začiatočník

newly [nju:li] adv. nedávno

news [nju:z] n. správa, novinka • *what's the news?* čo je nové?

newsagent [nju:zˌeidžənt] n. predavač novín

newscaster [nju:zˌka:stə] n. hlásateľ, reportér

news conference [nju:z ˌkonfərəns] n. tlačová konferencia

newspaper [nju:zˌpeipə] n. noviny

newsstand [nju:zstænd] n. knižný stánok

newsy [nju:zi] adj. klebetný

New Year's Day [ˌnju: jiəz ˈdei] n. Nový rok 1. január

New Year's Eve [ˌnju: jiəz i:v] n. Silvester

next [nekst] determ. **1.** budúci **2.** ďalší **3.** nasledujúci

next-door [ˌnekstˈdo:] adj. susedný, vedľajší

nice [nais] adj. **1.** pekný, príjemný **2.** milý, jemný

nickname [nikneim] n. **1.** prezývka **2.** krycie meno

nicotine [nikəti:n] n. nikotín

niece [ni:s] n. neter

niggard [nigəd] n. lakomec

night [nait] n. **1.** noc **2.** večer • *tonight* dnes večer • *last night* včera večer **3.** *first night* premiéra • *by night* v noci

nightdress [naitdres] n. nočná košeľa

nightingale [naitiŋgeil] n. slávik
nightmare [naitmeə] n. zlý sen, nočná mora
nil [nil] n. nič, nula
nimble [nimbəl] adj. bystrý, čulý
nine [nain] num. deväť
nineteen [ˌnainˈti:n] num. devätnásť
ninety [nainti] num. devätdesiat
nip n. chlad, mráz
nipple [nipəl] n. cumeľ
nippy [nipi] adj. mrazivý
no [nəu] adv. **1.** nie *vetný zápor* **2.** nie vôbec • *no better* o nič lepší
no pron. žiadny
nobody [nəubədi] pron. nikto
nod [nod] v. **1.** kývnuť hlavou **2.** prikývnuť
node [nəud] n. uzol
noise [noiz] n. hluk, hrmot
noiseless [noizlis] adj. nehlučný
noisy [noizi] adj. hlučný, hrmotný
none [nan] pron. **1.** žiadny, nijaký z *of* **2.** ani jeden z *of* **3.** nikto
nonetheless [ˌnanðəˈles] adv. napriek tomu
non-existent [ˌnonigˈzistənt] adj. nejestvujúci
non-finite [ˌnonˈfainait] adj. nekonečný
nonsense [nonsəns] n. nezmysel, hlúposť
nonsmoker [ˌnonˈsməukə] n. nefajčiar
nonstop [ˌnonˈstop] adj.,adv. priamy, bez prerušenia
noodle [nu:dl] n. rezanec
nook [nuk] n. **1.** kút, kútik **2.** skrýša
noon [nu:n] n. poludnie • *at noon* na poludnie
no one [nəu wan] pron. nikto
nor [no:] conj. ani po *zápore* • *neither... nor* ani... ani
normal [no:məl] adj. bežný, obyčajný, normálny
north [no:θ] *the north* sever
north adj. severný
northern [no:ðən] adj. **1.** se-

verný **2.** severský
Northern Lights [,no:ðən-'laits] n. *the Northern Lights* polárna žiara
North Pole [,no:θpəul] n. *the North Pole* severný pól
Norway [no:wei] n. Nórsko
nose [nəuz] n. nos
nosy [nəuzi] adj. zvedavý
not [not] adv. nie *slovný zápor, ne-* • *I do not know* neviem • *not at all* niet za čo
notable [nəutəbəl] adj. **1.** pozoruhodný **2.** dôležitý, významný
notably [nəutəbli] adv. najmä, zvlášť
notary [nəutəri] n. notár
note [nəut] n. **1.** poznámka **2.** odkaz, lístok **3.** bankovka **4.** *hud.* nota
note v. všimnúť si, spozorovať
note-book [nəutbuk] n. zápisník
noted [nəutəd] adj. slávny, významný
noteless [nəutlis] adj. nenápadný
note-paper [nəut,peipə] n. listový papier
nothing [naθiŋ] pron. **1.** nič **2.** bezvýznamná vec
notice [nəutəs] n. **1.** vyhláška, oznam **2.** upozornenie
notice v. *take notice* všimnúť si, spozorovať
notice board [nəutəs,bo:d] n. nástenka
notification [,nəutifi'keišən] n. oznámenie
notify [nəutəfai] v. oznámiť, informovať
notion [nəušən] n. **1.** predstava **2.** nápad **3.** názor
nought [no:t] n. nula
noun [naun] n. podstatné meno
nourish [nariš] v. živiť
nourishing [narišiŋ] adj. výživný
nourishment [narišmənt] n. výživa
novel [novəl] n. román
November [nəu'vembə] n. november
novice [novis] n. nováčik

now [nau] adv. teraz, vtedy
nowadays [nauədeiz] adv. dnes, v súčasnosti
no way [,nəu'wei] adv. v žiadnom prípade
nowhere [nəuweə] adv. nikde, nikam
nude [nju:d] adj. nahý
nuisance [nju:səns] n. nepríjemnosť
null [nal] adj. nulový
nullify [naləfai] v. zrušiť
nullity [naliti] n. neplatnosť
number [nambə] n. **1.** číslo **2.** *numbers* veľký počet, množstvo
number v. číslovať
numeral [nju:mərəl] n. číslovka
numerous [nju:mərəs] adj. početný
numismatics [,nju:miz'mætiks] n. numizmatika
nun [nan] n. mníška
nunnery [nanəri] n. kláštor *ženský*
nuptial [napšəl] adj. **1.** manželský **2.** svadobný
nurse [nə:s] n. ošetrovateľka, opatrovateľka
nurse v. ošetrovať, opatrovať
nursery [nə:səri] n. jasle
nursing home [nə:siŋ həum] n. penzión
nut [nat] n. orech
nutriment [nju:trəmənt] n. strava, potrava
nutritious [nju:'trišəs] adj. výživný
nutshell [natšel] n. orechová škrupinka
nymph [nimf] n. víla

O

oak [əuk] n. dub
oar [o:] n. veslo
oarsman [o:zmən] n. veslár
oasis [əu´eisis] n. oáza
oath [əuθ] n. prísaha • *on oath* pod prísahou
oatmeal [əutmi:l] n. ovsené vločky, ovsená kaša
obedient [ə´bi:diənt] adj. poslušný
obesity [ə´bi:siti] n. obezita
obey [əu´bei] v. poslúchať
object [obdžikt] n. predmet, vec
object [əb´džəkt] v. namietať, protestovať
oblation [ə´bleišən] n. obeť
obligation [,oblə´geišən] n. záväzok, povinnosť
obligatory [o´bligətəri] adj. záväzný, povinný
oblige [ə´blaidž] v. donútiť
obliged [ə´blaidžd] adj. vďačný
obliging [ə´blaidžiŋ] adj. ochotný
oblong n. obdĺžnik
obloquy [obləkwi] n. urážka
oboe [əubəu] n. *hud.* hoboj
obscure [əb´skjuə] adj. nezrozumiteľný
observant [əb´zə:vənt] adj. všímavý, pozorný
observation [,obzə:´veišən] n. pozorovanie
observatory [əb´zə:vətəri] n. hvezdáreň, observatórium
observe [əb´zə:v] v. **1.** všimnúť si, spozorovať **2.** poznamenať
observer [əb´zə:və] n. pozorovateľ
obstacle [obstəkəl] n. prekážka
obstinate [obstənət] adj. tvrdohlavý
obstruct [əb´strakt] v. zatarasiť
obstruction [əb´strakšən] n. prekážka
obtain [əb´tein] v. dostať, získať
obverse [obvə:s] n. lícna strana, líce

obvious [obviəs] adj. očividný, zrejmý
occasion [ə'keižən] n. **1.** príležitosť **2.** zámienka
occasion v. spôsobiť, zapríčiniť
occasional [ə'keižənəl] adj. príležitostný
occupant [okjəpənt] n. bývajúci, nájomník
occupation [,okjəpeišən] n. **1**. povolanie, zamestnanie **2.** záľuba
occupy [okjəpai] v. **1.** obsadiť **2.** obývať
occur [ə'kə:] v. prihodiť sa, stať sa
ocean [əušən] n. oceán
o'clock [ə'klok] adv. *it's one o'clock* je jedna hodina
octave [oktiv] n. *hud.* oktáva
October [ok'təubə] n. október
octopus [oktəpəs] chobotnica
ocular [okjulə] adj. očný
odd [od] adj. **1.** nezvyčajný, divný **2.** nepárny
oddly [odli] adv. čudne, zvláštne
ode [əud] n. óda
odious [əudiəs] adj. odporný
odium [əudiəm] n. nenávisť, odpor
odour [əudə] n. pach, smrad
of [əv, ə:, ov] prep. od, z, o • *in case of* v prípade • *of course* samozrejme
off [of, o:f] adv. preč, byť preč, mať voľno • *day off* voľný deň
off adj. **1.** pokazený **2.** vypredaný
offence [ə'fens] n. **1.** priestupok **2.** urážka
offend [ə'fend] v. uraziť, nahnevať
offer [ofə] v. ponúkať
offer n. ponuka • *accept offer* prijať ponuku
off-hand [,of 'hænd] adj. nezdvorilý, neslušný
office [ofəs] n. **1.** kancelária **2.** ministerstvo
officer [ofəsə] n. **1.** dôstojník **2.** policajt

official adj. úradný
offshore [,of ´šo:] adj. pobrežný
offside [,of ´said] adv. **1.** postavenie mimo hry **2.** pravá strana
often [ofən] adv. často
ogre [əugə] n. obor, ozruta
oil [oil] n. **1.** olej **2.** ropa
oil v. olejovať
oilfield [oilfi:ld] n. ropné pole
oil slick [oil slik] n. ropná škvrna
oil tanker [oil,tæŋkə] n. tanková loď
okay, OK [əu´kei] adv. v poriadku, dobre
old [əuld] adj. **1.** starý **2.** dávny
old age [,əuld ´eidž] n. staroba
old-fashioned [,əuld´fæšənd] adj. staromódny
olive [oləv] n. oliva
Olympic Games [ə,limpik´geimz] n. Olympijské Hry
omit [əu´mit] v. vynechať
on [on] prep. **1.** na **2.** cez • *on Sunday* v nedeľu
on adv. stále, neprestajne • *and so on* a tak ďalej
one [wan] determ. **1.** jeden **2.** nejaký, dajaký • *every one* každý
oneself [wan´self] pron. zvratné seba sa, sebe si
one-way [,wan´wei] adj. jednosmerný
onion [anjən] n. cibuľa
onlooker [on,lukə] n. divák
only [əunli] adj. **1.** jediný **2.** najlepší
only adv. len, iba
onshore [,on´šo:] adj. pobrežný
onto [ontə] prep. na, do, až k
onwards [onwədz] adv. dopredu
open [əupən] adj. **1.** otvorený **2.** šíry, voľný • *the open sea* šíre more
open v. otvoriť
open-air [,əupən´eə] adj. *in the open* pod šírym nebom
open-air theatre [,əupən-

´eə,θiətə] n. amfiteáter
opener [əupənə] n. otvárač
open sandwich [,əupənsændwič] n. obložený chlebík
opera [opərə] n. opera
operate [opəreit] v. **1.** obsluhovať, riadiť stroj **2.** operovať
operating theatre [opereitiŋ,θiətə] n. operačná sála
opinion [ə´pinjən] n. názor • *in my opinion* podľa môjho názoru
opportunity [,opə´tju:nəti] n. príležitosť, možnosť
oppose [ə´pəuz] v. brániť
opposite [opəzət] n. opak
opposite adj. protiľahlý
opt [opt] v. vybrať si, zvoliť si
optic [optik] adj. očný
optician [op´tišən] n. optik
optics [optiks] n. optika
optimism [optimizəm] n. optimizmus
or [ə, ə:] conj. alebo • *either... or* buď... alebo
orange [orəndž] n. pomaranč
orange adj. oranžový
orator [orətə] n. rečník
orbit [o:bət] n. obežná dráha
orbit v. obiehať vo vesmíre
orchard [o:čəd] n. ovocný sad
orchestra [o:kəstrə] n. orchester
orchestral [o:´kestrəl] adj. orchestrálny
ordain [o:dein] v. vysvätiť
order [o:də] n. **1.** poradie **2.** poriadok • *out of order* v neporiadku **3.** objednávka **4.** rozkaz
order v. **1.** rozkázať, prikázať **2.** objednať si
ordinary [o:dənri] adj. bežný, obyčajný
ore [o:] n. ruda
organ [o:gən] n. **1.** orgán **2.** *hud.* organ
organic [o:´gænik] adj. organický
organism [o:gənism] n. organizmus
organization [,o:gənai´zeišən] n. organizácia

organize [o:gənaiz] v. organizovať
oriental [,o:ri'entəl] adj. východný
orientate [o:riənteit] v. orientovať, usmerniť
orientation [,orien'teišən] n. orientácia
origin [orədžən] n. **1.** pôvod **2.** počiatok
original [ə'ridžənəl] adj. pôvodný
ornament [o:nəmət] v. ozdobiť, skrášliť
ornament n. ozdoba
ornamental [,o:nə'mentəl] adj. ozdobný
orphan [o:fən] n. sirota
orphanage [o:fənidž] n. sirotinec
ostrich [ostrič] n. pštros
other [aðə] adj. **1.** iný, druhý **2.** ďalší
otherwise [aðəwaiz] adv. inak, ináč
ought [o:t] v. *I ought to do it* mal by som niečo urobiť
our [auə] determ. náš, -a, -i, -e
Our Father [,auə'fa:ðə] n. Otčenáš
Our Lady [,auə'leidi] n. Panna Mária
ours [auəz] pron. náš *samostatne*
ourselves [auə'selvz] pron. seba, sa
out [aut] adv. **1.** von **2.** preč
outdoor [,aut'do:z] adv. vonku, von
outer [autə] adj. **1.** vonkajší **2.** vrchný
outfall [autfo:l] n. ústie rieky
outfit [autfit] n. výstroj
outgrow [aut'grəu] *outgrew, outgrown* v. vyrásť
outing [autiŋ] n. výlet, vychádzka
outlive [aut'liv] v. prežiť
out-of-date [,autəv'deit] adj. zastaraný, nemoderný
outrun [aut'ran] *outran, outrun* v. predbehnúť, predstihnúť
outside [aut'said] n. **1.** vonkajšok **2.** zovňajšok

outside [aut'said] adv. von, vonku, mimo
oval [əuvəl] n. elipsa
oven [avən] n. rúra, pec
over [əuvə] prep. **1.** priamo nad **2.** cez, ponad
over adv. **1.** viac **2.** príliš • *all over the world* na celom svete
over adj. skončený
overall [əuvəro:l] n. pracovný plášť
overcoat [əuvəkəut] n. kabát, plášť
overhear [,əuvə'hiə] *overheard, overheard* v. načúvať
overland [,əuvə'lænd] adv. po zemi, po súši
overleaf [,əuvə'li:f] adv. na druhej strane listu
overlook [,əuvə'luk] v. nevšimnúť si
overnight [,əuvə'nait] adv. cez noc
oversleep [,əuvə'sli:p] *overslept, overslept* v. zaspať
overtake [,əuvə'teik] *overtook, overtaken* v. predbehnúť, predísť
overtime [əuvətaim] n. nadčas
overweight [,əuvə'weit] adj. tučný *nadváha*
owe [əu] v. byť dlžný
owing [əuiŋ] adj. dlžný, nezaplatený
owl [aul] n. sova
own [əun] adj. vlastný
own n. vlastniť
owner [əunə] n. majiteľ, vlastník
ox [oks] n. vôl
oxygen [oksidžən] n. kyslík
oxygen mask [oksidžən ma:sk] n. kyslíková maska
oyster [oistə] n. ustrica
ozone [əuzəun] n. ozón

P

pacifik [pæ'sifik] adj. mierový, pokojný • *the Pacific* Tichý oceán

pacify [pæsəfai] v. upokojiť, utíšiť

pack [pæk] n. batoh

pack v. zbaliť si, zabaliť si

package [pækidž] n. balík

packet [pækət] n. balíček, krabička

pad [pæd] n. **1.** podložka **2.** blok

paddle [pædl] n. veslo

paddle v. veslovať

padlock [pædlok] n. visiaca zámka

page [peidž] n. strana, stránka

pail [peil] n. vedro

pain [pein] n. bolesť

pain v. bolieť

painfull [peinfəl] adj. bolestivý

painless [peinləs] adj. bezbolestný

paint [peint] n. farba

paint v. farbiť, natrieť

paintbrush [peintbraš] n. štetec

painter [peintə] n. **1.** maliar-natierač **2.** umelecký maliar

painting [peitiŋ] n. maľovanie

pair [peə] n. pár

palace [pæləs] n. palác

pale [peil] adj. bledý

pale n. **1.** kôl **2.** plot

palm [pa:m] n. **1.** palma **2.** dlaň

pan [pæn] n. panvica

pancake [pæŋkeik] n. palacinka

Panda car [pændə ka:] n. policajné auto

panel [pænl] n. panel

panic [pænik] n. panika

panorama [,pænə'ra:ma] n. panoráma

panties [pæntiz] n. dámske nohavičky

pantry [pæntri] n. špajza, komora

pap [pæp] n. kaša

paper [peipə] n. **1.** papier **2.** noviny
paprika [peiprikə] n. mletá paprika
parachute [pærəšu:t] n. padák
parachutist [pærəšu:t] n. parašutista
parade [pə'reid] n. prehliadka
paradise [pærədais] n. raj
paragraph [pærəgra:f] n. odstavec
parallel [pærəlel] adj. rovnobežný
parasol [,pærə'sol] n. slnečník
parcel [pa:sl] n. balík
parchment [pa:čmənt] n. pergamen
pardon [pa:dn] n. odpustenie • *I beg your pardon.* Prepáčte.
parent [peərənt] n. rodič
parental [pə'rentəl] adj. rodičovský
parenthesis [pərenθisis] n. zátvorka
park [pa: k] n. park • *in the park* v parku
park v. parkovať
parliament [pa:ləmənt] n. parlament
parole [pə'rəul] n. heslo
parquet [pa:kei] n. parkety
parrot [pærət] n. papagáj
parsley [pa:sli] n. petržlen
parson [pa:sən] n. farár
part [pa:t] n. **1.** časť **2.** diel **3.** úloha
part v. **1.** rozísť sa **2.** rozdeliť sa
participate [pa:'tisəpeit] v. zúčastniť sa • *take part in* zúčastniť sa
particle [pa:tikəl] n. čiastočka
particular [pə'tikjələ] adj. **1.** zvláštny **2.** podrobný
particularly [pə'tikjələli] adv. obzvlášť
parting [pa:tiŋ] n. rozchod
partition [pa:tišən] n. rozdelenie
partner [pa:tnə] n. druh, spoločník

partridge [pa:tridž] n. jarabica
party [pa:ti] n. večierok
pass [pa: s] v. **1.** prejsť, ísť **2.** podať, dať **3.** zložiť *skúšku*
pass n. **1.** lístok, preukaz **2.** priesmyk **3.** *šport.* prihrávka
passage [pæsidž] n. chodba, pasáž
passenger [pæsəndžə] n. cestujúci
passerby [,pa:sə'bai] n. okoloidúci
passport [pa:spo:t] n. cestovný pas
password [pa:swə:d] n. heslo
past [pa:st] adj. minulý
past n. minulosť • *in the past* v minulosti
pasta [pæ:stə] n. cestovina
paste [peist] n. **1.** pasta **2.** lepidlo
paste v. lepiť
pasture [pa:stčə] n. pastvina
pasty [peisti] adj. cestový
patch [pæč] n. škvrna
paté [pætei] n. paštéta
path [pa:θ] n. cesta, cestička
patience [peišənz] n. trpezlivosť
patient [peišənt] adj. trpezlivý
patient n. pacient
patrol [pə'trəul] n. obchôdzka
patrol v. hliadkovať, strážiť
pattern [pætən] n. **1.** vzor, vzorka **2.** vzorec
pause [po:z] n. prestávka, pauza
pavement [peivmənt] n. chodník
pavillion [pə'viljən] n. pavilón
paw [po:] n. laba
pay [pei] *paid, paid* v. **1.** platiť **2.** *pay attention* venovať pozornosť
pay n. mzda, výplata
pay phone [pei fəun] n. telefónny automat
pea [pi:] n. hrach
peace [pi:s] n. mier • *at peace* v mieri • *peace treaty* mierová zmluva

peach [pi:č] n. broskyňa
peacock [pi:kok] n. páv
peak [pi:k] n. vrchol, štít
peanut [pi:nat] n. búrsky oriešok
pear [peə] n. hruška
pearl [pə:l] n. perla
peasant [pəzənt] n. sedliak, roľník
peck [pek] v. ďobať
peculiar [pi'kju:liə] adj. zvláštny, neobvyklý
peculiarity [pi,kju:li'æriti] n. zvláštnosť
pedal [pedl] n. pedál
pedestrian [pə'destriən] n. chodec
pedicure [pedikjuə] n. pedikúra
pedigree [pedəgri:] n. rodokmeň, pôvod
pee [pi:] v. čúrať
peel [pi:l] v. lúpať, odstrániť
peg [peg] n. vešiak
pelican crossing [,pəlikən 'krosiŋ] n. prechod pre chodcov
pen [pen] n. pero
penal [pi:nəl] adj. trestný
penalize [pi:nəlaiz] v. pokutovať, trestať
penalty [penəlti] n. trest, pokuta • *penalty kick* pokutový kop
pence [pens] n. penca
penchant [ponšon] n. záľuba
pencil [pensəl] n. ceruzka
pendulum [pəndjələm] n. kyvadlo
penguin [peŋgwən] n. tučniak
peninsula [pə'ninsjələ] n. polostrov
pension [pənšən] n. penzia, dôchodok
pension n. penzión
pensioner [penšənə] n. penzista, dôchodca
penury [penjəri] n. chudoba, bieda
people [pi:pəl] n. **1.** ľudia **2.** občania, ľud **3.** národ
pepper [pepə] n. **1.** korenie **2.** paprika *rastlina*
pepper v. okoreniť
perambulator [pə,ræmbju-

'leitə] n. detský kočík
perceive [pə'si:v] v. chápať, vnímať
per cent [pə'sent] n. percento
perceptive [pə'septiv] adj. vnímavý
percolator [pə:kəleitə] n. kávovar
perfect [pə:fikt] adj. dokonalý, bezchybný
perfection [pə'fekšən] n. dokonalosť
perfidy [pə:fədi] n. zrada
performance [pə'fo:məns] n. **1.** predstavenie **2.** výkon
perfume [pə:fju:m] n. **1.** vôňa **2.** voňavka, parfém
perfunctory [pə'faŋktəri] adj. povrchný
perhaps [pə'hæps] adv. možno, azda
peril [perəl] n. nebezpečie, riziko
perilous [perələs] adj. nebezpečný, riskantný
period [piəriəd] n. doba, obdobie
periodical [,piəri'odikəl] n. časopis
periscope [periskəup] n. periskop
perish [periš] v. zahynúť, zahubiť
permanent [pə:mənənt] adj. trvalý, stály
permission [pə'mišən] n. dovolenie, povolenie
permit [pə'mit] v. dovoliť, povoliť
permute [pə'mju:t] v. obmieňať, meniť
persecute [pə:sikju:t] v. prenasledovať
persecution [,pə:si'kju:šən] n. prenasledovanie
person [pə:sən] n. osoba
personal [pə:sənəl] adj. osobný, vlastný
personal computer [,pə:sənəl kəm'pju:tə] n. osobný počítač
personification [pə:,sonifi'keišən] n. perzonifikácia, zosobnenie
personnel [,pə:sə'nəl] n. zamestnanci, personál

perspective [pə'spektiv] n. 1. perspektíva 2. výhľad
perspective adj. perspektívny
perspire [pə'spaiə] v. potiť sa
persuade [pə'sweid] v. presvedčiť
pessimism [pesimizəm] n. pesimizmus
pest [pest] n. škorica
pestle [pesəl] n. tĺčik
pet [pet] n. miláčik *domáce zvieratko*
petition [pə'tišən] n. petícia
pet name [,pet 'neim] n. prezývka
petrol [petrəl] n. benzín
petrol station [petrəl ,steišən] n. benzínové čerpadlo
petticoat [petikəut] n. spodnička
pew [pju:] n. lavica v kostole
phantasy [fæntəsi] n. fantázia
phantom [fæntəm] n. prízrak
pharmacy [fa:məsi] n. lekáreň
pharos [faəros] n. maják
pheasant [fezənt] n. bažant
philately [fə'lætəli] n. filatélia
philharmonic [,fila:'monik] adj. filharmonický
philology [fi'lolədži] n. jazykoveda
philosopher [fi'losəfə] n. filozof
philosophy [fə'losəfi] n. filozofia
phone [fəun] n. telefón
phone v. telefonovať
phone book [fəun buk] n. telefónny zoznam
phone box [fəun boks] n. telefónna búdka
phonetic [fə'netik] adj. fonetický
photo [fəutəu] *photos* n. fotka
photocopy [fəutəu,kopi] n. fotokópia
photograph [fəutəugra:f] n. fotografia
photographer [fə'togrəfə] n. fotograf
phrase [freiz] n. frazeologické spojenie, idiom, fráza

phraseological [,freiziə'lodžikəl] adj. frazeologický
physic [fizik] n. fyzika
physical [fizikəl] adj. **1.** telesný **2.** fyzický **3.** fyzikálny
physical training [,fizikəl'treiniŋ] n. telesná výchova
physicist [fizəsəst] n. fyzik
physics [fiziks] n. fyzika
pianist [pjənəst] n. klavirista
piano [pj'ænəu] n. klavír
pick [pik] v. **1.** vybrať si, vyvoliť si **2.** trhať, zbierať • *pick flowers* trhať kvety
pickaxe [pikkæks] n. krompáč
picket [pikət] n. kôl, tyč
pickpocket [pik,pokət] n. vreckový zlodej
pick-up [pik ap] n. dodávkové vozidlo
picnic [piknik] n. piknik
pictorial [pik'to:riəl] adj. obrázkový
picture [pikčə] n. **1.** obraz, kresba **2.** fotografia
picture v. maľovať, kresliť
picture-postcard [,pikčə'pəustka:d] n. pohľadnica
picturesque [,pikčə'resk] adj. malebný
pie [pai] n. koláč, piroh
pier [piə] n. mólo
piece [pi:s] n. **1.** kus, kúsok **2.** časť, diel
pig [pig] n. prasa
pigeon [pidžən] n. holub
piggish [pigiš] adj. prasačí
pigmy [pigmi] n. trpaslík, škriatok
pigtail [pigteil] n. vrkoč
pike [paik] n. kopija, oštep
pilchard [pilčəd] n. sardinky
pile [pail] n. kopa, hromada
pile v. **1.** klásť **2.** naložiť **3.** *pile up* nahromadiť
pilgrim [pilgrəm] n. pútnik
pilgrimage [pilgrəmidž] n. púť, putovanie
pill [pil] n. pilulka
pillar [pilə] n. pilier, stĺp
pillar box [pilə boks] n. poštová schránka
pillow [piləu] n. poduška, vankúš
pillowcase [piləukeis] n. ob-

liečka na vankúš
pilot [pailət] n. pilot, lodivod
pilot v. pilotovať, riadiť
pimple [pimpəl] n. vyrážka
pin [pin] n. **1.** špendlík • *pinhead* špendlíková hlavička **2.** ihlica
pin v. zopnúť, pripnúť
pinafore [pinəfo:] n. zástera
pincer [pinsə] n. klepeto
pincers [pinsəz] n. kliešte
pine [pain] n. borovica
pineapple [painæpəl] n. ananás
pink [piŋk] adj. ružový
pip [pip] n. jadro, jadierko
pip v. pípanie
pipe [paip] n. **1.** rúra, potrubie **2.** fajka **3.** píšťala
pipeline [paiplain] n. ropovod, plynovod
piquant [pi:kənt] adj. pikantný, ostrý
piracy [paiərəsi] n. pirátstvo
pirate [paiərət] n. pirát
piss [pis] v. cikať
pistachio [pə'sta:šiəu] n. pistácia
pit [pit] n. **1.** jama **2.** baňa, šachta
pitcher [pičə] n. džbán, krčah
pitchfork [pičfo:k] n. vidly
pitfall [pitfo:l] n. nástraha, pasca
pitiable [pitiəbəl] adj. žalostný
pitiful [pitifəl] adj. **1.** úbohý, žalostný **2.** súcitný
pitiless [pitiləs] adj. bezcitný
pity [piti] n. **1.** ľútosť, súcit **2.** škoda • *it's a pity* to je škoda
placard [plæka:d] n. plagát
place [pleis] n. **1.** miesto **2.** námestie
place v. dať, položiť
place setting [pleis,setiŋ] n. prestieranie, príbor
plague [pleig] n. **1.** mor, nákaza **2.** trápenie
plague v. sužovať, trápiť
plain [plein] n. nížina
plain chocolate [,plein 'čoklət] n. horká čokoláda
plait [plæt] n. vrkoč
plan [plæn] n. plán, zámer

plan v. **1.** plánovať **2.** navrhovať, projektovať
plane [plein] n. **1.** lietadlo **2.** hoblík
plane adj. rovný *povrch*, plochý
planet [plænət] n. planéta
plank [plæŋk] n. doska
plant [pla:nt] n. rastlina
plant v. sadiť
plantation [plæn'teišən] n. plantáž
plaster [pla:stə] n. **1.** omietka **2.** náplasť
plaster cast [,pla:stə 'ka:st] n. sádrový obväz
plastic [plæstik] adj. umelý
plasticine [plæstəsi:n] n. plastelína
plate [pleit] n. **1.** tanier **2.** platňa, doska
platform [plætfo:m] n. nástupisko
play [plei] n. hra, zábava • *fair play* slušná hra
play v. hrať sa, zabávať
player [pleiə] n. **1.** hráč **2.** hudobník
playground [pleigraund] n. ihrisko
plea [pli:] n. **1.** žiadosť, prosba **2.** obhajoba
plead [pli:d] v. **1.** prosiť, žiadať **2.** súdiť sa
pleasant [plezənt] adj. príjemný
please [pli:z] v. potešiť, urobiť radosť
please interj. prosím
pleased [pli:zd] adj. šťastný, spokojný
pleasure [pležə] n. potešenie, radosť • *with pleasure* s radosťou
pledge [pledž] n. záväzok
pledge v. zaviazať sa, sľúbiť
plentiful [plentifəl] adj. hojný, výdatný
plenty [plenti] n. hojnosť, množstvo • *plenty of* veľa
pliers [plaiəz] n. kliešte
plot [plot] n. parcela
plug [plag] n. **1.** zátka **2.** zástrčka
plum [plam] n. slivka
plumb [plam] v. skúmať

plumber [plamə] n. klampiar, inštalatér
plunder [plandə] v. plieniť, drancovať
plural [pluərəl] n. množné číslo
plus [plas] n. plus
plush [plaš] adj. plyšový
ply [plai] n. ohyb, záhyb
plywood [plaiwud] n. preglejka
pm, PM [ˌpi: ˈem] *post meridiem* čas od 12.00
pneumonia [nju:ˈməuniə] n. zápal pľúc
poach [pəuč] v. pytliačiť
poacher [pəučə] n. pytliak
pocket [pokət] n. vrecko
pocket money [pokət,mani] n. vreckové
pod [pod] n. struk
poem [pəuəm] n. báseň
poet [pəuət] n. básnik
poetry [pəuətri] n. poézia
point [point] n. **1.** hrot **2.** bod, miesto **3.** desatinná čiarka
point v. **1.** ukázať *na niekoho* **2.** mieriť
pointed [pointəd] adj. zašpicatený
poise [poiz] n. **1.** postoj **2.** rovnováha
poison [poizən] n. jed, otrava
poison v. otráviť
poison-pen letter [ˌpoizən-ˈpen,letə] n. anonymný list
Poland [pəulənd] n. Poľsko
polar [pəulə] adj. polárny
pole [pəul] n. tyč, žrď, oje
Pole [pəul] n. Poliak
police [pəˈli:s] n. polícia
policeman [pəˈli:smən] n. policajt
police station [pəˈli:s,steišən] n. policajná stanica
polish [poliš] v. leštiť
Polish [pəuliš] n. poľština
Polish adj. poľský
polite [pəˈlait] adj. zdvorilý, slušný
politeness [pəˈlaitnəs] n. slušnosť, zdvorilosť
pollute [pəˈlu:t] v. znečistiť
pollution [pəˈlu:šən] n. znečistenie

pond [pond] n. nádrž, rybník
ponder [pondə] v. uvažovať, dumať
pong [poŋ] n. smrad, zápach
pony [pəuni] n. poník
pool [pu:l] n. **1.** kaluž **2.** *swimming pool* bazén
poor [puə] adj. **1.** chudobný **2.** úbohý
popcorn [popko:n] n. pukance
Pope [pəup] n. pápež
poplar [poplə] n. topoľ
poppy [popi] n. mak
popular [popjulə] adj. obľúbený, populárny
popularity [ˌpopju'læriti] n. obľúbenosť
population [ˌpopjəleišən] n. obyvateľstvo, populácia
porcelain [po:slən] n. porcelán
pork [po:k] n. bravčovina
pornography [po:'nogrəfi] n. pornografia
porridge [poridž] n. ovsená kaša
port [po:t] n. prístav
portable [po:təbəl] adj. prenosný
porter [po:tə] n. **1.** nosič **2.** vrátnik
portion [po:šən] n. **1.** časť, diel **2.** podiel
portrait [po:trət] n. portrét
Portugal [po:tjugəl] n. Portugalsko
pose [pəuz] v. postaviť sa, zaujať postoj
position [pə'zišən] n. poloha, miesto
positive [pozətiv] adj. pozitívny
possess [pə'zes] v. vlastniť, mať
possibility [ˌposə'biləti] n. možnosť
possible [posəbəl] adj. **1.** možný **2.** prijateľný
post [pəust] n. **1.** stĺp, kôl **2.** pošta
post v. vyvesiť oznam
postage [pəustidž] n. poštovné
postbox [pəustboks] n. poštová schránka

postcard [pəustka:d] n. pohľadnica
postcode [pəustkəud] n. poštové smerovacie číslo
poster [pəustə] n. plagát
posterior [pos'tiəriə] adj. neskorší
postman [pəustmən] n. poštár
post office [pəust,ofis] n. pošta
pot [pot] n. **1.** hrniec **2.** čajová konvica
potato [pə'teitəu] *potatoes* zemiak
pothole [pothəul] n. výmoľ, jama
potter [potə] n. hrnčiar
pottery [potəri] n. hrnčiarstvo
potty [poti] n. nočník
pouch [pauč] n. vrecko, mešec
poultry [pəultri] n. hydina
pound [paund] n. libra
pour [po:] v. **1.** naliať, vyliať **2.** pršať, liať **3.** *pour out* vylievať
poverty [povəti] n. chudoba, bieda
powder [paudə] n. **1.** prášok • *powder sugar* práškový cukor **2.** prach **3.** púder
powder room [paudə ru:m] n. toaleta
power [pauə] n. **1.** moc, sila **2.** energia
powerful [pauəfəl] adj. mocný, silný
powerless [pauəles] adj. bezmocný
power station [pauə,steišən] n. elektráreň
practical [præktikəl] adj. praktický
practise [præktəs] n. prax
practise v. trénovať
prairie [preəri] n. préria
praise [preiz] v. chváliť
praise n. chvála, pochvala
pray [preə] n. motlidba
pray v. modliť sa, prosiť
preach [pri:č] v. napomínať
precept [pri:sept] n. pravidlo, poučka
precious [prešəs] adj. vzácny,

cenný
precise [pri´sais] adj. presný, precízny
precision [pri´sižən] n. presnosť
predator [predətə] n. dravec
predatory [predətəri] adj. dravý
predicate [predikeit] v. tvrdiť
predication [,predi´keišən] n. tvrdenie
preface [prefəs] n. predslov, úvod
prefer [pri´fə:] v. dať prednosť, uprednostniť
preferable [prefərəbəl] adj. vhodnejší
pregnancy [pregnənsi] n. tehotenstvo
pregnant [pregnənt] adj. tehotná
preliminary [pri´limənəri] adj. predbežný
premonition [,pri:mə´nišən] n. výstraha
premonitory [pri´monitəri] adj. varovný
preparation [,prepə´reišən] n. príprava
preparatory school [pri´pærətəri sku:l] n. súkromná základná škola
prepare [pri´peə] v. pripraviť
preposition [,prepə´zišən] n. *gram.* predložka
prescribe [pri´skraib] v. **1.** nariadiť **2.** predpísať liek
prescript [pri:skript] n. predpis
prescription [pri´skripšən] n. lekársky recept
presence [prezəns] n. **1.** prítomnosť **2.** účasť
present [prezənt] n. dar, darček
present [prezənt] adj. prítomný
preserve [pri´zə:v] v. zachovať, chrániť
presidency [prezədənsi] n. úrad prezidenta
president [prezədənt] n. prezident
press [pres] v. **1.** *press down* stlačiť **2.** lisovať **3.** žehliť

4. stisnúť
press n. **1.** tlak **2.** lis
pressure [prešə] n. **1.** tlak **2.** nátlak, presviedčanie • *under pressure* pod nátlakom
presume [pri´zju:m] v. domnievať sa, predpokladať
pretend [pri´tend] v. predstierať, pretvarovať sa
pretty [priti] adj. pekný
prevent [pri´vent] v. zabrániť, zamedziť komu, čomu *from*
prevention [pri´venšən] n. predchádzanie, prevencia
preventive [pri´ventiv] adj. ochranný
previous [pri:viəs] adj. predchádzajúci, predošlý
prey [prei] n. korisť
prey v. loviť, chytať
price [prais] n. cena
prick [prik] n. pichnutie, bodnutie
prick v. pichnúť sa, svrbieť
prickle [prikəl] n. osteň, pichliač
prickle v. škriabať, svrbieť
pride [praid] n. hrdosť, pýcha
priest [pri:st] n. kňaz
primary [praiməri] adj. prvoradý, hlavný, základný
primary school [praiməri,sku:l] n. základná škola
Prime Meridian [,praim məridiən] n. nultý poludník
Prime Minister [,praim ´ministə] n. predseda vlády, premiér
primeval [prai´mi:vəl] adj. praveký
primitive [primətiv] adj. primitívny, pôvodný
prince [prins] n. princ
princess [,prin´ses] n. princezná
principality [,prinsi´pæliti] n. kniežatstvo
principle [prinsəpəl] n. **1.** zásada, pravidlo **2.** poučka
print [print] n. **1.** tlač **2.** odtlačok, stopa
print v. vytlačiť, vydať knihu
printer [printə] n. **1.** tlačiar **2.** tlačiareň

prison [prizən] n. väznica
prisoner [prizənə] n. väzeň
privacy [privəsi] n. súkromie
private [praivət] adj. súkromný, osobný • *private school* súkromná škola
privilege [privəlidž] n. výsada, privilégium
privy [privi] adj. tajný
prize [praiz] n. **1.** cena, prémia **2.** korisť
probability [,probə'biliti] n. pravdepodobnosť
probable [probəbəl] adj. pravdepodobný
problem [probləm] n. problém
process [prəuses] n. priebeh, postup
procession [prə'sešən] n. sprievod
proclaim [prə'kleim] v. verejne oznámiť, vyhlásiť
proclamation [,proklə'meišən] n. prehlásenie
procurator [prokjureitə] n. prokurátor
prodigal [prodigəl] adj. márnotratný
prodigy [prodidži] n. zázrak, div
produce [prə'dju:s] v. vyrobiť, produkovať
produce n. výrobok
producer [prə'dju:sə] n. výrobca
product [prodakt] n. výrobok, produkt
production [prə'dakšən] n. výroba, produkcia
profession [prə'fešən] n. povolanie
professional [prə'fešənəl] n. odborník, profesionál
professional adj. profesionálny
professor [prə'fesə] n. profesor
profit [profət] n. **1.** zisk **2.** úžitok
prognosis [prog'nəusis] n. predpoveď
programme [prəugræm] n. program • *daily programme* denný program
progress [prəugres] n. **1.** na-

predovanie, pokrok **2.** vývoj
progressive [prə'gresiv] adj. pokrokový
project [prodžekt] n. projekt, úloha
project [prə'džekt] v. navrhnúť, projektovať
prolong [prə'loŋ] v. predĺžiť
prolongation [,prəuloŋ'geišən] n. predĺženie
promise [proməs] n. sľub, prísľub
promise v. sľúbiť
promote [prə'məut] v. **1.** povýšiť **2.** podporovať
prompt adj. **1.** okamžitý, pohotový **2.** presný
pronoun [prənaun] n. zámeno
pronounce [prə'nauns] v. vyslovovať
pronunciation [prə,nansi'eišən] n. výslovnosť
proof [pru:f] n. **1.** dôkaz **2.** skúška, test
proof adj. odolný
propagate [propəgeit] v. rozširovať, šíriť, propagovať
propagation [,propə'geišən] n. propagácia
proper [propə] adj. správny, vhodný
property [propəti] n. majetok, vlastníctvo
proposal [prə'pəuzəl] n. návrh, ponuka
propose [prə'pəuz] v. navrhnúť, podať návrh
proprietary [prə'praiətəri] n. vlastníctvo
propriety [prə'praiəti] n. slušnosť, zdvorilosť
prosaic [prəu'zeiik] adj. prozaický
prosaist [prəuzeiist] n. prozaik
prosecutor [prosikju:tə] n. žalobca, prokurátor
prosper [prospə] v. dariť sa
prosperity [pros'periti] n. blahobyt
prosthesis [pros'θi:səs] n. protéza
protect [prə'tekt] v. chrániť pred *from*
protection [prə'tekšən] n. ochrana

protector [prə'tektə] n. ochranca
protest [prəutest] n. protest, námietka
protest [prə'test] v. protestovať, namietať
proud [praud] adj. hrdý na *of*, pyšný
prove [pru:v] v. dokázať
proverb [provə:b] n. príslovie
provide [prə'vaid] v. obstarať si, zadovážiť si
province [provins] n. provincia, oblasť
prudent [pru:dənt] adj. obozretný, opatrný
prune [pru:n] v. obstrihať *stromy*
psalm [sa:m] n. žalm
pseudonym [sju:dənim] n. pseudonym
psychiatrist [sai'kaiətrist] n. psychiater
psychiatry [sai'kaiətri] n. psychiatria
psychologist [sai'kolədžist] n. psychológ
psychology [sai'kolədži] n. psychológia
pub [pab] n. krčma
puberty [pju:bəti] n. puberta, dospievanie
public [pablik] adj. **1.** verejný **2.** štátny • *public holiday* štátny sviatok
public n. verejnosť
poublic-address system [,pablik ə'dres,sistəm] n. miestny rozhlas
publication [,pablə'keišən] n. uverejnenie, vydanie
publicist [pablisist] n. publicista
public school [,pablik'sku:l] n. stredná súkromná škola
publish [pabliš] v. vydať, publikovať, uverejniť
publisher [pablišə] n. vydateľ, nakladateľ
pudding [pudiŋ] n. **1.** múčnik, dezert **2.** puding **3.** jaternica *krvavnička*
puddle [padl] n. kaluž, mláka
puff [paf] v. dychčať, fučať
puke [pju:k] v. zvracať

pull [pul] v. **1.** ťahať **2.** potiahnuť **3.** vytiahnuť, vytrhnúť, pohnúť sa
pullover [pulǝuvǝ] n. sveter
pulp [palp] n. dužina, dreň
pulse [pals] n. pulz, tep
puma [pju:mǝ] n. puma
pump [pamp] n. čerpadlo, pumpa
pump v. **1.** čerpať, pumpovať **2.** striekať
pumpkin [pampkǝn] n. tekvica
puncture [paŋkčǝ] n. defekt
punish [paniš] v. potrestať
punishment [panišmǝnt] n. trest, potrestanie
punster [panstǝ] n. vtipkár
pupil [pju:pǝl] n. žiak
puppet [papǝt] n. bábika
puppy [papi] n. šteňa
purchase [pǝ:čǝs] v. kúpiť, získať
purchaser [pǝ:čǝsǝ] n. kupujúci
pure [pjuǝ] adj. **1.** čistý, rýdzi **2.** čestný
purebred [pjuǝbred] adj. čistokrvný
purple [pǝ:pǝl] adj. fialový
purpose [pǝ:pǝs] n. účel, zámer • *on purpose* zámerne
purposeless [pǝ:pǝslǝs] adj. bezcieľny, bezúčelný
purposely [pǝ:pǝsli] adv. zámerne, naschvál
purse [pǝ:s] n. peňaženka
pursue [pǝ'sju:] v. sledovať, prenasledovať
pursuit [pǝ'sju:t] n. prenasledovanie
pus [pas] n. hnis
push [puš] v. **1.** tlačiť sa, tisnúť sa **2.** *push aside* odstrčiť
push-button [puš,batn] adj. tlačidlový
pushcart [puška:t] n. vozík, kára
pushchair [puščeǝ] n. kočík *skladací*
put [put] *put, put* v. **1.** položiť, dať **2.** uložiť **3.** zapísať *put down* zapísať si • *put on* obliecť sa
puzzle [pazǝl] v. zmiasť

puzzle n. hádanka, hlavolam
pyjamas [pə´dža:məs] n. pyžamo
pyramid [pirəmid] n. pyramída

Q

quadratic [kwo´drætik] adj. štvorcový
qualification [,kwoləfə´keišən] n. kvalifikácia, spôsobilosť
qualify [kwoləfai] v. získať kvalifikáciu
quality [kwoləti] n. kvalita
quantity [kwontəti] n. množstvo, počet
quarrel [kworəl] n. spor, hádka
quarrel v. vadiť sa, hádať sa
quarry [kwori] n. lom, kameňolom
quarter [kwo:tə] n. **1.** štvrtina, štvrť **2.** štvrťrok **3.** mestská štvrť
quay [ki:] n. mólo
queen [kwi:n] n. kráľovna
queer [kwiə] adj. čulý, zvláštny
question [kwesčən] n. otázka
question mark [kwesčən ma:k] n. otáznik
questionnaire [,kwesčə´neə] n. dotazník
queue [kju:] n. rad, zástup
queue v. stáť v rade
quick [kwik] adj. **1.** rýchly **2.** bystrý, pohotový
quiet [kwaiət] adj. tichý, pokojný • *keep quiet!* buď ticho!
quill [kwill] n. vtáčie pierko
quilt [kwilt] n. paplón
quite [kwait] adv. celkom, úplne
quiz [kwiz] n. kvíz

R

rabbit [ræbit] n. králik
rabies [reibi:z] n. besnota
race [reis] n. **1.** závod, dostihy **2.** druh, rasa
race v. **1.** bežať **2.** závodiť
rack [ræk] n. **1.** polica **2.** hrazda
rack v. položiť na policu
racket [rækit] n. tenisová raketa
racket v. odrážať *loptičku*
radar [reidə, reida:] n. radar
radio [reidiou] n. rádio, rozhlas
radish [rædiš] n. reďkovka
raft [ra:ft] n. **1.** plť **2.** kryha
raft v. plaviť sa na plti
rafter [ra:ftə] n. pltník
rag [ræg] n. handra
rage [reidž] n. hnev, zúrivosť
rage v. zúriť, hnevať sa
ragged [rægid] adj. otrhaný
raid [reid] n. **1.** vpád, útok, nájazd **2.** lúpež • *a raid on the bank* lúpež banky
raid v. prepadnúť
rail [reil] n. **1.** koľaj **2.** zábradlie **3.** ohrada • *go by rail* ísť vlakom
rail v. **1.** ohradiť **2.** cestovať vlakom
railway [reilwei] n. železnica • *railway accident* železničné nešťastie • *railway carriage* železničný vozeň
railwayman [reilweimən] n. železničiar
railway station [reilwei ,steišn] n. železničná stanica
rain [rein] n. dážď
rain v. pršať • *it's raining cats and dogs* leje sa ako z krhly
rainbow [reinbou] n. dúha
raincoat [reinkout] n. plášť do dažďa
rainproof [reinpru:f] adj. nepremokavý
rainy [reini] adj. daždivý • *the rainy weather* daždivé počasie
raise [reiz] v. dvíhať, zdvihnúť • *raise the question*

položiť otázku
raisin [reizən] n. sušené hrozienko
rake [reik] n. hrable
rake v. hrabať
ram [ræm] n. baran
ramp [ræmp] n. **1.** svah **2.** rampa
ranch [ra:nš] n. ranč, dobytčia farma
random [rændəm] n. náhoda
range [reindž] n. **1.** pásmo, reťaz **2.** dosah, dostrel **3.** strelnica
ranger [reindžə] n. **1.** tulák **2.** hájnik
rank [ræŋk] n. **1.** poradie, sled **2.** hodnosť
ransack [rænsæk] v. **1.** prehľadať **2.** vyplieniť
rapacious [rə'peišəs] **1.** dravý **2.** hladný, žravý
rapid [ræpid] adj. **1.** rýchly **2.** prudký
rare [reə] adj. **1.** riedky **2.** vzácny
rascal [ra:skl] n. lump, darebák
rash [ræš] adj. prudký, nerozvážny
rasp [ra:sp] v. **1.** opíliť, opracovať *pilníkom* **2.** škrípať
raspberry [ra:zbəri] n. malina
rasper [ra:spə] n. pilník
rat [ræt] n. potkan
rat v. zradiť
ratchet [ræčit] n. háčik
rather [ra: ðə] **1.** skôr, radšej **2.** dosť, celkom • *I would rather* radšej by som • *she is rather pretty* je celkom pekná
ration [ræšən] n. dávka, porcia
rational [ræšənl] adj. **1.** rozumový **2.** rozumný
rattle [rætl] n. **1.** rapkáč **2.** rachot, hrmot
rattle v. rachotať, hrmotať
rattlesnake [rætlsneik] n. štrkáč
rat-trap [rættræp] n. pasca na potkany
ravage [rævidž] v. spustošiť

rave [reiv] v. zúriť
raven [reivn] n. havran
raw [ro:] adj. surový • *raw material* surovina
raw n. rana, odrenina
ray [rei] n. **1.** lúč **2.** prút • *X-rays* röntgenové lúče
razor [reizə] n. britva
razor blade [reizə bleid] n. žiletka
razzia [ræziə] n. lúpežný vpád
reach v. dosiahnuť
read [ri:d] *read, read* v. **1.** čítať **2.** učiť sa, študovať • *read aloud* čítať nahlas • *read for an examination* učiť sa na skúšku • *read a riddle* hádať hádanku • *read out* čítať nahlas
reader [ri:də] n. čitateľ
readily [redili] adv. **1.** ochotne **2.** ľahko
reading [ri:diŋ] **1.** čítanie **2.** prednáška
reading-room [ri:diŋrum] n. čitáreň
ready [redi] adj. **1.** hotový **2.** pohotový **3.** ochotný • *get ready* pripraviť sa
real [riəl] adj. **1.** skutočný, reálny **2.** pravý
reality [ri:´æliti] n. skutočnosť
realize [riəlaiz] uskutočniť, splniť, vykonať
really [riəli] adv. skutočne, naozaj
reap [ri:p] v. zožať úrodu
reaper [ri:pə] n. **1.** žací stroj **2.** žnec
reaping [ri:piŋ] n. žatva
reason [ri:zən] n. **1.** dôvod, príčina **2.** rozum **3.** úsudok
reason v. tvrdiť, dôvodiť
reasonable [ri:zənəbl] adj. **1.** rozumný **2.** rozumový
rebate [ri´beit] n. zľava
rebel [ri´bel] n. vzbúrenec, rebel
rebel v. vzbúriť sa
rebelion [ri´beljən] n. vzbura
rebuild [ri:bild] *rebuilt, rebuilt* v. znovu vystavať, prestavať
rebuke [ri´bju:k] n. pokarha-

nie • *give a rebuke* pokarhať
rebuke v. pokarhať
rebus [ri:bəs] n. rébus
recall v. **1.** zavolať späť **2.** pripomenúť **3.** odmietnuť
receipt [ri´si:t] n. predpis, recept
receipt v. napísať potvrdenku
receive [ri´si:v] v. **1.** prijať, obdržať **2.** prijať *hosťa*
receiver [ri´si:və] n. **1.** príjemca **2.** prijímač **3.** slúchadlo
recent [ri:sənt] nový, moderný
receptionist [ri´sepšənist] n. recepčný
recipe [resipi] n. **1.** návod **2.** recept
recitation [,resi´teišn] n. prednes, recitácia
recite [ri´sait] v. prednášať, recitovať
reclamation [,reklə´meišn] n. reklamácia
recognition [,rekəg´nišən] n. poznanie
recognize [rekəgnaiz] v. poznať
recollect [,rekə´lekt] v. spomenúť si
recommend [,rekə´mend] v. doporučiť, odporučiť
recommendation [,rekəmen´deišn] n. doporučenie • *letter of recommendation* doporučený list
reconsider [ri:kən´sidə] v. znovu si premyslieť
reconstruction [ri:kən´strakšn] n. rekonštrukcia, prestavba
record [re´ko:d] n. **1.** *hud.* nahrávka **2.** *šport.* rekord
record [ri´ko:d] v. zapísať si, zaznamenať, nahrať
recover [ri´kavə] v. **1.** znovu získať **2.** objaviť
recreation [,rekri´eišn] n. **1.** zotavenie **2.** zábava
recruit [ri´kru:t] v. odviesť na vojnu
rectangular [rek´tæŋgjulə] adj. pravouhlý
red [red] adj. červený • *Red*

Cross Červený kríž
red n. **1.** červeň **2.** rumenec
redaction [ri´dækšn] n. redakcia
redactor [ri´dæktə] n. redaktor
redden [redn] v. červenať sa
• *redden with shame* červenať sa od hanby
redeem [ri´di:m] v. **1.** vykúpiť, vyslobodiť **2.** zachrániť
reduce [ri´dju:s] v. zmenšiť, znížiť
reduction [ri´dakšn] n. zníženie
redundance [ri´dandəns] n. hojnosť, nadbytok
redundant [ri´dandənt] adj. **1.** nadbytočný **2.** nepotrebný
red-weed [redwi:d] n. vlčí mak
reed [ri:d] n. **1.** rákos, trstina **2.** píšťala **3.** šíp
reef [ri:f] n. útes, skalnaté morské pobrežie
reek [ri:k] n. **1.** dym **2.** zápach
reek v. **1.** dymiť **2.** páchnuť
refection [ri´fekšn] n. občerstvenie
refectory [ri´fektəri] n. jedáleň
refer [ri´fə:] v. **1.** odkázať, poukázať na *to* **2.** odvolávať **3.** upozorniť
referee [,refə´ri:] n. rozhodca
refinery [ri´fainəri] n. rafinéria
reform v. napraviť, pretvoriť
reformation [,refə´meišn] n. náprava, reforma
refrain n. refrén
refresh [ri´freš] v. občerstviť
refreshment [ri´frešmənt] n. občerstvenie, osvieženie
refrigerant [ri´fridžərənt] adj. osviežujúci, chladiaci
refrigerate [ri´fridžəreit] v. chladiť
refrigerator [ri´fridžəreitə] n. chladnička, ľadnička
refuel [ri:fjuəl] v. doplniť palivo
refuse [ri´fju:z] v. odmietnuť

regard [ri´ga:d] n. **1.** pohľad **2.** úcta **3.** pozdrav
regardless [ri´ga:dlis] adj. ľahostajný
regimen [redžimen] n. životospráva, diéta
regiment [redžimənt] n. pluk
region [ri:džn] n. **1.** krajina **2.** kraj, región
regional [ri:džənəl] adj. krajový, oblastný, regionálny
regret [ri´gret] n. **1.** ľútosť **2.** sklamanie
regular [regjulə] adj. pravidelný
regulate [regjuleit] v. usmerňovať, kontrolovať
regulation [,regju´leišn] n. **1.** usmerňovanie, kontrola **2.** predpis
reign [rein] v. vládnuť, panovať
reign n. vláda
reindeer [reindiə] n. sob
reject [ri´džekt] v. odmietnuť, zamietnuť
rejection [ri´dženšn] n. odmietnutie
rejoice [ri´džois] v. **1.** radovať sa, tešiť sa z *in* **2.** oslavovať
rejoin [ri´džoin] v. odpovedať, odvetiť
related [ri´leitid] n. príbuzný
relation [ri´leišn] n. **1.** vzťah, pomer **2.** príbuzenstvo
relative [relətiv] adj. príbuzný
relax [ri´læks] v. **1.** rozptýliť sa **4.** zotaviť sa
relaxation [,ri:læk´seišn] n. odpočinok
release v. **1.** uvoľniť, prepustiť **2.** odpustiť, zriecť sa
reliable [ri´laiəbəl] adj. spoľahlivý
reliability [ri, laiə´biliti] n. spoľahlivosť
relieve [ri´li:v] v. pomôcť, podporiť
religion [ri´lidžən] n. náboženstvo
religious [ri´lidžəs] adj. náboženský
rely [ri´lai] v. spoliehať sa na *on*

remarkable [ri´ma:kəbəl] adj. pozoruhodný
remediable [ri´mi:diəbəl] adj. vyliečiteľný
remedial [ri´mi:diəl] adj. liečivý
remedy [remidi] n. liek
remember [ri´membə] v. **1.** pamätať si, rozpomenúť sa **2.** zmieniť sa o
remembrance [ri´membrəns] n. spomienka, pamiatka na *of*
remind [ri´maind] v. pripomenúť komu čo *of*
remote [ri´mout] adj. vzdialený • *remote control* diaľkové ovládanie
remove [ri´mu:v] v. **1.** odstrániť **2.** vzdialiť sa **3.** presťahovať sa **4.** vylúčiť *zo školy*
removed [ri´mu:vd] adj. **1.** vzdialený, odľahlý **2.** odlišný
rename [ri:´neim] v. premenovať
renew [ri´nju:] v. obnoviť, osviežiť
rent [rent] n. nájomné
rent v. najať, prenajať
renter [rentə] n. prenajímateľ, nájomník
repair [ri´peə] n. oprava • *in good repair* v dobrom stave • *out of repair* v zlom stave
repair v. opraviť
repay [ri:´pei] v. *repaid, repaid* splatiť, nahradiť
repeal [ri´pi:l] v. odvolať, zrušiť
repeat [ri´pi:t] v. opakovať
repetition [repi´tišn] n. opakovanie
repine [ri´pain] v. ponosovať sa, sťažovať sa na *at*
replace [ri´pleis] v. **1.** položiť *na predchádzajúce miesto* **2.** nahradiť kým *by*
reply [ri´plai] v. odpovedať na
reply n. odpoveď
report [ri´po:t] n. **1.** povesť **2.** správa, referát **3.** školské vysvedčenie • *make*

report podať správu
reportage [repo:'ta:ž] n. reportáž
reporter [ri'po:tə] n. reportér, spravodaj
reposal [ri'pouzl] n. oddych, spánok
reprehend [repri'hend] v. karhať, hrešiť
reprehension [repri'henšən] n. výčitka, pokarhanie
reproof [ri'pru:f] n. výčitka, pokarhanie
reprove [ri'pru:v] v. vyčítať, pokarhať
reptile [reptail] n. plaz
republic [ri'pablik] n. republika
reputation [repju'teišn] n. **1.** vážnosť, úcta **2.** povesť, meno
repute [ri'pju:t] v. vážiť si
repute n. dobré meno, úcta
request [ri'kwest] n. prosba, žiadosť
request v. žiadať, požadovať
require [ri'kwaiə] v. **1.** žiadať, požadovať **2.** potrebovať
research [ri'sə:č] n. bádanie, skúmanie, výskum • *research worker* výskumník
research v. vyšetrovať, skúmať
reserve [ri'zə:v] n. zásoba, rezerva
reserve v. **1.** zachovať, uschovať **2.** vyhradiť si, rezervovať si
reservoir [rezəvwa:] n. nádrž
reside [ri'zaid] n. bývať v *at, in*
residence [rezidəns] n. sídlo, bydlisko
resident [rezidənt] n. stály obyvateľ, usadlík
resign [ri'zain] v. vzdať sa
resin [rezin] n. živica, kaučuk
resist [ri'zist] v. **1.** odporovať, brániť sa **2.** prekážať
resistance [ri'zistəns] n. odpor, prekážka • *offer resistance* klásť odpor
resolute [rezəlu:t] adj. odhodlaný, pevný

resolve [ri´zolv] v. **1.** vysvetliť **2.** rozhodnúť sa
resolve n. **1.** odhodlanie **2.** rozhodnutie
resort [ri´zo:t] n. navštevované miesto • *health resort* kúpele
respect [ris´pekt] n. **1.** vážnosť, úcta **2.** ohľad, pozdravy • *in my respect* podľa môjho názoru
respect v. **1.** vážiť si **2.** mať ohľad
respectful [ris´pektfəl] adj. úctivý
respiration [respə´reišn] n. dýchanie, výdych
respire [ris´paiə] v. **1.** dýchať **2.** oddýchnuť si
respond [ris´pond] v. odpovedať
response [ris´pons] n. **1.** odozva **2.** odpoveď
responsibility [ris,ponsə´biliti] n. zodpovednosť
responsible [ris´ponsəbl] adj. zodpovedný za *for*
rest [rest] n. **1.** odpočinok, kľud **2.** spánok **3.** prestávka, oddych **4.** smrť **5.** zvyšok • *take a rest* odpočinúť si • *a rest day* voľný deň • *lay to rest* pochovať
restaurant [restəro:ŋ] n. reštaurácia
result [ri´zalt] n. výsledok
retinue [retinju:] n. sprievod, družina
retire [ri´taiə] v. **1.** odobrať sa, odísť **2.** ustúpiť **3.** ísť spať
return [ri´tə:n] n. **1.** návrat **2.** odpoveď • *many happy returns* blahoželám
return v. **1.** vrátiť sa **2.** odpovedať
reveal [ri´vi:l] v. **1.** odhaliť **2.** prezradiť
revenge [ri´vendž] v. pomstiť sa
revenge n. pomsta
reverse [ri´və:s] v. **1.** obrátiť na ruby **2.** zmeniť, vymeniť **3.** odvolať, zrušiť
reverse n. **1.** rub, opak **2.** neúspech • *the reverse side*

opačná strana
reverse adj. obrátený, opačný
revile [ri´vail] v. nadávať
revive [ri´vaiv] v. ožívať, preberať sa
revoke [ri´vouk] v. odvolať, zrušiť
revolt [ri´voult] v. vzbúriť sa
revolt n. vzbura
revolution [revə´lu:šən] n. revolúcia
revolutionary [revə´lu:šnəri] adj. revolučný
revolve [ri´volv] v. **1.** otáčať sa, obiehať **2.** uvažovať
reward [ri´wo:d] v. odmeniť sa
reward n. odmena
rewrite [ri:´rait] v. *rewrote, rewritten* prepísať
rhinoceros [rai´nosərəs] n. nosorožec
rhomb [rom] n. kosoštvorec
rhubarb [ru:ba:b] rebarbora
rhyme [raim] n. rým, verš
rhyme v. rýmovať sa
rhythm [riθem] n. rytmus
rhythmical [riθmikl] adj. rytmický
rib [rib] n. rebro
ribbon [ribən] n. **1.** stuha, stužka **2.** zdrap, handra
rice [rais] n. ryža
rich [rič] adj. **1.** bohatý **2.** úrodný **3.** tučný *jedlo*
riches [ričiz] n. bohatstvo
rick [rik] n. stoh
rid [rid] *rid, rid* v. zbaviť sa čoho *of*
riddle [ridl] n. hádanka, záhada
riddle v. **1.** hovoriť v hádankách **2.** riešiť **3.** uhádnuť
ride [raid] v. *rode, ridden* **1.** jazdiť **2.** cestovať • *ride a horse* jazdiť na koni • *ride a bicycle* jazdiť na bicykli • *ride away* odísť
ride n. **1.** jazda **2.** jazdecká cesta
rider [raidə] n. jazdec
rifle [raifl] n. puška
right [rait] adj. **1.** pravý **2.** rovný, priamy **3.** správny **4.** zdravý • *be right* mať pravdu • *are you all right*

now? ste v poriadku?
right n. **1.** právo **2.** pravda **3.** pravica, pravá ruka, pravá strana
right adv. **1.** vpravo **2.** priamo, rovno **3.** správne
rightful [raitfəl] adj. spravodlivý
right-handed [rait´hændid] adj. pravák
right-minded [rait´maindid] adj. statočný
rill [ril] n. potôčik
rind [raind] n. kôra, koža, šupka
rind v. zbaviť kôry, olúpať
ring [riŋ] n. **1.** prsteň **2.** kruh **3.** zápasište, ring • *wedding ring* snubný prsteň
ring v. *rang, rung* **1.** zvoniť, znieť **2.** vyzváňať • *ring up* zatelefonovať
ring-finger [riŋ´fiŋgə] n. prstenník
rink [riŋk] n. klzisko
rink v. korčuľovať sa na kolieskových korčuliach
ripe [raip] v. zrieť
ripe adj. zrelý
rise [raiz] v. *rose, risen* **1.** vstávať, vzpriamiť sa, zdvihnúť sa **2.** vystupovať **3.** vznikať • *rise from table* vstať od stola • *rise up early* vstávať skoro ráno
rise n. **1.** stúpanie **2.** svah **3.** vznik **4.** východ *slnka*
rising [raiziŋ] n. povstanie, vzbura • *Slovak National Rising* Slovenské národné povstanie
risk [risk] n. nebezpečenstvo, riziko
risk v. riskovať
risky [riski] adj. odvážny, riskantný
river [rivə] n. rieka, prúd
riverbank [rivə´bænk] n. breh rieky
river-horse [rivəho:s] n. hroch
riverside [rivəsaid] n. breh *rieky*
road [roud] n. cesta, hradská • *be on the road* byť na cestách • *take the road* vy-

dať sa na cestu
roadman [roudm*ə*n] n. cestár
roadside [roudsaid] n. okraj cesty
roadway [roudwei] n. vozovka
roam [roum] v. potulovať sa
roam n. túlanie sa
roar [ro:] n. **1.** rev **2.** výbuch
roar v. **1.** revať **2.** hučať
roast [roust] v. piecť (sa), opekať (sa)
roast n. **1.** pečienka **2.** pečenie
roast adj. pečený
roaster [roust*ə*] n. **1.** pekáč **2.** kurča *na pečenie*
roasting-jack [roustiŋdžæk] n. ražeň
rob [rob] v. olúpiť o *of*
robber [rob*ə*] n. lupič
robbery [rob*ə*ri] n. lúpež
robe [roub] n. rúcho, róba • *the long robe* talár
robot [roubot] n. robot, automat
rock [rok] n. **1.** skala, útes **2.** hornina
rock v. **1.** kolísať (sa), hojdať (sa) **2.** potácať sa
rocker [rok*ə*] n. hojdačka
rocket [rokit] n. raketa
rocket v. prudko vyletieť *do výšky*
rocking [rokiŋ] n. hojdanie, kolísanie
rocking adj. hojdajúci sa, kývajúci • *rocking chair* hojdacie kreslo
rocky [roki] adj. **1.** skalnatý, kamenistý **2.** tvrdý
rod [rod] n. **1.** prút, tyč **2.** palica **3.** trstenica
rodent [roud*ə*nt] n. hlodavec
roe [roe] n. **1.** srna **2.** ikra
roe-buck [roubak] n. srnec
role [roul] n. rola, herecká úloha
roll v. **1.** gúľať sa, valiť sa **2.** baliť
roller [roul*ə*] n. **1.** valec **2.** veľká vlna • *roller skate* kolieskové korčule
rolling-pin [rouliŋ pin] n. kuchynský valček
rolling-stock [rouliŋ stok] n.

vozový park
Roman [romən] adj. rímsky
Roman n. Riman
romance [rə'mæns] n. romantika
romance adj. dobrodružný
romantic [rə'mæntik] adj. romantický, dobrodružný
Rome [roum] n. Rím
roof [ru:f] n. strecha
roof v. zastrešiť
rook [ruk] n. havran
rookery [rukəri] n. hniezdo *vtáčie*
room [ru:m] n. **1.** miestnosť, izba **2.** miesto, priestor • *do the room* upratať si izbu
roost [ru:st] n. **1.** bidlo **2.** kurín
roost v. sedieť na bidle
root [ru:t] n. **1.** koreň **2.** pôvod, počiatok **3.** úpätie
rope [roup] n. **1.** povraz, lano **2.** niť • *rope of onions* viazanica cibule
rope-dancer [roup,da:nsə] n. povrazolezec
rosary [rouzəri] n. záhon ruží
rose [rouz] n. **1.** ruža **2.** ružová farba
rose adj. ružový
rosy [rouzi] adj. ružový
rot [rot] v. hniť, tlieť
rot n. **1.** hniloba **2.** plieseň
rotate [rou'teit] v. otáčať sa, krúžiť
rotation [rou'teišən] n. otáčanie, rotácia
rote [rout] n. rutina, zvyk • *by rote* zo zvyku
rotten [rotən] adj. **1.** zhnitý **2.** skazený
rouge n. rúž
rouge v. nalíčiť sa, narúžovať sa
rough [raf] adj. **1.** drsný, hrubý **2.** chlpatý **3.** nezdvorilý
round [raund] adj. guľatý, oblý
round n. **1.** guľa **2.** kruh **3.** náboj **4.** obchôdzka • *go the round* vykonať obchôdzku
round adv. dookola • *round the table* okolo stola • *round the corner* za rohom

• *all round* dookola • *all the year round* po celý rok
route [ru:t] n. **1.** predpísaná cesta, trasa **2.** trať
rove [rouv] v. túlať sa
rover [rouvə] n. **1.** tulák **2.** pirát
row [rou] n. veslovanie, člnkovanie
row v. veslovať
row n. krik, hádka, výtržnosť
rower [rouə] n. veslár
royal [roiəl] adj. **1.** kráľovský **2.** veľkolepý **3.** znamenitý, skvelý
royalty [roilti] n. **1.** kráľovský úrad **2.** kráľovská rodina
rubber [rabə] n. guma
rubbish [rabiš] n. smetie, odpadky
ruck [rak] n. záhyb, vráska
rucksack [ruksæk] n. batoh
rudder [radə] n. kormidlo
ruddy [radi] adj. **1.** zdravo červený **2.** ryšavý
rude [ru:d] adj. **1.** hrubý, drsný **2.** drzý
rug [rag] n. **1.** prikrývka **2.** koberec
rugby [ragbi] n. šport. ragby
ruin [ruin] n. **1.** zrútenie, pád, skaza **2.** zrúcanina
ruin v. zničiť, rozpadnúť sa
rule [ru:l] n. **1.** pravidlo, poriadok **2.** vláda **3.** pravítko • *by rule* podľa predpisu
rule v. **1.** vládnuť, panovať nad *over* **2.** ovládať
ruler [ru:lə] n. **1.** panovník **2.** pravítko
Rumania [ru:´meinjə] n. Rumunsko
Rumanian [ru:´meinjən] adj. rumunský
Rumanian n. Rumun, rumunčina
rumour [ru:mə] n. povesť
run [ran] v. *ran, run* **1.** bežať, utekať, hnať sa **2.** prenasledovať **3.** jazdiť **4.** viesť *cesta* **5.** ubiehať *čas* **6.** preletieť cez *over* **7.** tiecť • *run a temperature* mať horúčku
run n. **1.** beh, priebeh **2.** tok, prúd

runner [ranə] n. **1.** bežec **2.** posol **3.** utečenec
running [raniŋ] n. **1.** beh **2.** tok
running adj. bežiaci, tečúci • *running water* tečúca voda
runway [ranwei] n. rozjazdová dráha
rush [raš] v. náhliť sa, ponáhľať sa
rush n. chvat, zhon • *rush hour* hodina dopravnej špičky
rusk [rask] n. suchár
Russia [rašə] n. Rusko
Russian [rašən] n. Rus, ruština
Russian adj. ruský
rut [rat] n. **1.** stopa, brázda **2.** vychodená cestička, rutina
ruthless [ru:θlis] adj. nemilosrdný, bezcitný
rye [rai] n. raž

S

sabbath [sæbəθ] n. šábes
sack [sæk] n. vrece, vak • *sack coat* sako
sad [sæd] adj. smutný
sadden [sædn] v. zosmutnieť
saddle [sædl] n. sedlo
safe n. **1.** pokladňa **2.** špajza
safe v. zabezpečiť
safeguard [seifga:d] n. záruka
safety [seifti] n. **1.** istota, bezpečnosť **2.** opatrnosť
safety-match [seftimæč] n. zápalka
saffron [sæfrən] n. šafrán
sage [seidž] adj. múdry
sage n. mudrc
sail [seil] n. **1.** plachetnica **2.** plavba
sail v. plaviť sa
sailing [seiliŋ] n. plavba
sailor [seilə] n. námorník
saint [seint, sənt] adj. svätý
saint n. svätec
salad [sæləd] n. šalát
salamander [sælə,mændə] n. mlok
salame [sə'la:mi] n. saláma
salary [sæləri] n. plat *mesačný*
salesman [seilzmən] n. predavač
saline [sə'lain] n. soľné ložisko
saliva [sə'laivə] n. slina
salmon [sæmən] n. losos
salt [so:lt] n. soľ
salt adj. slaný
salt v. osoliť, nasoliť
salute [sə'lu:t] v. **1.** pozdraviť **2.** salutovať
salve [sælv] v. zachrániť
salvo [sælvou] n. salva
same [seim] adj. ten istý, rovnaký • *at the same time* súčasne • *it's all the same to me* je mi to jedno
sample [sa:mpl] n. vzor, vzorka
sanative [sænətiv] adj. liečivý
sanatorium [sænə'to:riəm] n. sanatórium
sand [sænd] n. piesok

sandal [sændl] n. sandál
sand-bag [sænbæg] n. vrece piesku
sand-glass [sængla:s] n. presýpacie hodiny
sandstone [sænstoun] n. pieskovec
sandwich [sænwidž] n. obložený chlebík
sandy [sændi] adj. pieskový
Santa Claus [sæntə´klo:z] n. Ježiško
ssapling [sæpliŋ] n. mladý stromček
sapphire [sæfaiə] n. zafír
sardine [sa:´di:n] n. sardinka
satan [seitən] n. diabol
satchel [sæčəl] n. školská taška
sate [seit] v. nasýtiť
sateless [seitlis] adj. nenásytný
satellite [sætəlait] n. satelit, družica
satisfaction [sætis´fækšn] n. spokojnosť
satisfied [sætisfaid] adj. spokojný
satisfy [sætisfai] v. uspokojiť
Saturday [sætədi] n. sobota
sauce [so:s] n. omáčka
saucer [so:sə] n. tanierik
sausage [sosidž] n. klobása, jaternica
save [seiv] v. **1.** zachrániť pred *from* **2.** ušetriť (si), sporiť
saver [seivə] n. **1.** záchranca **2.** sporiteľ
saving [seiviŋ] adj.**1.** záchranný **2.** sporivý
savour [seivə] n. príchuť
savour v. chutiť, voňať čím *of*
saw n. píla
saw v. píliť
sawdust [so:dast] n. piliny
sawyer [so:jə] n. drevorubač
saxophone [sæksəfoun] n. saxofón
say [sei] *said, said* v. hovoriť, povedať
saying [seiŋ] n. príslovie, porekadlo
scab [skæb] n. chrasta
scald v. obariť sa

scale [skeil] n. **1.** miska, váhy **2.** šupina **3.** trieska **4.** stupnica • *scale of map* mierka mapy

scale v. **1.** olúpať, zbaviť *šupín* **2.** vystúpiť *po rebríku*

scalp [skælp] n. koža na hlave, skalp

scalpel [skælpəl] n. skalpel

scamp [skæmp] n. lotor, darebák

scan [skæn] v. **1.** pozorne prehliadať, preskúmať **2.** skandovať

scar [ska:] n. jazva

scarce [skeəs] adj. vzácny, zriedkavý

scarcely [skeəsli] adv. sotva, ťažko

scare [skeə] v. postrašiť • *scare up* vyplašiť

scarf [ska:f] n. šatka

scavenger [skævindžə] n. zametač

scene [si:n] n. **1.** hra, úloha **2.** kulisa **3.** krajina

scenery [si:nəri] n. scenéria, krajina

scent [sent] n. **1.** vôňa **2.** voňavka **3.** čuch

schedule [šedju:l] n. **1.** zoznam, ceduľa **2.** cestovný poriadok

scheme [ski:m] n. **1.** nákres **2.** plán

scheme v. navrhovať

scholar [skolə] n. učenec

scholarly [skoləli] adj. vedecký

scholarship [skoləšip] n. štipendium

scholastic [skə'læstik] adj. školský

school [sku:l] n. **1.** škola **2.** vyučovanie • *elective school* výberová škola • *nursery school* materská škola

school v. trénovať, cvičiť

school-boy [sku:lboi] n. žiak

school-fellow [sku:lfelou] n. spolužiak

school-girl [sku:lgə:l] n. žiačka

school-master [sku:l,ma:stə] n. učiteľ

school-mate [sku:lmeit] n. spolužiak
school-mistress [sku:lmistris] n. učiteľka
school-room [sku:lrum] n. učebňa
science [saiəns] n. **1.** veda **2.** zručnosť • *man of science* vedec
scientific [saiən´tifik] adj. vedecký
scientist [saiəntist] n. vedec
scissors [sizəz] n. nožnice
scoff [skof] v. posmievať sa
scoff n. posmech, úškľabok
scold [skould] hrešiť, vyhrešiť
sconce [skons] n. svietnik
scoop [sku:p] n. **1.** naberačka **2.** vareška
scooter [sku:tə] n. kolobežka
scorch [sko:č] v. **1.** popáliť (sa) **2.** vysychať **3.** zvädnúť
scorch n. popálenina
score [sko:] n. skóre
score v. bodovať, skórovať
Scot [skot] n. Škót
Scotch [skoč] adj. škótsky
Scotch n. škótština
Scotland [skotlənd] n. Škótsko
Scotsman [skočmən] n. Škót
Scottish [skotiš] škótsky
scowl [skaul] v. mračiť sa na *at*
scram [skræm] v. zmiznúť
scramble [skræmbl] v. **1.** driapať, liezť **2.** ruvať sa o *for*
scramble n. **1.** lezenie **2.** ruvačka
scrap [skræp] n. výstrižok • *scrap of paper* útržok papiera
scrape [skreip] v. odrieť (sa)
scraper [skreipə] n. **1.** škrabka **2.** stierač
scrawl [skro:l] v. čmárať
scream [skri:m] v. kričať, vrieskať
scream n. výkrik, vreskot
screen [skri:n] n. obrazovka, premietacie plátno
screen v. premietať
screen-play [skri:nplei] n.

scenár

screw [skru:] n. **1.** skrutka **2.** lodná vrtuľa

screw v. **1.** (za)skrutkovať, **2.** otočiť *hlavu*

screw-driver [skru:draivə] n. skrutkovač

scribble [skribl] v. škrabať *v zmysle písať*

scribe [skraib] n. pisár

script [skript] n. **1.** rukopis **2.** originál *dokumentu*

scrunch [skranč] v. škrípať zubami

scuff [skaf] v. šúchať nohami

scuffle [skafl] n. bitka, šarvátka

scuffle v. biť sa, ruvať sa

sculptor [skalptə] n. sochár, rezbár

sculpture [skalpčə] n. sochárstvo, rezbárstvo

scurf [skə:f] n. lupiny

scythe [saið] n. kosa

scythe v. kosiť

sea [si:] n. **1.** more **2.** vlna • *across the sea* cez more • *by sea* po mori • *main sea* šíre more • *heavy sea* rozbúrené more

sea-bank [si:bæŋk] n. morský breh

sea-board [si:bo:d] n. pobrežie

sea-cow [si:kau] n. mrož

sea-dog [si:dog] n. tuleň

seafarer [si:,feərə] n. moreplavec, námorník

sea-gull [si:gal] n. čajka

seal [si:l] n. **1.** tuleň **2.** tulenia kožušina

seal v. **1.** (za)pečatiť **2.** (za)plombovať **3.** opečiatkovať

seam [si:m] n. **1.** švík, šev **2.** jazva **3.** vráska

seaman [si:mən] n. námorník

seaport [si:po:t] n. morský prístav

search [sə:č] v. **1.** hľadať čo *for*, pátrať **2.** skúmať • *search out* vyskúmať

search n. **1.** hľadanie **2.** pátranie

searcher [sə:čə] n. pátrač, vyšetrovateľ

searching [sə:čiŋ] adj. skúmavý
search-light [sə:člait] n. reflektor
seashore [si:'šo:] n. morské pobrežie
sea-sick [si:sik] adj. postihnutý morskou chorobou
sea-side [si:said] adj. prímorský • *seaside resort* prímorské kúpeľné mestečko
season [si:zn] n. ročné obdobie, sezóna
seasonal [si:zənl] adj. sezónny
seasoning [si:zniŋ] n. prísada, korenie
seat [si:t] n. **1.** sedadlo **2.** sídlo **3.** vstupenka • *the seat of goverment* sídlo vlády
sea-weed [si:wi:d] n. chaluha
secede [si'si:d] v. odlúčiť sa od *from*
second [sekənd] adj. druhý
second n. sekunda
secondary [sekndəri] adj. druhotný • *secondary school* stredná škola
second hand [sekndhænd] n. sekundová ručička
second-hand [seknd'hænd] adj. obnosený, použitý
secondly [sekndli] adj. po druhé
secrecy [si:krəsi] n. tajomstvo • *in secrecy* tajne
secret [si:krit] adj. tajný, tajomný
secret n. tajomstvo • *The Secret Service* tajná služba • *in secret* potajomky
secretary [sekrətəri] n. tajomník
secrete [si'kri:t] v. skryť, zatajiť
secure [si'kjuə] v. **1.** zabezpečiť pred *from* **2.** opevniť
secure adj. bezpečný, istý pred *against*
security [si'kjuəriti] n. **1.** bezpečnosť **2.** ochrana
sediment [sedimənt] n. usadenina
sedulous [sedjuləs] adj. pilný
see [si:] n. sídlo, diecéza
see v. *saw, seen* **1.** vidieť **2.**

pozorovať • *I'll see you home* odprevadím vás domov • *see you later* dovidenia • *see off* odprevadiť
seed v. siať
seed-time [si:d taim] n. čas sejby
seek [si:k] v. *sought, sought* **1.** hľadať niečo **2.** snažiť sa o
seem [si:m] v. zdať sa • *it seems* zdá sa
seeming [si:miŋ] adj. zdanlivý
seemly [si:mli] adj. **1.** úhľadný **2.** slušný • *seemly behaviour* slušné správanie
seep [si:p] v. presakovať
see-saw [si:so:] n. hojdačka
see-saw v. hojdať sa
seethe [si:ð] v. variť sa, vrieť
segment [segmənt] n. časť, úsek
seize [si:z] adj. **1.** uchopiť **2.** zmocniť sa
seldom [seldəm] adv. zriedka
select [si´lekt] v. vybrať
select adj. vybraný, najlepší • *select school* výberová škola
selection [si´lekšn] n. voľba, výber
selective [si´lektiv] adj. výberový
self [self] pron. sám, sama, samo
self n. vlastné ja, vlastná osobnosť
self-centred [self´sentəd] adj. sebecký
self-confidence [selfkonfidns] n. sebadôvera
self-criticism [selfkritisizm] n. sebakritika
self-defence [selfdi´fəns] n. sebaobrana
selfish [selfiš] adj. sebecký
sell [sel] v. *sold, sold* predať, predávať
seller n. predajca • *best seller* najžiadanejšia kniha
semaphore [seməfo:] n. semafor
semester [si´mestə] n. semester

semicolon [semi´koulən] n. bodkočiarka
semivowel [semi´vaul] n. samohláska
semolina [semə´li:nə] n. krupica
send [send] v. *sent, sent* poslať, rozoslať
sender [sendə] n. odosielateľ
senior [si:njə] adj. starší
sensation [sen´seišn] n. senzácia
sense [sens] n. **1.** zmysel pre *of* **2.** cit, pocit • *common sense* zdravý rozum • *make sense* dávať zmysel
sensibility [sensi´biliti] n. citlivosť, vnímavosť
sensible [sensəbl] adj. **1.** citlivý na *to* **2.** vnímavý
sensory [sensəri] adj. zmyslový
sentence [sentəns] n. **1.** veta **2.** rozsudok
sentiment [sentimənt] n. cit, cítenie
sentimental [senti´mentl] adj. citový
separate [seprit] adj. oddelený, samostatný
separate v. oddeliť, rozlúčiť (sa)
September [sep´tembə] n. september
sepulchre [sepəlkə] n. hrob
sepulture [sepəlčə] n. pohreb
sequence [si:kwəns] n. postupnosť, poradie
serene n. **1.** *jasné* nebo **2.** *pokojné* more
sergeant [sa:džənt] n. **1.** seržant, čatár **2.** strážnik
serial [siəriəl] adj. sériový
serial n. seriál
serious [siəriəs] adj. vážny, naozajstný • *be serious* hovoriť vážne
seriously [siəriəsli] adj. vážne • *seriously ill* vážne chorý
sermon [sə:mən] n. kázeň
sermon v. kázať
serpent [sə:pənt] n. had
servant [sə:vənt] n. sluha, slúžka • *servant girl* slúžka
serve [sə:v] v. **1.** slúžiť **2.** po-

dávať jedlo, obsluhovať
service [sə:vis] n. **1.** služba, práca **2.** bohoslužba **3.** obsluha, servis
serviette [sə:vi´et] n. obrúsok
set [set] v. *set, set* **1.** dať *niekam*, položiť **2.** nastaviť
set n. **1.** súbor, zbierka **2.** sada, súprava
settee [se´ti:] n. pohovka s operadlom
settle [setl] v. **1.** pevne uložiť **2.** vyriešiť, urovnať **3.** dohodnúť sa na *on*
settlement [setlmənt] n. osada
settler [setlə] n. osadník
seven [sevn] num. sedem
seventeen [sevn´ti:n] num. sedemnásť
sever [sevə] v. **1.** rozdvojiť, oddeliť **2.** odseknúť
several [sevrəl] adj. **1.** niekoľko **2.** rozličný, rôzny • *several times* niekoľkokrát
severe [si´viə] adj. **1.** prísny **2.** drsný, krutý
severity [si´veriti] n. **1.** prísnosť **2.** krutosť
sew [sou] v. *sewed, sewn* ušiť, zošiť • *sew on* prišiť
sewing [souiŋ] n. šitie
sewing-machine [souiŋmə,ši:n] n. šijací stroj
sexton [sekstən] n. **1.** kostolník **2.** hrobár
shackle [šækl] n. *shackles* putá, okovy
shade [šeid] n. **1.** tieň **2.** odtieň
shadow [šædou] n. prítmie, šero
shaft [ša:ft] n. **1.** držadlo, rukoväť **2.** šíp **3.** driek
shake [šeik] v. *shook, shaken* **1.** zatriasť, potriasť **2.** triasť sa, chvieť sa • *shake hand with* podať si ruky s
shaky [šeiki] adj. chvejúci sa
shall [šæl, šəl] pomocné sloveso • *I shall go* pôjdem • *shall I go?* mám odísť? • *I should go* šiel by som
shallow [šælou] adj. plytký
shallow n. plytčina

sham [šæm] adj. predstieraný, falošný
sham v. oklamať, podviesť
shame [šeim] n. hanba • *put to shame* zahanbiť
shame v. **1.** zahanbiť **2.** hanbiť sa
shameful [šeimfl] adj. neslušný
shampoo [šæm´pu:] n. šampón
shampoo v. umývať si vlasy
shamrock [šæmrok] n. ďatelina
shanty [šænti] n. chatrč, búda
shape [šeip] n. **1.** tvar, podoba **2.** forma
shark [ša:k] n. žralok
sharp [ša:p] adj. **1.** ostrý, špicatý **2.** prudký • *at two o´clock sharp* presne o druhej
sharpen [ša:pn] v. nabrúsiť
sharp-sighed [ša:p´saitid] adj. bystrozraký
shave [šeiv] v. holiť
shaver [šeivə] n. holiaci strojček
shaving-brush [šeiviŋbraš] n. štetka na holenie
shawl [šo:l] n. šatka, šál
she [ši:] ona
shed [šed] n. kôlňa
sheep [ši:p] n. ovca
sheep-dog [ši:pdog] n. ovčiak *pes*
sheep-fold [ši:pfould] n. ovčiareň
sheep-skin [ši:pskin] n. ovčia koža
sheet [ši:t] n. **1.** list *papiera* **2.** plachta
shelf [šelf] n. polica
shell [šel] n. **1.** skupina **2.** ulita **3.** struk
shellfish [šelfiš] n. mäkkýš
shelter [šeltə] n. útulok, prístrešok
shelter v. skrývať sa
shepherd [šepəd] n. pastier
shift [šift] v. posunúť, presunúť
shin [šin] n. holenná kosť
shine [šain] n. **1.** žiara, lesk, svit **2.** jasné počasie

shine v. *shone, shone* **1.** svietiť, žiariť **2.** lesknúť sa
shining [šainiŋ] adj. lesklý, svietivý
ship [šip] n. loď • *on board ship* na palube
ship v. **1.** nakladať na loď, nalodiť **2.** plaviť sa loďou
ship-builder [šip,bildə] n. staviteľ lodí
ship-load [šiploud] n. lodný náklad
shipment [šipmənt] n. **1.** lodný náklad **2.** nakladanie na loď
ship-owner [šipounə] n. majiteľ lode
shipper [šipə] n. dovozca, vývozca
shipping [šipiŋ] n. **1.** loďstvo **2.** lodná doprava
shipwreck [šiprek] n. **1.** stroskotanie lode **2.** vrak
shipyard [šipja:d] n. lodenica
shirt [šə:t] n. košeľa
shiver [šivə] v. triasť sa
shock [šok] n. **1.** rana, úder **2.** otras, šok
shoe [šu:] n. topánka
shoe v. *shod, shod* obuť, obúvať
shoe-black [šu:blæk] n. čistič topánok
shoe-lace [šu:leis] n. šnúrka do topánok
shoe-maker [šu:meikə] n. obuvník
shoot [šu:t] v. *shot, shot* **1.** strieľať na *at*, vystreliť **2.** točiť *film*
shoot n. **1.** výstrel, rana **2.** streľba
shooter [šu:tə] n. strelec
shooting [šu:tiŋ] n. streľba
shop [šop] n. **1.** obchod **2.** dielňa
shop-assistant [šopə,sistənt] n. predavač(ka)
shop-girl [šopgə:l] n. predavačka
shop-keeper [šop,ki:pə] n. majiteľ obchodu
shop-lifter [shop,liftə] n. zlodej
shop-window [šop´windou]

n. výklad, výkladná skriňa
shore [šo:] n. breh, pobrežie
short [šo:t] adj. **1.** krátky, malý, nízky **2.** stručný • *be short of* mať nedostatok čoho • *cut short* skrátiť • *short story* poviedka
short n. šortky
shorten [šo:tn] v. skrátiť
shortly [šo:tli] adv. **1.** čoskoro **2.** stručne **3.** náhle
shortsighed [šo:t'saitid] adj. krátkozraký
shot [šot] n. **1.** výstrel, rana **2.** zásah **3.** *shots* náboj, guľka
shot v. nabíjať pušku
shoulder [šouldə] n. rameno, plece
shout [šaut] v. **1.** kričať, vykríknuť **2.** pokrikovať • *shout with pain* kričať od bolesti
shout n. výkrik
shovel [šavl] n. lopata
show [šou] v. *showed, shown* **1.** ukazovať, vystavovať **2.** dať najavo • *show out* odprevadiť *návštevu*
show n. **1.** predstavenie **2.** výstava **3.** prehliadka
show-case [šou'keis] n. vitrína
shower [šauə] n. prudký lejak
shower-bath [šauəba:θ] n. sprcha
showery [šauəri] adj. daždivý
shred [šred] v. roztrhať na kúsky
shrill [šril] v. jačať, vrieskať
shrink [šriŋk] v. *shrank /shrunk, shrunk* scvrknúť sa, zraziť sa
shrug [šrag] v. pokrčiť *plecami*
shudder [šadə] v. zachvieť sa
shudder n. triaška, chvenie
shut [šat] v. *shut, shut* **1.** zavrieť (sa) **2.** *shut down* stiahnuť roletu
shutter [šatə] n. okenica
shy [šai] adj. plachý
shy v. **1.** váhať pred *at* **2.** posmievať sa čomu *at*
sibling [sibliŋ] n. súrodenec
sick [sik] adj. **1.** chorý **2.** zle

sa cítiaci • *grow sick* ochorieť • *be sick* zvracať

sick-bed [sikbed] n. lôžko *chorého*

sicken [sikn] v. **1.** ochorieť **2.** byť unavený

sickly [sikli] adj. chorý

sickness [siknis] n. **1.** choroba **2.** zvracanie • *sickness insurance* nemocenské poistenie

side [said] n. **1.** strana, bok **2.** svah **3.** breh • *side by side* bok po boku • *on the other side* na druhej strane

sideboard [saidbo:d] n. kredenc

side-car [saidka:] n. prívesný vozík

sidelight [saidlait] n. **1.** bočné svetlo **2.** pohľad z boku

sidelong [saidloŋ] adj. šikmý

sideways [saidweiz] adv. stranou, bokom

sieve [siv] n. sito

sift [sift] v. preosievať

sifter [siftə] n. sitko

sigh [sai] v. **1.** vzdychať **2.** túžiť po *after*

sight [sait] n. **1.** zrak **2.** pohľad • *at first sight* na prvý pohľad

sightseeing [sait,si:in] n. prehliadka pamätihodností

sign [sain] n. **1.** znamenie **2.** znak, značka **3.** odznak **4.** pokyn **5.** podpis • *sign of exclamation* výkričník • *sign of interrogation* otáznik

sign v. **1.** označiť **2.** podpísať

signal [signəl] n. signál

signature [signičə] n. podpis

significance [sig´nifikəns] n. význam

significant [sig´nifikənt] adj. významný

signify [signifai] v. **1.** znamenať **2.** mať význam

silence [sailəns] n. ticho, mlčanie • *keep silence* zachovať ticho, mlčať

silent [sailənt] adj. tichý, mlčiaci

silk [silk] n. hodváb

sill [sil] n. prah
silly [sili] adj. hlúpy, sprostý
silt [silt] n. kal, bahno
silver [silvə] n. striebro
silver adj. strieborný
similar [similə] adj. podobný
similarity [simi'læriti] n. podobnosť
simple [simpl] adj. jednoduchý
simplification [simpləfi'keišn] n. zjednodušenie
simplify [simplifai] v. zjednodušiť
simulate [simjuleit] v. **1.** predstierať **2.** napodobniť
sin [sin] n. hriech
since [sins] adv. odvtedy
since prep. od *nejakého času* • *since the morning* od rána
since conj. **1.** odkedy **2.** pretože
sincere [sin'siə] adj. úprimný
sincerity [sin'seriti] n. úprimnosť
sing [siŋ] v. *sang, sung* spievať
singer [siŋə] n. spevák
singing [siŋiŋ] n. spievanie
single [siŋgl] adj. **1.** jednoduchý **2.** jednotlivý
single n. *šport.* dvojhra
singlet [siŋglit] n. tielko, tričko
singly [siŋgli] **1.** jednotlivo **2.** sám, bez pomoci
singular [siŋgjulə] adj. **1.** zvláštny, neobyčajný **2.** jednoduchý
sink [siŋk] v. *sank/sunk, sunk* **1.** klesať, sadať **2.** potopiť sa
sink n. **1.** kanál **2.** umývadlo
sinner [sinə] n. hriešnik
sir [sə:] n. pane *oslovenie*
sirloin [sə:loin] n. sviečková
sister [sistə] n. sestra
sister-in-law [sistərinlo:] n. švagriná
sit [sit] v. *sat, sat* sedieť • *sit down* sadnúť si • *sit up* posadiť sa
sitting [sitiŋ] adj. sediaci
sitting-room [sitiŋru:m] n. obývacia izba

situate [sitjueit] v. umiestniť
situated [sitjueitid] adj. položený
situation [sitju´eišn] n. **1.** poloha **2.** situácia
six [siks] num. šesť
sixteen [siks´ti:n] num. šestnásť
sixty [siksti] num. šesťdesiat
size [saiz] n. **1.** veľkosť, rozmer **2.** číslo, miera
skate [skeit] v. korčuľovať sa
skate n. korčule
skater [skeitə] n. korčuliar
skate-rink [skeitriŋk] n. klzisko
skeleton [skelitn] n. **1.** kostra **2.** konštrukcia
sketch [skeč] n. **1.** náčrtok, skica **2.** koncept
ski [ši:, ski] n. lyže
skilful [skilfəl] adj. obratný, zručný
skill [skil] n. obratnosť, zručnosť
skin [skin] n. **1.** koža, pleť **2.** kôra **3.** šupka
skin v. **1.** stiahnuť kožu **2.** olúpať
skip [skip] v. skákať, poskakovať • *skip over* preskočiť
skipper [skipə] n. **1.** skokan **2.** kapitán *lode, mužstva*
skirt [skə:t] n. sukňa
skull [skal] n. lebka
sky [skai] n. obloha, nebo
sky-blue [skai´blu:] adj. belasý
skylark [skaila:k] n. škovránok
sky-line [skailain] n. horizont
sky-scraper [skai,skreipə] n. mrakodrap
slalom [sla:lom] n. *šport.* slalom
slander [sla:ndə] n. ohováranie
slander v. ohovoriť
slap [slæp] v. (vy)fackať
slap n. facka
slap adv. priamo, rovno
slat [slæt] n. latka, doštička
slaughter [slo:tə] v. **1.** porážať *dobytok* **2.** vraždiť

slave [sleiv] n. otrok, otrokyňa
slaver [slævə] n. **1.** slina **2.** otrokár
slavery [sleivəri] n. otroctvo
slavish [sleiviš] adj. otrocký
sled, **sledge** [sled, sledž] n. sane
sleep [sli:p] v. *slept, slept* **1.** spať **2.** uspať
sleep n. spánok • *go to sleep* zaspať
sleeper [skli:pə] n. spáč
sleeping [sli:piŋ] adj. spiaci • *Sleeping Beauty* Šípková Ruženka
sleeping n. spanie
sleeping-car [sli:piŋka:] n. spací vozeň
sleepy [sli:pi] adj. ospalý
sleeve [sli:v] n. **1.** rukáv **2.** obal, trubica
sleight [slait] n. úskok, trik
slender [slendə] adj. štíhly
slice [slais] n. krajec, plátok
slice v. krájať na tenké plátky
slide [slaid] v. *slid, slid* kĺzať sa
slide n. **1.** kĺzačka **2.** diapozitív • *slide rule* logaritmické pravítko
slim [slim] adj. tenký, štíhly
slink [sliŋk] v. *slunk, slunk* plaziť sa, plížiť
slip [slip] v. **1.** vykĺznuť, prekĺznuť **2.** uniknúť
slipper [slipə] n. papuča
slippery [slipəri] adj. klzký, hladký
slogan [slougən] n. heslo
slope [sloup] n. svah
slough [slau] n. **1.** blato, bahno **2.** močiar
Slovak [slouvæk] n. **1.** Slovák **2.** slovenčina
Slovak adj. slovenský
Slovakia [slou´vækjə] n. Slovensko
slow [slou] adj. **1.** pomalý, zdĺhavý **2.** lenivý • *the clock is slow* hodiny meškajú
sludge [sladž] n. blato, bahno
slush [slaš] n. čľapkanica
slushy [slaši] adj. mokrý, začľapkaný

sly [slai] adj. ľstivý
smack [smæk] v. mľaskať
small [smo:l] adj. malý • *small change* drobné *peniaze*
smart [sma:t] adj. **1.** šikovný, bystrý **2.** elegantný **3.** módny
smell [smel] v. *smelt, smelt* **1.** ňuchať, čuchať **2.** voňať **3.** páchnuť
smell n. **1.** čuch **2.** zápach, pach **3.** vôňa • *a bad smell* zápach
smile [smail] v. usmievať sa
smile n. úsmev
smith [smiθ] n. kováč
smithery [smiθ∂ri] n. kováčska dielňa
smog [smog] n. smog
smoke [smouk] n. **1.** dym **2.** fajčenie
smoke v. **1.** fajčiť **2.** údiť
smoker [smouk∂] n. **1.** fajčiar **2.** fajčiarsky vozeň
smoky [smouki] adj. zadymený
smooth [smu:θ] adj. **1.** hladký **2.** jemný, mäkký
smuggle [smagl] v. pašovať
smuggler [smagl∂] n. pašerák
snack [snæk] n. ľahké jedlo, občerstvenie
snail [sneil] n. slimák
snake [sneik] n. had
snare [sne∂] n. pasca
sneak [sni:k] v. plížiť sa • *sneak away* odplížiť sa
sneer [sni∂] v. posmievať sa, uškierať sa
sneer n. posmech, úškrn
sneeze [sni:z] v. kýchať
sneeze n. kýchnutie
snicker [snik∂] v. chichotať sa, smiať sa
snooze [snu:z] v. zdriemnuť si
snore [sno:] v. chrápať
snore n. chrápanie
snow [snou] n. sneh
snow v. snežiť
snow-drift [snoudrift] n. snežný závej
snowdrop [snoudrop] n. snežienka

snow-flakes [snoufleikz] n. snehové vločky
snowman [snoumæn] n. snehuliak
snow-storm [snousto:m] n. fujavica
snowy [snoui] adj. **1.** zasnežený **2.** snehový **3.** snehobiely
snug [snag] adj. útulný, pohodlný
so [sou] adv. tak, takto, týmto spôsobom • *not so... as* nie tak... ako • *and so on* a tak ďalej
soak [souk] v. presiaknuť, namočiť, premočiť (sa)
soap [soup] n. mydlo
soap v. mydliť
soap-bubble [soup,babl] n. mydlová bublina
soap-suds [soupsadz] n. mydliny
soar [so:] v. vznášať sa, prudko stúpať
sober [soub∂] adj. **1.** triezvy **2.** striedmy **3.** rozvážny
sociability [souš∂´biliti] n. družnosť
sociable [souš∂bl] adj. družný
social [soušl] adj. družný, spoločenský • *social evening* spoločenský večierok
society [s∂´sai∂ti] n. **1.** spoločnosť **2.** spolok
sock [sok] n. ponožka
sofa [souf∂] n. pohovka
soft [soft] adj. **1.** mäkký, hebký **2.** nežný **3.** láskavý • *soft drink* nealkoholický nápoj
solar [soul∂] adj. slnečný • *solar year* slnečný rok
soldier [souldž∂] n. vojak
sole [soul] n. chodidlo
solidarity [soli´dæriti] n. solidarita, vzájomnosť
solitude [solitju:d] n. samota, osamelosť
solo [soulou] n. sólo
soloist [souloist] n. sólista
solstice [solstis] n. slnovrat
solution [s∂´lu:šn] n. **1.** roztok **2.** riešenie
solve [solv] v. rozriešiť, rozlúštiť

some [sam] adj. nejaký, určitý, niektorý
some adv. asi, niečo • *some 20 minutes* asi 20 minút
somebody [sam´bədi] pron. niekto
somehow [samhau] adv. dajako, akosi
someone [samwan] pron. niekto • *someone else* niekto iný
somersault [saməso:lt] n. kotrmelec
something [samθiŋ] n. niečo, voľačo • *something like* niečo ako
something adv. asi, okolo
sometimes [samtaimz] adv. niekedy, zavše, občas
somewhere [samweə] adv. niekde, niekam
son [san] n. syn
sonata [sə´na:tə] n. sonáta
song [soŋ] n. pieseň, spev
song-bird [soŋbə:d] n. spevavý vták
song-book [soŋbuk] n. spevník
son-in-law [saninlo:] n. zať
sonny [sani] n. synček
soon [su:n] adv. skoro • *as soon as* hneď ako • *the sooner the better* čím skôr, tým lepšie
soot [sut] n. sadza
sooth [su:θ] n. pravda
sore [so:] adj. bolestivý, citlivý • *a sore throat* bolesť hrdla
sore n. bolesť, žiaľ
sorrow [sorou] n. žiaľ, zármutok, bolesť
sorrowful [sorəful] adj. zarmútený, utrápený
sorry [sori] adj. ľutujúci • *I am sorry* je mi ľúto
sort [so:t] n. druh, trieda
soul [soul] n. duša
sound v. **1.** skúmať, vyšetrovať **2.** zvučať, znieť • *sound track* zvukový záznam
soup [su:p] n. polievka
soup-plate [su:ppleit] n. hlboký tanier
sour [sauə] adj. **1.** kyslý, trpký **2.** horký

source [so:s] n. 1. zdroj, prameň 2. pôvod, príčina
south [sauθ] n. juh
south adj. južný
south-east [sauθi:st] n. juhovýchod
southern [saðən] adj. južný
southwest [sauθwest] n. juhozápad
souvenir [su:vəniə] n. pamiatka
sow [sau] v. *sowed, sown/sowed* siať, rozsievať
spa [spa:] n. kúpele
space [speis] n. 1. priestor, miesto 2. vesmír • *space flight* let do vesmíru • *space station* kozmická stanica
spaceman [speismæn] n. kozmonaut
spacious [spəišəs] adj. priestranný
spade [speid] n. rýľ
Spain [spein] n. Španielsko
span [spæn] n. rozpätie
Spaniard [spænjəd] n. Španiel(ka)
Spanish [spæniš] adj. španielsky
Spanish n. španielčina
spare [speə] v. šetriť, ušetriť
spare adj. 1. šetrný 2. skromný • *spare time* voľný čas • *spare parts* náhradné súčiastky
spark v. iskriť sa
sparkle [spa:kl] n. iskra
sparrow [spærou] n. vrabec
speak [spi:k] v. *spoke, spoken* 1. hovoriť s *to, with* 2. prihovárať sa za *for* 3. povedať, vysloviť 4. rečniť • *speak the truth* hovoriť pravdu • *speak up* hovoriť nahlas
speaker [spi:kə] n. hovorca, rečník
speaking [spi:kiŋ] n. hovorenie, reč
special [spešəl] adj. zvláštny, špeciálny
specialist [spešəlist] n. špecialista, odborník
specific [spi´sifik] adj. špecifický, určitý

specimen [spesimin] n. ukážka
spectator [spek´teitə] n. divák
speed [spi:d] n. rýchlosť • *at full speed* plnou rýchlosťou
speed v. *sped, sped* ponáhľať
speed-way [spi:dwei] n. diaľnica
speedy [spi:di] adj. rýchly
spell [spel] v. *spelt, spelt* hláskovať
spelling [speliŋ] n. hláskovanie • *a spelling book* šlabikár
spend [spend] v. *spent, spent* **1.** tráviť *čas* **2.** míňať *peniaze*
spew [spju:] n. zvracať, vyvracať
sphere [sfiə] n. **1.** guľa, zemeguľa **2.** nebeské teleso
sphinx [sfiŋks] n. sfinga
spice [spais] n. korenie
spicy [spaisi] adj. korenený
spider [spaidə] n. pavúk
spill [spil] v. *spilt, spilt* **1.** rozliať, vyliať (sa) **2.** rozsypať (sa)
spill n. trieska
spin [spin] v. *spun/span, spun* **1.** otáčať, roztočiť **2.** vymýšľať si
spinach [spinidž] n. špenát
spine [spain] n. **1.** chrbtica **2.** tŕň, osteň
spirit [spirit] n. **1.** duch **2.** prízrak
spit [spit] v. *spat, spat* **1.** pľuť na *at* **2.** prskať • *spit out* vypľuvnúť
spite [spait] n. zloba, hnev • *in spite of* napriek
spite v. hnevať, zlostiť
spiteful [spaitfl] adj. zlomyseľný
spittle [spitl] n. slina, pľuvanec
splash [splæš] v. **1.** ošpliechať, postriekať **2.** čľapotať
splatter [splætə] v. špliechať
splendid [splendid] adj. nádherný, veľkolepý
splendour [splendə] n. nádhera

spoil [spoil] v. *spoilt, spoilt* **1.** olúpiť, obrať o *of* **2.** pokaziť, zkaziť
spoiler [spoilə] n. lupič
sponge [spandž] n. **1.** špongia **2.** piškótové cesto
spoon [spu:n] n. lyžica
sport [spo:t] n. **1.** šport **2.** hra, zábava
sport v. pestovať šport
sporting [spo:tiŋ] adj. športový
spot [spot] n. **1.** bod, miesto **2.** škvrna
spotty [spoti] adj. bodkovaný
spray [sprei] n. **1.** haluz, vetva **2.** spŕška **3.** postrek
spray v. postrekovať, rozprašovať
spread [spred] v. *spread, spread* **1.** rozšíriť (sa) **2.** pokryť, rozprestrieť • *spread the cloth* prestrieť na stôl • *spread butter on bread* namazať chlieb maslom
sprig [sprig] n. **1.** výhonok, ratolesť **2.** mladík
sprightly [spraitli] adj. čulý, živý, bystrý
spring [spriŋ] v. *sprang, sprung* **1.** skákať, vyskočiť **2.** pučať • *spring a light* zažať svetlo
spring n. jar
spring-time [spriŋtaim] n. jarné obdobie
sprinkle [spriŋkl] v. pokropiť, postriekať
sprint [sprint] n. šprint
sprite [sprait] n. duch, škriatok
spry [sprai] adj. živý, čulý
spy [spai] n. vyzvedač, špeh
spy v. **1.** pátrať, špehovať **2.** skúmať čo *into* • *spy out* vyšpehovať, vysliediť
square [skweə] n. **1.** štvorec **2.** štvorcové námestie
square adj. **1.** štvorcový **2.** hranatý
squash n. squash, hra s loptičkou v miestnosti
squat [skwot] v. čupnúť si
squeeze [skwi:z] v. **1.** vytlačiť z *out of, from* **2.** stis-

núť *ruku, spúšť*

squib [skwib] n. prskavka

squirrel [skwirl] n. veverička

stab [stæb] n. bodnutie

stab v. bodať, pichať

stable n. stajňa, chliev

stadium [steidiəm] n. štadión

staff [sta:f] n. **1.** tyč, palica **2.** personál

stag [stæg] n. jeleň

stage [steidž] n. javisko • *enter the stage* vystúpiť na scéne

stage-fright [steidžfrait] n. tréma

staghound [stæghaund] n. chrt

stair [steə] n. **1.** schod **2.** *stairs* schody, schodište

stalk [sto:k] n. steblo, stonka

stalk v. **1.** ísť, kráčať po *along* **2.** prikradnúť sa

stall [sto:l] n. **1.** stajňa, maštaľ **2.** stánok, búdka

stammer [stæmə] v. koktať

stamp [stæmp] v. orazítkovať

stand [stænd] v. *stood, stood* **1.** stáť **2.** zastaviť sa

stand n. **1.** miesto **2.** zastavenie, zastávka

star [sta:] n. **1.** hviezda **2.** vynikajúci herec, herečka, hviezda

stare [steə] n. strnulý pohľad

stare v. uprene sa pozerať, civieť

starfish [star:fiš] n. morská hviezdica

starlet [sta:lit] n. hviezdička

starling [sta:liŋ] n. škorec

starry [sta:ri] adj. hviezdnatý

start [sta:t] v. **1.** začať, spustiť do chodu, naštartovať **2.** vybehnúť **3.** odštartovať

start n. **1.** spustenie do chodu *stroja* **2.** začiatok, štart

starve [sta:v] v. hladovať

state [steit] n. **1.** stav, postavenie **2.** štát

statement [steitmənt] n. **1.** výpoveď, tvrdenie **2.** vyhlásenie, prehlásenie

statesman [steitsmən] n. štátnik

station [steišn] n. stanica • *breeding station* chovateľská stanica • *power station* elektráreň
stationary [steišnəri] adj. nehybný, pevný
station-master [steišn,ma:stə] n. prednosta stanice
statuary [stætjuəri] n. **1.** sochárstvo **2.** sochár
statuary adj. sochársky
statue [stætju:] n. socha
stature [stætjə] n. postava, vzrast
stay [stei] v. **1.** zostať, zdržať sa **2.** čakať na *for* • *stay on* predĺžiť pobyt
stay n. zastavenie, zastávka
steady [stedi] adj. pevný, stály
steak [steik] n. plátok mäsa, biftek
steal [sti:l] v. *stole, stolen* **1.** kradnúť **2.** prepadnúť koho *upon*
steam [sti:m] n. para
steam v. pariť, vyparovať (sa)
steam-boat [sti:mbout] n. parník
steam-engine [sti:mendžin] n. parný stroj
steamer [sti:mə] n. parník
steel [sti:l] n. oceľ
steel-works [sti:lwə:kz] n. oceliareň
steely [sti:li] adj. oceľový, tvrdý
steer [sti:r] v. kormidlovať, riadiť *auto*
steering-wheel [sti:riŋwi:l] n. volant
stem [stem] n. **1.** koreň, peň **2.** byľ, steblo
step n. **1.** krok **2.** schod • *step by step* krok za krokom
step-brother [step,braðə] n. nevlastný brat
step-daughter [step,do:tə] n. nevlastná dcéra
step-father [step,fa:ðə] n. nevlastný otec
step-mother [step,maðə] n. nevlastná matka
stew [stju:] n. dusené mäso alebo zelenina • *stewed*

fruit kompót
stew v. **1.** dusiť (sa) **2.** kompótovať
stewardess [stjuədis] n. letuška, stewardka
stick [stik] v. *stuck, stuck* **1.** prilepiť (sa), nalepiť (sa) **2.** strčiť, vraziť do *in, into*
stick n. **1.** palica, prút **2.** tyčinka **3.** taktovka
still [stil] adj. **1.** tichý, kľudný **2.** nehybný
still adv. stále, ešte
still n. ticho, kľud
still v. utíšiť (sa), ukľudniť (sa)
stimulate [stimjuleit] n. povzbudiť
stimulation [stimju´leišn] n. povzbudenie
sting [stiŋ] v. *stung, stung* **1.** bodať, pichať **2.** poštípať
sting n. **1.** žihadlo **2.** bodnutie
stink [stiŋk] v. *stank/stunk, stunk* páchnuť, smrdieť čím *of*
stink n. zápach, smrad
stir [stə:] v. **1.** hýbať (sa), pohnúť (sa) **2.** miešať
stoat [stout] n. hranostaj
stocking [stokiŋ] n. pančucha
stoke [stouk] v. kúriť
stoker [stoukə] n. kurič
stomach [stamək] n. žalúdok, brucho
stone [stoun] n. **1.** kameň **2.** drahokam **3.** kôstka • *stone age* doba kamenná
stool [stu:l] v. stolička
stop n. **1.** zastaviť (sa) • **2.** prestať
stop n. **1.** zastávka, zastavenie **2.** odpočinok **3.** koniec
stop-light [stoplait] n. červené svetlo
store [sto:] n. **1.** zásoba, materiál **2.** sklad
store-keeper [sto:,ki:pə] n. skladník
storey [sto:ri] n. poschodie
stork [sto:k] n. bocian
storm [sto:m] n. búrka
story [sto:ri] n. **1.** rozprávka **2.** príbeh

story-book [sto:ribuk] n. kniha rozprávok
story-teller [stori,telə] n. poviedkár
stove [stouv] n. **1.** pec **2.** skleník
straddle [strædl] v. rozkročiť sa, rozkročmo sedieť
straddle n. rozkrok
straight [streit] adj. rovný, priamy
straight adv. rovno, priamo
straighten [streitn] v. narovnať
strain [strein] v. **1.** napnúť, natiahnuť **2.** namáhať
strain n. napätie, napnutie
strait [streit] adj. úzky, tesný
strange [streindž] adj. **1.** cudzí, neznámy **2.** prekvapujúci
stranger [streindžə] n. **1.** cudzinec **2.** nováčik
strap [stræp] n. remeň
straw [stro:] n. slama, steblo
strawberry [stro:bri] n. jahoda
stray [strei] v. blúdiť, zablúdiť, zatúlať sa
stream [stri:m] n. prúd, tok • *down stream* po prúde • *up stream* proti prúdu
stream v. prúdiť
street [stri:t] n. ulica
strength [streŋθ] n. sila, pevnosť
strengthen [streŋθən] v. posilniť, upevniť
stress [stres] n. **1.** dôraz, sila **2.** záťaž, stres
stretch [streč] v. natiahnuť, napnúť
strew [stru:] v. *strewed, strewn* roztrúsiť, posypať
strict [strikt] adj. prísny
stride [straid] v. *strode, stridden* kráčať
stride n. veľký krok
strike [straik] v. *struck, struck* **1.** udrieť na *at*, do *on* **2.** odbiť *hodiny* **3.** štrajkovať • *the clock strikes* hodiny odbíjajú
strike n. štrajk
striking [straikiŋ] adj. výrazný, nápadný

string [striŋ] n. **1.** povraz, motúz **2.** struna
string v. *strung, strung* **1.** naladiť **2.** navliecť *na šnúru*
strong [stroŋ] adj. **1.** silný, mocný **2.** energický • *strong drink* alkoholický nápoj
strophe [strofi] n. sloha, strofa
structure [strakčə] n. zloženie, štruktúra
struggle [stragl] v. bojovať, zápasiť
struggle n. **1.** zápas **2.** úsilie
stub [stab] n. **1.** peň **2.** koreň *zuba*
stub v. potknúť sa
student [stju:dənt] n. študent
studio [stju:diou] n. ateliér
studious [stjudjəs] adj. pilný, usilovný
study [stadi] n. učenie, štúdium
study v. učiť sa, študovať
stupid [stju:pid] adj. hlúpy
stupidity [stju:´piditi] n. hlúposť
sturgeon [stə:džn] n. jeseter
stutter [statə] v. zajakať sa
style [stail] n. **1.** sloh, štýl **2.** letopočet **3.** vkus
stylish [stailiš] adj. módny, vkusný
subject n. predmet, vec
subjective [sab´džektiv] adj. subjektívny
subjoin [sab´džoin] v. pripojiť
submachine-gun [sabmə,-ši:ngan] n. samopal
submarine [sabməri:n] n. ponorka
submarine adj. podmorský
submit [səb´mit] v. pokoriť (sa), podrobiť (sa)
subscribe [səb´skraib] v. podpísať (sa)
subscription [səb´skripšn] n. **1.** podpis **2.** predplatné
substance [sabstəns] n. hmota, látka
substitute [sabstitju:t] v. nahradiť
substitute n. **1.** zástupca **2.** náhrada

suburb [sabə:b] n. predmestie
suburbian [sə'bə:bən] adj. predmestský
subway [sabwei] n. podchod, podjazd
succeed [sək'si:d] v. **1.** nasledovať po *to* **2.** podariť sa, mať úspech
success [sək'ses] n. úspech, šťastie • *bad success* smola, neúspech
successful [sək'sesfl] adj. úspešný
successor [sək'sesə] n. nástupca, následník
such [sač] adj. tak
sucker n. **1.** dojča **2.** mláďa
sudden [sadn] adj. náhly, neočakávaný
suds [sadz] n. mydliny
suffer [safə] v. trpieť
suffix [safiks] n. prípona
sugar [šugə] n. cukor
sugar-basin [šugə,beisn] n. cukornička
sugar-cane [šugəkein] n. cukrová trstina
sugary [šugəri] adj. **1.** cukrový **2.** sladký
suggest [sə'džest] v. **1.** našepkať **2.** navrhnúť
suggestion [sə'džesčən] n. návrh
suit [sju:t] n. **1.** oblek **2.** súprava, výstroj **3.** súdny proces
suitable [sju:təbl] adj. vhodný, primeraný
suit-case [sju:tkeis] n. kufrík
suitor [sju:tə] n. **1.** nápadník **2.** žiadateľ **3.** žalobca
sulky [salki] adj. mrzutý
sum [sam] n. **1.** súčet **2.** suma
summer [samə] n. leto • *Indian summer* babie leto
summer-house [saməhaus] n. besiedka
summer-time [samətaim] n. letný čas
summery [saməri] adj. letný
summon [samən] v. predvolať
sun [san] n. slnko
sun-burnt [sanbə:nt] adj. opálený

Sunday [sandi] n. nedeľa
sunflower [san,flauə] n. slnečnica
sun-glasses [sangla:siz] n. slnečné okuliare
sun-light [sanlait] n. slnečné svetlo
sunny [sani] adj. slnečný
sunrise [sanraiz] n. východ slnka
sunset [sanset] n. západ slnka
sun-shade [san-šeid] n. slnečník
sunshine [sanšain] n. slnečné svetlo
sun-stroke [sanstrouk] n. úpal
superhuman [sju:pə'hju:mən] adj. nadľudský
superior [sju'piəriə] adj. **1.** vyšší **2.** lepší **3.** kvalitný
superman [sju:pəmæn] n. nadčlovek
supermarket [sju:pə,ma:kit] n. obchodný dom so samoobsluhou
supervise [sju:pəvaiz] v. dozerať *na niečo*
supervision [sju:pə'vižn] n. dozor
supervisor [sju:pə'vaizə] n. dozorca
supper [sapə] n. večera • *take supper* večerať
supply n. **1.** opatriť, zásobovať **2.** nahradiť, doplniť
supply n. **1.** zásobovanie, zásoba **2.** doplnok
support [sə'po:t] v. podporiť
suppose [sə'pouz] v. **1.** predpokladať **2.** domnievať sa
sure [šuə] adj. **1.** bezpečný, istý **2.** spoľahlivý
surely [šuəli] adv. zaiste, istotne
surface [sə:fis] n. povrch, rovina • *on the surface* na povrchu
surname [sə:neim] n. priezvisko
surprise [sə'praiz] v. prekvapiť
surprise n. prekvapenie, úžas
surrender [sə'rendə] v. vzdať sa, kapitulovať
surround [sə'raund] v. ob-

klopiť, obkľúčiť
surroundings [sə'raundiŋz] n. okolie, prostredie
survive [sə'vaiv] v. prežiť, zostať na žive
survival [sə'vaivəl] n. **1.** prežitie **2.** zbytok
suspect [səs'pekt] v. podozrievať
suspicious [səs'pišəs] adj. podozrivý
swallow [swolou] n. lastovička
swallow v. hltať, prehltnúť
swamp [swomp] n. bažina
swan [swon] n. labuť
swarm [swo:m] n. **1.** roj, kŕdeľ **2.** dav
swear [sweə] v. *swore, sworn* **1.** prisahať na *on*, odprisahať **2.** nadávať
sweat v. potiť sa
sweater [swetə] n. sveter
Swede [swi:d] n. **1.** Švéd, Švédka
Sweden [swi:dn] n. Švédsko
Swedish [swi:diš] adj. švédsky
Swedish n. švédština
sweep [swi:p] v. *swept, swept* **1.** zametať **2.** čistiť
sweep n. **1.** zametanie **2.** kominár
sweeper [swi:pə] n. zametač
sweet [swi:t] adj. **1.** sladký **2.** príjemný
sweet n. **1.** sladkosť, cukrík **2.** múčnik
sweeten [swi:tn] v. osladiť
sweetmeat [swi:tmi:t] n. **1.** cukrovinka **2.** želé
swell v. *swelled, swollen* napuchnúť
swift adj. rýchly, pohotový
swim [swim] v. *swam, swum* plávať
swimmer [swimə] n. plavec
swimming pool [swimiŋ-pu:l] n. plaváreň, kúpalisko
swindle [swindl] v. podviesť, oklamať
swindle n. podvod
swing [swiŋ] v. *swung, swung* hojdať (sa), kývať (sa)
Swiss [swis] adj. švajčiarsky
Swiss n. Švajčiar, -ka

Switzerland [switsələnd] n. Švajčiarsko
sword [swo:d] n. meč
swot [swot] v. biflovať sa
swot n. bifľoš
syllabic [si'læbik] adj. slabičný
syllable [siləbl] n. slabika
symbol [simbəl] n. symbol, znak, značka
sympathy [simpəθi] n. súcit, pochopenie
symphonic [sim'fonik] adj. symfonický
symphony [simfəni] n. symfónia
syrup [sirəp] n. sirup
system [sistim] n. sústava, systém
systematic [sisti'mætik] adj. systematický

T

table [teibəl] n. stôl • *lay the table* prestrieť stôl • *clear the table* upratať stôl
tablecloth [teibəlkloθ] n. obrus
tablespoon [teibəlspu:n] n. polievková lyžica
tabletennis [teibəltenis] n. stolný tenis
tablet [tæblət] n. **1.** tabuľka, doska **2.** tabletka
tachometer [tæ´komitə] n. tachometer
tail [teil] n. chvost
tailor [teilə] n. pánsky krajčír
take [teik] *took, taken* v. **1.** vziať si, odniesť (si) **2.** trvať časovo • *take place* konať sa • *take a bath* vykúpať sa • *take part in* zúčastniť sa • *take off* vyzliecť si
tale [teil] n. príbeh
talent [tælənt] n. talent
talisman [tælizmən] n. talizman
talk [to:k] v. hovoriť, rozprávať
talk n. rozhovor
tall [to:l] adj. vysoký
tallow [tæləu] n. sviečka
tame [teim] adj. krotký
tang [tæŋ] n. udica
tangerine [,tændžəri:n] n. mandarínka
tank [tænk] n. **1.** nádrž, kontajner **2.** tank
tanker [tæŋkə] n. cisternová loď
tape [teip] n. **1.** páska, šnúra **2.** magnetofónová páska, kazeta
tape v. nahrať na pásku
tape recorder [teip rə,ko:də] n. magnetofón
task [ta:sk] n. **1.** povinnosť, úloha **2.** práca
taste [teist] n. **1.** chuť **2.** vkus • *out of taste* nevkusný
tasteless [teistləs] adj. **1.** bez chuti **2.** nevkusný
tasty [teisti] adj. **1.** chutný **2.** vkusný
taxi [tæksi] n. taxík • *taxi*

driver taxikár
tea [ti:] čaj • *have a cup of tea* dať si šálku čaju
teach [ti:č] *taught, taught* v. učiť, vyučovať
teacher [ti:čə] n. učiteľ
team [ti:m] n. družstvo
teapot [ti:pot] n. čajník
tear [tiə] n. slza
tear [teə] *tore, torn* v. **1.** roztrhať (sa) **2.** odtrhnúť (sa)
technical [teknikəl] adj. technický
technician [tek'nišən] n. technik
tedious [ti:diəs] adj. nudný
teenager [ti:neidžə] n. človek *medzi 13. a 19. rokom života*
teeth [ti:θ] n. *tooth* zub
telecast [telika:st] n. televízny prenos
telecommunication ['telikə,mju:ni'keišən] n. telekomunikácie
telegram [teləgræm] n. telegram
telephone [teləfəun] n. telefón • *telephone exchange* telefónna ústredňa • *be on the telephone* telefonovať
telephone v. telefonovať • *dial the number* vytočiť číslo
telephonist [ti'lefənist] n. telefonistka
telescope [teləskəup] n. ďalekohľad
television [telə,vižən] n. **1.** televízor **2.** televízny program
tell [tel] *told, told* v. **1.** povedať, oznámiť **2.** rozprávať o *about*
temper [tempə] n. **1.** povaha **2.** nálada • *good/bad temper* dobrá/zlá nálada
temperature [tempərəčə] n. **1.** teplota **2.** horúčka
temple [tempəl] n. chrám
v. odkladať, váhať
ten [ten] num. desať
tenacious [ti'neišəs] adj. húževnatý
tenacity [ti'næsiti] n. húževnatosť

tenfold [tenfəuld] adj. desaťnásobný
tennis [tenəs] n. tenis • *tennis-ball* tenisová loptička
tense [tens] adj. **1.** nervózny **2.** napnutý
tense n. *gram.* čas
tension [tenšən] n. napätie
tent [tent] n. stan
term [tə:m] n. obdobie, lehota
terrace [terəs] n. balkón, terasa
terrain [te´rein] n. terén
terrible [terəbəl] adj. hrozný, strašný
terrify [terəfai] v. vystrašiť, vyľakať
territory [terətəri] n. územie, kraj, oblasť
terror [terə] n. hrôza
terrorism [terərizəm] n. terorizmus
terrorize [terəraiz] v. terorizovať
test [test] n. **1.** previerka **2.** skúška, test
testify [testəfai] v. **1.** vyhlásiť **2.** potvrdiť, overiť
test tube [test tju:b] n. skúmavka
text [tekst] n. text
textbook [tekstbuk] n. učebnica
textile [tekstail] n. tkanina
than [ðən, ðæn] conj. **1.** po **2.** ako, než **3.** okrem, len • *no sooner... than ...* hneď ako • *rather... than* radšej... než
thank [θəŋk] v. **1.** ďakovať za *for* **2.** vďačiť
thankful [θəŋkfəl] adj. vďačný za *for*
thanks interj. vďaka, ďakujem
that [ðæt] pron. **1.** ten, tento **2.** tamten, onen
the [ðə, pred samohláskou ði, ði:] urcitý člen
theatre [θiətə] n. divadlo
theft [θeft] n. krádež
their [ðə, ðeə] determ. **1.** ich **2.** svoj
theirs [ðeəz] pron. *samostatne* **1.** ich **2.** svoj

them [ðəm, ðem] pron. nich, im, ich, nimi
thematic [θi:mætik] adj. tématický
theme [θi:m] n. téma
themselves [ðəm´selvz] pron. **1.** seba, sa, sebe, si **2.** sami, samy, osobne
then [ðen] adv. **1.** vtedy **2.** neskôr • *from then on* odvtedy
theory [θiəri] n. teória
therapeutic [,θerəpju:tik] adj. liečebný
therapy [θerəpi] n. liečba
there [ðeə] adv. tam, tamto, hentam • *there you are* nech sa ti páči
therefore [ðeəfo:] adv. **1.** preto **2.** teda
thermometer [θə:momətə] n. teplomer
they [ðei] pron. **1.** oni, ony **2.** ľudia
thick [θik] adj. hrubý
thief [θi:f] n. zlodej
thieve [θi:v] v. kradnúť
thigh [θai] n. stehno • *thigh-bone* stehenná kosť
thin [θin] adj. **1.** tenký **2.** chudý
thing [θiŋ] n. vec, predmet
think [θink] *thought, thought* v. **1.** myslieť na *of* **2.** premýšľať o *about*
third [θə:d] n. tretina
thirst [θə:st] n. smäd
thirsty [θə:sti] adj. smädný
thirteen [,θə:´ti:n] num. trinásť
thirty [θə:ti] num. tridsať
this [ðis] pron. ten, tento, táto
this pron. to
thistle [θisəl] n. bodliak
thorn [θo:n] n. tŕň
though [ðəu] adv. hoci, i keď
thought n. myslenie
thoughtless [θo:tləs] adj. nepremyslený
thousand [θauzənd] num. tisíc
threat [θret] n. hrozba
threaten [θretən] v. **1.** vyhrážať sa **2.** hroziť
three [θri:] num. tri, traja
thrill [θril] n. napätie, vzrušenie

throat [θrəut] n. hrdlo
throb [θrob] n. tlkot srdca
throstle [θrosl] n. drozd
through [θru:] prep. **1.** cez, krížom **2.** počas
through adv. úplne, celkom
throughout [θru:aut] prep. v, na, po celom
throw [θrəu] *threw, thrown* v. **1.** hodiť **2.** vrhnúť sa
throw n. hod, vrh
thrush [θras] n. drozd
thrust [θrast] v. strčiť, sotiť do *into*
thumb [θam] n. palec *na ruke*
thunder [θandə] n. hrom
Thursday [θə:zdi] n. štvrtok
thus [ðas] adv. takýmto spôsobom
tick [tik] v. tikať
tick n. kliešť
ticket [tikət] n. **1.** lístok *cestovný* • *return ticket* spiatočný lístok **2.** vstupenka
tide [taid] n. **1.** príliv a odliv **2.** prúd, vlna
tidy [taidi] adj. upravený, úhľadný
tidy v. *tidy up* upratať, upraviť
tie [tai] n. **1.** kravata **2.** šnúrka
tie v. priviazať, pripútať
tiger [taigə] n. tiger
tight [tait] adj. **1.** tesný **2.** priliehavý
tighten [taitən] v. utesniť
tights [taits] n. pančuchové nohavičky
tigress [taigris] n. tigrica
till [til] prep. až, do časovo
till conj. až, dokiaľ nie
time [taim] n. **1.** čas **2.** obdobie • *at no time* nikdy • *any time* vždy • *time and again* znovu a znovu • *all the time* po celý čas • *from time to time* z času na čas • *next time* nabudúce
timetable [taim, teibl] n. **1.** cestovný poriadok **2.** rozvrh hodín
timid [timəd] adj. **1.** bojazlivý **2.** plachý
tin [tin] n. konzerva
tinny [tini] adj. plechový

tiny [taini] adj. maličký, drobnučký
tip [tip] n. konček, špička
tire [taiə] v. unaviť sa
tire n. pneumatika
tired [taiəd] adj. unavený, vyčerpaný
tit [tit] n. sýkorka
titanic [tai'tænik] adj. obrovský
titbit [tit,bit] n. pochúťka, maškrta
title [taitl] n. nadpis, názov
to [tə, tu, tu:] prep. **1.** k, do, na miesto • *to school* do školy • *to the end* do konca **2.** do *čas*
toad [təud] n. ropucha
toadstool [təudstu:l] n. muchotrávka
toast [təust] n. hrianka
toaster [təustə] n. opekač topiniek
tobacco [tə'bækəu] n. tabak
tobacconist [tə'bækənəst] n. trafikant
today [tə'dei] adv. **1.** dnes **2.** v súčasnosti, teraz
today n. **1.** dnešok **2.** súčasnosť
toddle [todl] v. batoliť sa
toe [təu] n. prst *na nohe*
toffee [tofi] n. karamel
together [tə'geðə] adv. **1.** spolu **2.** navzájom
toil [toil] n. drina
toilet [toilət] n. **1.** záchodová misa **2.** záchod • *toilet paper* toaletný papier
toleration [,tolə'reišən] n. ohľaduplnosť
tomato [tə'ma:təu] n. paradajka
tomb [tu:m] n. **1.** hrob **2.** hrobka
tombstone [tu:mstəun] n. náhrobný kameň
tomorrow [tə'morəu] adv. zajtra
ton [tan] n. tona
tone [təun] n. **1.** tón **2.** odtieň
tongue [taŋ] n. jazyk • *mother tongue* materinský jazyk
tonight [tə'nait] n. dnešný večer, dnes večer

too [tu:] adv. **1.** priveľmi **2.** veľmi **3.** tiež, aj
tool [tu:l] n. nástroj, náradie
tooth [tu:θ] n. zub • *toothache* bolesť zubov • *toothbrush* kefka na zuby • *tooth-paste* zubná pasta
top [top] n. **1.** vrch **2.** vrchol • *on top* navrchu, hore • *from top to toe* od hlavy po päty
top adj. **1.** vrchný **2.** najvyšší
top hat [,top´hæt] n. cylinder
torch [to:č] n. baterka
torrent [torənt] n. bystrina, potok
tortoise [to:təs] n. korytnačka
touch [tač] v. **1.** dotknúť sa **2.** dojať
touch n. **1.** hmat **2.** dotyk
touching [tačiŋ] adj. dojemný
tour [tuə] n. cesta, zájazd, výlet
tour v. cestovať
tourism [tuərizm] n. turistika
tourist [tuərəst] n. turista
tournament [tuənəmənt] n. turnaj
towards [təwo:dz] prep. smerom ku, do
towel [tauəl] n. **1.** uterák **2.** utierka
towel v. utierať sa
tower [tauə] n. veža
tower v. prevyšovať, týčiť sa
town [taun] n. mesto • *town hall* radnica • *in town* v meste
toxic [toksik] adj. jedovatý
toy [toi] n. hračka
track [træk] n. **1.** cestička **2.** koľaj **3.** dráha
track event [træki,vent] n. bežecká disciplína
tractor [træktə] n. traktor
tradition [trə´dišən] n. tradícia
traditional [trə´dišənəl] adj. tradičný
traffic [træfik] doprava
tragedy [trædžidi] n. tragédia
tragicomedy [´trædži´komədi] n. tragikomédia

trail [treil] v. ťahať (sa), vliecť (sa)
trail n. vlečka
train [trein] v. cestovať *vlakom*
train n. vlak • *go by train* ísť vlakom • *slow train* osobný vlak • *fast train* rýchlík
training [treiniŋ] n. výcvik
tram [træm] n. trolejbus
tramp [træmp] n. tulák
transcribe [træns´kraib] v. prepísať
translate [træns´leit] v. preložiť do *into*
translation [træns´leišən] n. preklad
translator [træns´leitə] n. prekladateľ
transport [træns´po:t] v. prepraviť
transport [trænspo:t] n. doprava
travel [trævəl] v. cestovať
traveller [trævələ] n. cestovateľ
travelling [trævəliŋ] n. cestovanie
tray [trei] n. tácka • *ashtrays* popolník
treadle [tredəl] n. pedál
treason [tri:zən] n. zrada
treasure [trežə] n. poklad • *treasury* pokladnica
treat [tri:t] v. **1.** upraviť **2.** vyjednávať **3.** liečiť • *hospital treatment* ošetrenie v nemocnici
treaty [tri:ti] n. zmluva • *peace treaty* mierová zmluva
treble n. *treble cleaf* husľový kľúč
tree [tri:] n. strom • *family tree* rodokmeň • *Christmas tree* vianočný stromček
tremble [trembəl] v. **1.** triasť sa **2.** báť sa
tremor [tremə] n. strach
trend [trend] v. smerovať
trend n. tendencia, smer
trial [traiəl] n. **1.** pokus **2.** súdne pojednávanie
triangle [traiæŋgəl] n. trojuholník
tribe [traib] n. kmeň, rod
trick [trik] n. podvod

tricycle [traisikəl] n. trojkolka
trifle [traifəl] n. maličkosť
trio [triəu] n. trio
trip [trip] v. poskakovať
tripper [tripə] n. výletník
trolley [troli] n. vozík *v samoobsluhe*
trot [trot] v. cválať
trouble [trabəl] v. obťažovať
trousers [trauzəs] n. nohavice
trout [traut] n. pstruh
truck [trak] n. nákladné auto
true [tru:] adj. pravdivý
truly [tru:li] adv. pravdivo
trumpet [trampət] n. **1.** trúbka **2.** klaksón
trunk [truŋk] v. **1.** kmeň *stromu* **2.** chobot *slona* **3.** kufor • *trunk call* medzimestský hovor
trust [trast] n. **1.** dôvera **2.** záruka
trust v. **1.** dôverovať **2.** zveriť sa
trustful [trastfəl] adj. dôveryhodný, zaručený
truth [tru:θ] n. pravda
truthful [tru:θfəl] adj. pravdivý
try [trai] v. **1.** vyskúšať **2.** pokúsiť sa
tube [tju:b] n. **1.** rúra **2.** hadica **3.** podzemná dráha
Tuesday [tju:zdi] n. utorok
tulip [tju:lip] n. tulipán
tumid [tju:mid] adj. napuchnutý
tumify [tju:mifai] v. napuchnúť
tune [tju:n] n. melódia
tune v. naladiť
tunnel [tanl] n. tunel
Turk [tə:k] n. Turek
Turkey [tə:ki] Turecko
turkey [tə:ki] n. moriak
turn [tə:n] v. **1.** točiť sa **2.** *turn away* odvrátiť sa **3.** *turn back* vrátiť sa
turtle [tə:tl] n. **1.** hrdlička **2.** morská korytnačka
tweezers [twi:zəz] n. pinzeta
twelve [twelv] num. dvanásť
twenty [twenti] num. dvadsať
twice [twais] num. dvakrát

twig [twig] n. vetvička
twilight [twailait] n. súmrak, šero
twin [twin] n. dvojička
twirl [twə:l] v. točiť sa
twist [twist] n. **1.** lano **2.** vianočka
twist v. ovinúť, omotať
two [tu:] num. dva • *twofold* dvojnásobný
type [taip] n. model, typ
type v. písať na písacom stroji
typewriter [taip´raitə] n. písací stroj
typical [tipikəl] adj. typický
typist [taipist] n. pisár na písacom stroji
tyre [taiə] n. pneumatika

U

ugly [agli] adj. **1.** škaredý **2.** odporný
umbrella [am´brelə] n. dáždnik • *beach umbrella* slnečník
unable [´an´eibl] adj. neschopný
unaccustomed [´anə´kastəmd] adj. nezvyčajný
uncertain [an´sə:tn] adj. neurčitý
uncle [aŋkəl] n. strýko
uncountable [´an´kauntəbl] adj. nepočítateľný
under [andə] prep. pod • *underage* neplnoletý • *underground* podzemná dráha
underpass [andəpa:s] n. podjazd
understand [,andə´stænd] v. *understood, understood* rozumieť, chápať
understanding [,andə´stændiŋ] n. porozumenie
unexpected [´aniks´pektid] adj. neočakávaný
unfeeling [´anfi:liŋ] adj. bezcitný
unhappy [´anhæpi] adj. nešťastný
unification [,ju:nifi´keišən] n. zjednotenie
unify [ju:nifai] v. zjednotiť
uniform [ju:nifo:m] n. uniforma
uniform adj. jednotný
unite [ju´nait] v. zlúčiť (sa), spojiť (sa) • *United Kingdom* Spojené kráľovstvo • *United States* Spojené štáty
universe [ju:nivə:s] n. vesmír
university [,ju:nivə:siti] n. univerzita
unknown [,an´nəun] adj. neznámy
unless [an´les] conj. ak nie, kým nie
unlock [an´lok] v. odomknúť
unpack [´an´pæk] v. rozbaliť
unsuccessful [´ansək´sesfəl] adj. neúspešný
unsure [´anšuə] adj. neistý

untill [an´til] prep. až, do časovo

until conj. kým nie

unusual [an´ju:žuəl] adj. nezvyčajný

up [ap] adv. **1.** dohora **2.** hore • *up and down* hore-dole • *get up* vstať

upon [ə´pon] prep. na, nad, v, po, o • *once upon a time* kedysi

upper [apə] adj. vrchný, horný

upright [´aprait] adj. **1.** vzpriamený **2.** čestný

upstairs [´ap´steəz] adv. hore na poschodí

up-to-date [aptudeit] adj. moderný, súčasný

upward [apwəd] adv. hore

urge [ə:dž] v. naliehať na *on*

urgent [ə:džənt] adj. naliehavý

urine [juərin] n. moč

us [as, əs] pron. nás, nám • *all of us* my všetci

use [ju:z] v. **1.** používať **2.** *use up* spotrebovať

use n. **1.** spotreba **2.** použitie

used [ju:zd] adj. starý, opotrebovaný

useful [ju:sfəl] adj. užitočný

useless [ju:slis] adj. zbytočný

user [ju:zə] n. používateľ

usual [ju:žuəl] adj. bežný, zvyčajný

utensil [ju:´tensl] nástroj, náradie

V

vacant [veikənt] adj. prázdny, voľný
vacation [və'keišən] n. prázdniny
vale [veil] n. údolie
valet [vælit] n. sluha
valiant [væljənt] adj. statočný
valid [vælid] adj. platný
validity [və'liditi] n. platnosť
valley [væli] n. údolie
valuable [væljuəbl] adj. cenný, vzácny
value [vælju:] n. cena
vampire [væmpairə] n. upír
vanilla [və'nilə] n. vanilka
vanquish [væŋkwiš] v. zvíťaziť
varied [veərid] adj. rozmanitý
variety [və'raiəti] n. rozmanitosť
various [və'raiəs] adj. rozmanitý, pestrý
varnish [va:niš] n. lak
varnish v. lakovať
vary [veəri] v. meniť (sa), striedať (sa), líšiť sa od *from*, čím *in*
vase [va:z] n. váza
vat [væt] n. sud
veal [vi:l] n. mäso *teľacie*
vegetable [vedžitəbl] *vegetables* zelenina • *root vegetables* koreňová zelenina
vegetal [vedžitəl] adj. rastlinný
vegetarian [,vedži'teəriən] n. vegetarián
vegetation [,vedži'teišən] n. rastlinstvo
vehicle [vi:ikl] n. vozidlo
veil [veil] n. závoj
vein [vein] n. žila
velvet [velvət] n. zamat
ventilate [ventileit] v. vetrať
ventilation [venti'leišən] n. vetranie
ventilator [ventileitə] n. ventilátor
verb [və:b] n. sloveso • *irregular verb* nepravidelné sloveso
verbal [və:bl] adj. slovný
verse [və:s] n. verš

vertical [və:tikl] adj. zvislý
very [veri] adv. veľmi • *very well* veľmi dobre
vessel [vesəl] n. loď
vest] vest] n. vesta
vet [vet] n. veterinár
vex [veks] n. trápiť (sa)
via [vaiə] n. cesta
victim [viktəm] n. obeť
victor [viktə] n. víťaz
victorious [vik'to:riəs] adj. víťazný
victory [vik'təri] n. víťazstvo
view [vju:] n. výhľad na *of*
vigilant [vidžilənt] adj. ostražitý
vigorous [vigərəs] adj. prudký, silný
vigour [vigə] n. sila
villa [vilə] n. vila
village [vilidž] n. dedina
villain [vilən] n. lotor
vinegar [vinigə] n. ocot
viola [viələ] n. viola
violence [vaiələns] n. násilie
violent [vaiələnt] adj. násilný, prudký
violet [vaiəlit] n. fialka
violet adj. fialový
violin [,vaiə'lin] n. husle
violinist [vaiə'linist] n. huslista
viper [vaipə] n. zmija
virus [vaiərəs] n. vírus
visa [vi:zə] n. vízum
visage [vizidž] n. vzhľad
visibility [,vizi'biliti] n. viditeľnosť
visible [vizəbl] adj. viditeľný
vision [vižən] n. prízrak
visit [vizit] v. navštíviť
visit n. návšteva
visitor [vizitə] n. návštevník, hosť • *visiting-card* navštívenka
visual [vizjuəl] adj. zrakový
visualization [vizjuəl,ai'zeišən] n. predstava
visualize [vizjuəlaiz] v. predstaviť si
vital [vaitəl] adj. životný
vitamin [vitəmin] n. vitamín
vocabulary [və'kæbjuləri] n. slovník
vocal ['vəukəl] adj. hlasový • *vocal chords* hlasivky

voice [vois] n. hlas
volcano [vol´kein∂u] n. sopka
volleyball [voli´bo.l] n. volejbal
volume [voljum] n. **1.** objem **2.** zväzok
voluminous [v∂´lju:min∂s] adj. objemný
voluntary [vol∂nt∂ri] adj. dobrovoľný
volunteer [,vol∂n´ti∂] n. dobrovoľník
vomit [vomit] v. vracať
vote [v∂ut] n. hlasovanie
vowel [vau∂l] n. samohláska
voyage [voidž] n. plavba

W

wafer [weifə] n. oblátka
wage [weidž] n. plat
wagon [wægən] n. vagón
wail [weil] v. trúchliť
waist [weist] n. pás, driek • *waist-belt* opasok
wait [weit] v. čakať na *for* • *waiting-room* čakáreň
waiter [weitə] n. čašník
waitress [weitrəs] n. čašníčka
wake [weik] *woke, woken* v. *wake up* zobudiť sa, prebrať sa
walk [wo:k] v. **1.** kráčať, ísť peši **2.** prechádzať sa • *go for a walk* ísť na prechádzku
walker [wo:kə] n. chodec
wall [wo:l] n. **1.** stena **2.** múr
wallet [wolit] n. náprsná taška
wallpaper [ˈwo:l,peipə] n. tapeta
walnut [wo:lnət] n. vlašský orech
walrus [wo:lrəs] n. mrož
waltz [wo:ls] n. valčík
wander [wondə] v. túlať sa
want [wont] v. chcieť, želať si
want n. potreba
war [wo:] n. vojna • *declare war on* vyhlásiť vojnu
ward [wo:d] n. mestská štvrť
wardrobe [wo:drəub] n. **1.** skriňa **2.** šatník
warm [wo:m] adj. teplý
warm v. *warm up* zahriať sa
warmer [wo:mə] n. ohrievač
warn [wo:n] v. **1.** vystríhať, varovať pred *against* **2.** upozorniť
warning [wo:niŋ] n. **1.** varovanie, výstraha **2.** poplach
warrant [worənt] n. **1.** záruka **2.** príkaz **3.** zatykač
wart [wo:t] n. bradavica
wash [woš] v. **1.** umývať sa **2.** prať • *washing-machine* práčka **3.** *wash up* umývať riad
washbasin [woš,beisən] n. umývadlo
wasp [wosp] n. osa

waste [weist] v. plytvať, mrhať
watch [woč] n. hodinky
watch v. **1.** sledovať **2.** pozorovať
water [wo:tə] n. voda • *mineral water* minerálka
watercolour [wo:tə,kalə] n. **1.** vodová farba **2.** akvarel
waterfall [wo:təfo:l] n. vodopád
waterproof [wo:təpru:f] adj. nepremokavý, vodotesný
waterworks [wo:təwə:ks] n. vodáreň
wave [weiv] n. vlna *morská*
wave v. **1.** mávať **2.** vlniť sa
wax [wæks] n. vosk
way [wei] n. **1.** cesta, trať **2.** smer **3.** spôsob, metóda • *by the way* mimochodom • *this way* takto • *way in* vchod • *way out* východ
we [wi:] pron. my
weak [wi:k] adj. slabý
weaken [wi:kən] v. oslabiť
wealth [welθ] n. bohatstvo, majetok
wealthy [welθi] adj. bohatý
weapon [wepən] n. zbraň
wear [weə] *wore, worn* v. nosiť, mať oblečené/obuté
weasel [wi:zəl] n. lasica
weather [weðə] n. počasie • *weather station* meteorologická stanica • *weather-forecast* predpoveď počasia
web [web] n. **1.** pavučina **2.** sieť
wed [wed] n. oženiť sa, vydať sa
wedding [wediŋ] n. svadba
Wednesday [wenzdi] n. streda
weed [wi:d] n. burina
week [wi:k] n. týždeň
weekend [wi:k′end] n. víkend
weekly [wi:kli] adj. týždenný
weep [wi.p] *wept, wept* v. plakať, roniť slzy
weigh [wei] v. vážiť
weight [weit] n. **1.** hmotnosť, váha **2.** závažie
welcome [welkəm] v. vítať, uvítať

welcome interj. vitaj
well [wel] *better, best* adv. dobre
well n. **1.** studňa **2.** prameň
well-know [,wel´nəun] adj. známy
west [west] n. západ
west adj. západný
wet [wet] adj. **1.** mokrý **2.** daždivý
wet *wet, wetted* v. **1.** *get wet* zmoknúť **2.** namočiť, navlhčiť
whale [weil] n. veľryba
what [wot] pron. aký, čo
whatever [wot´evə] pron. **1.** každý, akýkoľvek **2.** čokoľvek
wheat [wi:t] n. pšenica
wheel [wi.l] n. **1.** koleso **2.** volant, kormidlo
when [wen] adv. kedy
when conj. keď
whenever [wen´evə] adv. inokedy, hocikedy
where [weə] adv. kde, kam
whereas [weər´æz] conj. ale, kým
wherever [weər´evə] adv. kdekoľvek
whether [weðə] conj. či
which [wič] pron. kto, ktorý, čo *v otázke* • *which of you?* kto z vás?
whichever [wič´evə] pron. ktorýkoľvek
while [wail] n. chvíľka, okamih • *for a while* na chvíľku
while conj. **1.** zatiaľ čo **2.** pokým
whirl [wə:l] v. krútiť sa, točiť sa
whisk [wisk] n. metla
whisper [wispə] v. šepkať si
whisper n. šepot
whistle [wisəl] v. pískať, hvízdať
whistle n. píšťalka
white [wait] adj. biely
whizz [wiz] v. hvízdať
who [hu:] pron. **1.** kto **2.** ktorý
whoever [hu:´evə] pron. **1.** každý **2.** ktokoľvek
whole [həul] adj. celý, všetok
why [wai] adv. načo, prečo

wicker [wikə] adj. prútený • *wicker chair* prútená stolička
wide [waid] adj. široký • *far and wide* ďaleko široko
widely [waidli] adv. široko-ďaleko
widen [waidən] v. šíriť sa • *wide-spread* rozšírený
widow [widəu] n. vdova
widower [widəuvə] n. vdovec
width [widθ] n. šírka
wife [waif] n. manželka, žena
wig [wig] n. parochňa
wild [waild] adj. divoký, divý
will [wil] n. vôľa, ochota • *good will* dobrá vôľa
will v. chcieť, želať si
will [wil, wəl, wl, l] *would* pomocné sloveso
willing [wiliŋ] adj. ochotný, dobrovoľný
willow [wiləu] n. vŕba
win [win] *won, won* v. vyhrať, zvíťaziť • *win a prize* získať cenu
win n. víťazstvo
wind [wind] n. vietor
wind-mill [winmil] n. veterný mlyn
window [windəu] n. okno
windy [windy] adj. veterný
wine [wain] n. víno
wing [wiŋ] n. **1.** krídlo **2.** blatník
wink [wiŋk] v. **1.** mrkať **2.** blikať
winner [winə] n. víťaz
winter [wintə] n. zima • *in winter* v zime
winter adj. zimný • *winter season* zimné obdobie
wire [waiə] n. drôt
wisdom [wizdəm] n. múdrosť
wise [waiz] adj. múdry
wish [wiš] v. želať si
wish n. želanie, túžba
wit [wit] n. vtip
witch [wič] n. čarodejnica
with [wið] predl. s, pri, u, na
within [wi´ðin] prep. o, do, cez
without [wi´ðaut] prep. bez, mimo

witless [witləs] adj. hlúpy
witness [witnəs] n. svedok • *eye witness* očitý svedok
witty [witi] adj. vtipný, zábavný
wizard [wizəd] n. čarodejník
wolf [wulf] n. vlk
woman [wumən] n. žena
wonder [wandə] n. úžas, údiv
wonderful [wandəfl] adj. skvelý, úžasný
wood [wud] n. **1.** drevo **2.** *the woods* les • *wood-coal* drevené uhlie
woodcutter [wud,katə] n. drevorubač
wooden [wudn] adj. drevený
woodpecker [wud,pekə] n. ďateľ
wool [wul] n. vlna
woolen [wulən] adj. vlnený
word [wə:d] n. slovo, heslo • *word of honour* čestné slovo • *keep word* dostať slovo
work [wə:k] n. práca, zamestnanie • *in work* v práci • *go to work* ísť do práce • *workday* pracovný deň
workman [wə:kmən] n. robotník
workshop [wə:kšop] n. dielňa
world [wə:ld] n. svet, vesmír • *all over the world* na celom svete
worm [wə:m] n. červík
worry [wari] v. robiť si starosti, znepokojovať sa
worry n. **1.** nepokoj **2.** starosť **3.** trápenie
worst [wə:st] adj. najhorší
worth [wə:θ] n. cena, hodnota
wound [wu:nd] n. rana, zranenie
wound v. zraniť
wounded [wu:ndəd] adj. zranený
wraith [reiθ] n. dvojník
wrangle [ræŋgl] v. hádať sa
wrangle n. hádka
wrap [ræp] v. zabaliť • *wrapping paper* baliaci papier

wreck [rek] n. vrak, troska
wrestle [resl] v. bojovať, zápasiť
wrestle n. boj, zápas
wrinkle [riŋkəl] n. vráska
wrist [rist] n. zápästie
write [rait] *wrote, written* v. **1.** písať **2.** *write back* odpísať
writer [raitə] n. spisovateľ
wrong [roŋ] adj. **1.** nesprávny • *the wrong side* nesprávna strana **2.** zlý
wrong adv. **1.** nesprávne **2.** zle

X

xerox [ziəroks] n. xerox
xerox v. xeroxovať
Xmas [krisməs] n. *Christmas* Vianoce
X-ray [eksrei] v. röntgenovať

Y

yacht [jot] n. jachta
yachting [jotiŋ] n. plachtenie
yawn [jo:n] v. zívať
year [jə:] n. rok • *all the year round* po celý rok • *last year* minulý rok • *once a year* raz za rok • *this year* tento rok
yearn [jə:n] v. túžiť po *for*
yeast [ji:st] n. droždie
yell [jel] v. jačať, kričať
yellow [jeləu] adj. žltý
yes [jes] áno
yesterday [jestədi] adv. včera • *the day before yesterday* predvčerom
yet [jet] adv. ešte • *not yet* ešte nie
yet conj. ale predsa len
yoga [jəugə] n. jóga
yogurt [jogə:t] n. jogurt
yolk [jəuk] n. žĺtok
you [ju:, ju] pron. ty, vy
young [jaŋ] adj. mladý
your [jo:, joə, juə, jə] determ. **1.** tvoj, váš **2.** svoj
yours [jo:z] pron. tvoj, váš samostatne
yourself [jo:ˈself] pron. **1.** seba, sa, sebe, si **2.** osobne, sám, sami
youth [ju:θ] n. **1.** mladosť, dospievanie **2.** *the youths* mládež
youthful [ju:θfəl] adj. mladistvý

Z

zealous [zeləs] adj. horlivý, nadšený

zebra [zi:brə] n. zebra • *zebra crossing* prechod pre chodcov

zero [ziərəu] n. nula

zip [zip] n. zips

zone [zəun] n. pásmo, oblasť

zoo [zu:] n. ZOO

zoological [zəuə'lodžikl] adj. zoologický

Slovensko-anglický slovník

A

a and *and so on* a tak ďalej
abeceda 1. alphabet **2.** ABC
abecedný alphabetical
absencia absence
aby that, in order that, so that
acylpyrín aspirin
adresa 1. address **2.** place of residence *bydlisko*
adresár address book, directory
adresát addressee
adresovať addressed to
advokát advocate • *barrister´s office* advokátska kancelária
aerobik aerobics
aeroplán aeroplane
africký African
Afričan African
Afrika Africa
agát acacia
agent agent, traveller *cestujúci* • *insurance broker* poisťovací agent
agentúra agency • *advertising agency* reklamná agentúra
agronóm agronomist
ahoj hallo, hello
ach oh, ah
aj 1. and, also **2.** too *na konci vety*
ak if, in case
akadémia academy, college *Academy of Sciences* Akadémia vied
akcia 1. action, activity **2.** *voj.* mission
akiste probably, surely
ako how, what *v otázke* • *how are you?* • ako sa máš ?
ako as, like, than • *pri porovnaní* • *better than* lepší ako • *tall as his brother* vysoký ako jeho brat • *taller than his brother* vyšší ako jeho brat
akoby as if
akokoľvek however
akord *hud.* chord
akosť quality
akože what, surely

akrobat acrobat
akrobatický acrobatic
aktivita activity
aktívny active
aktovka briefcase
aktualita actuality
aktuálny actual
akvarel watercolour
akvárium aquarium
aký 1. what • *what's his name?* ako sa volá? **2.** what *zvolanie*, how • *what a pretty girl!* aké pekné dievča!
akýkoľvek any, whatever, whichever
akýsi a certain, some
alarm alarm
album album
ale but, still, yet
alebo or • *either ... or* alebo ... alebo
aleja alley, avenue
alergia allergy
alergický allergic
algebra algebra
algoritmus algorithm • *algorithmic language* algoritmický jazyk
alkohol alcohol, spirits
alkoholický alcoholic, spirituous
almanach almanac *ročenka*
alobal kitchen foil
alpský Alpine
Alpy the Alps
alt alto, contralto *ženský*
alternatíva alternative
alternatívny alternative
amatér amateur
amatérsky amateurish, unprofessional
ambasáda embassy
ambícia ambition
ambulancia 1. ambulance *auto* **2.** consulting room *lekára*
amen amen
americký American
Američan American
Amerika America
ametyst amethyst
amfiteáter amphithetre
amnestia amnesty
ampér ampere
amplión loudspeaker

amputácia amputation
amputovať amputate
amulet amulet
anakonda anaconda
analfabet illiterate
analfabetizmus illiteracy
ananás pineapple
anatómia anatomy
anatomický anatomic(al)
anekdota anecdote, joke
angína angina
Anglicko England
anglický English
Angličan Englishman
Angličania the English *národ*
Angličanka Englishwoman
angličtina English *language*
ani **1.** not even **2.** ...*neither* ... *nor*... ...ani ... ani...
animovaný animated • *animated cartoon* animovaný film
anjel angel
anketa inquiry, poll • *questionnaire* anketový dotazník
áno **1.** yes **2.** right *správne*
anonym anonym
anonymný anonymous, nameless
anorganický inorganic • *inorganic chemistry* anorganická chémia
antarktický Antarctic
Antarktída the Antarctic
anténa aerial, antenna
anténový aerial
antibiotikum antibiotics
antický ancient
antifašista anti-fascist
antifašistický anti-fascist
antifašizmus anti-fascism
antikvariát secondhand bookshop
antilopa antelope
antropológ anthropologist
antropológia anthropology
antuka entoutcas
aparatúra apparatus
apartmán apartment
aperitív aperitif
apetít appetite
aplauz applause
apostrof apostrophe
apoštol apostle

apríl April • *All Fools'Day* 1. apríl • *April showers* aprílové počasie
ár are
Arab Arab
arabčina Arabic
Arábia Arabia
arabský Arabian • *Arabic figure* arabská číslica • *Arabic type* arabské písmo
aranžér decorator, window dresser *výkladov*
aranžérstvo window-dressing
aranžovať **1.** dress (a shop-window) *výklad* **2.** arrange *usporiadať*
arašid peanut
arcibiskup archbishop
areál area
aréna arena, bull-ring *býčia*
archeológ archaeologist
archeológia archaeology
archeologický archaeological
architekt architect
architektúra architecture
archív archives
archivár archivist
ária aria, tune
aritmetický arithmetic(al)
aritmetika arithmetic
arktický Arctic
Arktída the Arctic
armáda army, the forces
armádny of army
arogantný arrogant
aróma aroma
aromatický aromatic
artikulácia articulation
artikulovať articulate
asfalt asphalt
asi **1.** perhaps, maybe *azda* **2.** about *okolo*
asimilácia assimilation
asimilovať assimilate
asistent assistant, lecturer *vysokoškolský*
asistovať assist in
asociácia association
aspik aspic
aspoň at least, anyway
asteroid asteroid
astma asthma
astmatický asthmatic
astmatik asthmatic

astrológ astrologer
astrológia astrology
astrologický astrological
astronóm astronomer
astronómia astronomy
astronomický astronomic(al) • *astronomical calendar* astronomický kalendár
asymetria asymmetry
asymetrický asymmetrical
atď. *skr.* etc.
ateliér atelier, studio
atentát plot, attempt
atlas atlas • *atlas of the world* atlas sveta
atlét athlete
atletický athletic • *athletic stadium* atletický štadión
atletika athletics
atmosféra atmosphere
atmosférický atmospheric
atóm atom
atómový atomic • *atomic bomb* atómová bomba • *nuclear power station* atómová elektráreň • *atomic energy* atómová energia
atrakcia attraction
atraktívny attractive
atrament ink
átrium atrium
atypický atypical
audiencia audience, reception
audiovizuálny audio-visual
august August
aula hall
Austrálčan Australian
Austrália Australia
austrálsky Australian
auto car
autoatlas road atlas
autobus bus, coach *diaľkový* • *by bus* autobusom • *bus service* autobusová doprava • *bus line* autobusová linka • *bus terminal* autobusové nádražie
autodoprava road transport
autogram autograph
autokar coach
automapa road map
automat **1.** automat **2.** slot machine *hrací* **3.** stamp machine *na poštové známky*

automatický automatic(al)
automatizácia automation
automatizovať programme
automechanik car maintenance man
automobil (motor)car • *motor transport* automobilová doprava
automobilista motorist
automobilizmus motoring
automobilka car factory
autonehoda traffic accident
autoopravovňa service station, car-repair service
autor **1.** author **2.** writer *spisovateľ* • *dramatist* autor divadelných hier
autorita authority
autorka authoress
autosalón motor show
autoservis garage, service station
autostop hitch-hiking
autoškola driving school
autožeriav truck crane
avšak but, however
azbuka Cyrillic alphabet
azda perhaps, maybe
Ázia Asia
ázijský Asian
až till, until *časove*

B

bábätko babe
babička grandmother, grandma, granny
bábika doll
bábka puppet, marionette
bábkarstvo puppetry
bábkový marionette, puppet • *puppet-show* bábkové divadlo *hra*
bábovka baked yeast dumpling
babrať bungle *kaziť*
bacil bacterium, bacillus
bača shepherd
bádanie 1. research *výskum* **2.** investigation
bádať investigate, inquire
bádateľ 1. investigator **2.** research-worker *vedec*
badminton badminton
bager excavator
bageta French loaf
bagrista excavator
bagrovať excavate
bagrovisko dredging pool
bahnisko swampy ground
bahnistý marshy *pôda*
bahno swamp, marsh
báj myth, fable, tale
báječný wonderful
bájka fable • *fable book* kniha bájok
bájkar fabulist, story-teller
bájoslovie mythology
bajt byte
baklažán egg-plant
baktéria bacterium
bál ball, dance
balada ballade
baladický balladic
balalajka balalaika
balet ballet
baletka ballerina
baliaci packing, wrapping • *packing paper* baliaci papier
baliareň packing-room
balič packer
balíček package, small parcel, packet • *pack of cards* balíček kariet
balík parcel *poštový*, packet
baliť 1. pack up **2.** wrap up
balkón balcony

balón balloon
balvan boulder, rock
balzam balm *liečivá masť*
bambus bamboo
baňa mine, pit • *coal-mine* uhoľná baňa
banán 1. banana tree *banánovník* **2.** banana *plod*
banda gang
bandaska can
bandita bandit, gangster
banícky mining
baníctvo mining industry
baník miner, pitman
banka bank *inštitúcia* • *data bank* banka dát • *national bank* národná banka
bankár banker
banket banquet, dinner-party
bankovka note (banknote) • *false banknote* falošná bankovka
bankovníctvo banking
bankový bank, banking • *bank account* bankový účet
banský mining
baran ram, lamb *jahňa*
baranica sheepskin cap
baranina mutton *mäso*
baretka beret
bariéra barrier
barikáda barricade
barla crutch
barman barman
barometer barometer
barón baron
barónka baroness
barytón baritone
bas *hud.* bass
basa *hud.* contrabass, double bass
báseň poem
basista 1. bass-singer *spevák* **2.** bass player *hráč*
basketbal basketball
basketbalista basketball player
básnictvo poetry
básnička rhyme
básnik poet
basový bass • *bass guitar* basová gitara
bastard mutt *pes*
báť sa 1. fear *mať strach*

2. be afraid of *obávať sa čoho*
batéria battery
baterka pocket torch, hand torch
batoh knapsack, rucksack
batoľa toddler
batožina luggage • *luggagevan* batožinový vozeň
baviť amuse, entertain
bavlna cotton
bavlnárstvo cotton industry
bavlnený cotton
bavlník cotton-plant
bazár bazaar
bazén 1. swimming pool 2. basin, reservoir *nádrž*
bažant pheasant
bažina moorland
bdelý vigilant, wakeful, watchful
bdieť 1. be awake *byť hore* 2. watch over *dozerať nad*
bedákanie lamentation
bedákať wail, lament, moan
bedro hip
beh 1. run 2. *šport.* race • *steeplechase* beh cezpoľný • *long-distance run* beh na dlhé vzdialenosti • *trate sprint* beh na krátke vzdialenosti • *relay* beh štafetový • *hurdle race* prekážkový beh
behať run, race *opreteky* • *flounce* behať hore dole
belasý blue, azure
beletria fiction
beletristický fictional
Belgicko Belgium
belgický Belgian
Belgičan Belgian
belica white fish *ryba*
beloch white man
beloška white woman
benefičný beneficial • *benefit concert* benefičný koncert
benzín 1. petrol 2. fuel *palivo* • *filling station* benzínová stanica
beseda chat, talk
besedovať chat, converse
besiedka 1. alcove 2. arbour *záhradná* 3. gardenhouse *domček*

besnieť go mad
besnota fury
besný wild, mad
bestseller best-seller
betón concrete
betonárka mixing plant
betónovať concrete
betónový of concrete
bez 1. without, out of **2.** *mat.* minus
bezbolestne painlessly
bezbranne defencelessly
bezbranný 1. defenceless **2.** unarmed *neozbrojený*
bezcenný 1. valueless, worthless *bez hodnoty* **2.** vain *márny*
bezcieľne aimlessly
bezcieľny aimless
bezcitne pitilessly
bezcitný unfeeling, heartless, ruthless *krutý*
bezdetný childless
bezdomovec homeless person
bezdôvodný causeless
bezfarebne colourlessly
bezcharakterný 1. characterless **2.** unprincipled
bezchybne faultlessly
bezchybný 1. faultless **2.** perfect **3.** flawless *dokonalý*
bezmála very nearly
bezmocnosť helplessness
bezmocný 1. helpless **2.** powerless
beznádej despair *zúfalstvo*
beznádejne hopelessly
beznádejný hopeless
bezočivý barefaced
bezohľadne recklessly
bezohľadný 1. arrogant *arogantný* **2.** inconsiderate
bezpečie safeness *pocit*
bezpečne safely
bezpečnosť safety, security
bezpečnostný secure, safety • *safety-catch* bezpečnostná poistka • *safety appliance* bezpečnostné zariadenie • *safety belt* bezpečnostný pás
bezpečný safe, secure
bezplatne gratis, free (of charge)
bezplatný free of charge,

unpaid, gratis
bezpodmienečný 1. categorical **2.** unconditional
bezprostredne immediately
bezprostredný direct, immediate • *immediate contact* bezprostredný kontakt
bezradný bewildered
bezstarostný careless, lighthearted
beztrestne painlessly
beztrestný 1. non-punishable **2.** painless
bezúspešne unsuccessfully, fruitlessly
bezúspešný fruitless
bezvedomie faint
bezvetrie calm
bezvýznamný insignificant, trivial
bezzubý toothless
bežať 1. run **2.** hurry *ponáhľať sa* • *run for life* bežať o život
bežec runner, sprinter
bežecký running • *track events* bežecké disciplíny
bežky cross-country ski
bežne currently, usually
bežný common *obvyklý*, usual
biatlon biathlon
biblia the Bible
biblický biblical
bibliograf bibliographer
bibliografia bibliohraphy
biceps biceps
bicykel 1. bicycle **2.** bike
bicyklista cyclist
bicyklovať sa cycle
bič whip
bieda 1. misery **2.** want *nedostatok*
biedne barely
biedny 1. poor *chudobný* **2.** miserable, wretched *úbohý* **3.** pitiful *žalostný*
bieliť bleach *bielizeň*
bielizeň linen, underclothes *spodná*, bed clothes *posteľná*, washing *špinavá*
bielkovina albumen
bielok white of an egg
bielovlasý white-haired
biely 1. white **2.** pale *bledý* • *white pepper* biele korenie

bifľoš swot
bifľovať swot
biftek beefsteak
bilión billion
biografia biography
biografický biographic
biochémia biochemistry
biochemický biochemical
biochemik biochemist
biológ biologist
biológia biology
biologický biological
biosféra biosphere
biosférický biospheric
birmovka Confirmation
biskup bishop
biskupský episcopal • *Christmas cake* biskupský chlebíček
bit bit
biť **1.** beat **2.** chastise *dieťa* **3.** strike *hodiny* **4.** throb *srdce* **5.** ring *zvon*
biť sa fight with *s niekým*
bitka **1.** fight **2.** battle *ozbrojená*
bitkár bully-boy
bitúnok shambles
bizón bison *americký*, buffalo
bižutéria jewellery
blahobyt welfare, prosperity
blahobytný affluent
blahoprajný congratulatory
blahopriať congratulate
blahoželanie congratulation
blahoželať congratulate on *k*
blankytný azure
blato mud, slush, sludge
blázinec madhouse, lunatic asylum
blázniet be mad, go mad
bláznivo madly, crazily
bláznivý **1.** crazy *veselý* **2.** foolish *pochabý* **3.** lunatic *šialený* • *crazy comedy* bláznivá komédia
blažený **1.** blessed **2.** happy *šťastný*
blčať blaze, flame
blbosť trifle *maličkosť*
blednúť turn pale, fade out
bledý **1.** bloodless **2.** light *svetlý* **3.** pale
blesk **1.** lightning **2.** *fot.* flashlight

bleskozvod lightning conductor
blcha flea
blicovať hookey
blikať flicker *plameň*, twinkle *svetlo*
blízko close, near, near at hand *po ruke*
blízky close, near • *vicinity* blízke okolie • *intimate* blízky človek • *close relative* blízky príbuzný
blížiť sa approach, come near
bližší close
blok 1. block • *block of flats* činžiak **2.** pad *zápisník*
blokáda blockade
blond blond
blondín fair-haired man
blondínka blonde
bludisko maze, labyrinth
blúdiť 1. go astray **2.** wander *túlať sa*
blúzka blouse
blúzniť hallucinate, be delirious *v chorobe*
blýskať sa lighten *blesk* • *it is lightning* blýska sa
blyšťať sa glimmer, flash
bôb broad bean
bobkový bay-leaf • *bay-leaf* bobkový list
bobor beaver
bobuľa 1. berry **2.** grape *hrozna*
boby bob-sleigh
bocian stork
bôčik streaky pork
bočiť avoid *vyhýbať sa*
bočný side • *cross-wind* bočný vietor
bod 1. *mat.* point • *freezing point* bod mrazu • *bully for you* bod pre teba • *boiling point* bod varu **2.** dot *bodka* **3.** *šport.* score
bodavý stabbing • *stick insect* bodavý hmyz
bodka point, dot
bodkočiarka semicolon
bodkovaný dotted, spotted
bodkovať dot
bodliak thistle *rastlina*
bodnutie prick, stab
bodovací point • *a points*

system bodovací systém
bodovať award points, mark
boh *náb.* God • *the God preserve us!* Boh nás ochraňuj! • *Heaven forbid!* Boh uchovaj!
bohatstvo 1. wealth, fortune *majetok* **2.** riches *prírodné*
bohatý rich, wealthy
bohoslužba divine service, mass *omša*
bohužiaľ alas, unfortunately
bohyňa goddess
bochník loaf • *loaf of bread* bochník chleba
boj 1. *voj.* battle *dlhý* **2.** fight *bitka* **3.** struggle *zápas* **4.** combat *súboj* • *life and death struggle* boj na život a na smrť
bója buoy
bojácny timid
bojazlivý timid, shy
bojisko battlefield
bojler boiler
bojovať 1. battle *zbraňami* **2.** fight *v boji* **3.** struggle *zápasiť*
bojovník 1. fighter **2.** warrior *vojak*
bojovný warlike, combative
bojový military, war • *alert* bojová pohotovosť
bok 1. side *strana* **2.** hip *časť tela*
bokom sideways, apart
bôľ heart-break
boľavý painful, sore
bolesť pain, ache • *headache* bolesť hlavy • *sore throat* bolesť krku • *toothache* bolesť zubov • *bellyache* bolesti brucha
bolestivý painful, aching, sore
bolestný painful, grievous *žalostný*
bolieť hurt, ache
bomba bomb
bombardér bomber
bombardovanie bombardment, blitz *letecké*
bombardovať bombard, bomb, blitz
bombový bomb • *air raid* bombový nálet

bonbón bonbon, toffee
bonboniéra sweet-box, bonboniere
bonsaj bonsai
bordový claret
borec fighter
borievka 1. juniper tree *ker* **2.** juniper berry *bobuľa*
borovica pine
bosorka witch
bosý barefooted
botanický botanical • *botanical gardens* botanická záhrada
botanik botanist
botanika botany
box *šport.* boxing
boxer *šport.* boxer
boxerský boxer • *mitt* boxerská rukavica
boxovať box
bozk kiss
bozkať kiss
brada 1. chin *časť tváre* **2.** beard *mužská*
bradatý bearded
bradavica wart • *small wart* bradavička
bradlá parallel bars
bradlo cliff
bralo cliff
brána 1. gate **2.** door **3.** *šport.* goal
brániť defend, protect
brániť sa resist, oppose
brankár goalkeeper
brať take
brat brother
bratranec cousin
bratský brotherly, brotherlike
bratstvo 1. brotherhood *spolok* **2.** fraternity
brav pig
bravčovina pork
brázda furrow, track *stopa*
brázdiť furrow *cestu*, cruise *vzduch*
Brazília Brazil
brčkavý curly
brečtan ivy
breh 1. bank *rieky* **2.** coast *morský*
brechot bark
bremeno burden, weight *náklad*

breza birch
brezový birch • *birch-bark* brezová kôra
bridlica slate
brieždenie dawning
briežok knoll
brigáda 1. *voj.* brigade 2. work-team *pracovná skupina*
brigádnik team-worker
briketa briquette
briliant diamond
Brit British
Británia Britain, Great Britain • *British Commonwealth of Nations* Britské spoločenstvo národov
britský British
britva razor
brloh lair *zvierat*
brnenie armour
brnkať jingle, tingle
brodiť sa ford
brokovnica shot-gun
bronz bronze
bronzový bronze • *bronze medal* bronzová medaila
broskyňa 1. peach tree *strom* 2. peach *plod*
broskyňový peachy
brošňa brooch
brožúra booklet, brochure
bruchatý big-bellied
brucho belly, abdomen
brunet dark-haired man
brunetka brunette
brúsiť grind
brusnica red bilberry
brušný belly, abdominal • *belly-dance* brušný tanec
brvno beam
bryndza sheep-cheese
brzda brake • *emergency brake* záchranná brzda
brzdiť brake *brzdou*
bubeník drummer
bubienok ear-drum *v uchu*
bublať bubble
bublina bubble
bubnovať 1. drum 2. thrum *prstami*
bubon drum
bučať bellow
buď ...*either ... or...* ...buď ... alebo.. • *shut up!* buď ticho!

búda 1. shed *kôlňa* 2. kennel *psia* 3. hut *drevená*
budíček reveille *vojenský*
budík alarm-clock
budiť 1. wake up 2. knock up *zaklopaním* 3. call up *hosťa*
búdka 1. booth 2. kiosk *telefónna*
budova 1. building 2. house • *post office* budova pošty • *guardhouse* strážna budova
budovať 1. build 2. construct *zostrojiť*
budúci future • *gram. future tense* budúci čas
budúcnosť future
bufet 1. refreshment bar, snackbar, milk bar *mliečny* 2. buffet
bufetárka snackbar girl
búchať 1. knock 2. beat
buchnúť pound *päsťou*
buchot banging
buchta baked yeast dumpling
bujón bouillon, beef tea
buk beech • *as fit as a fiddle* zdravý ako buk
bukový beech
bukvica beech-nut
buldog bulldog
buldozér bulldozer
Bulhar Bulgarian
bulharčina Bulgarian
Bulharsko Bulgaria
bulletin bulletin
bumerang boomerang
bunda anorak *športová*, sport jacket
bungalov bungalow
bunka cell
bunker bunker, shelter
búrať demolish
burina weed, overgrowth
búriť sa rebel, revolt
burizón puffed rice
búrka storm *víchrica*, thunderstorm *silná*
búrlivý stormy, rousing *potlesk*
butik boutique
bútľavý rotten, hollow
by in order that *aby*
bydlisko dwelling, house,

place of residence • *alternative accomodations* prechodné bydlisko • *home address* trvalé bydlisko
býk bull
byľ stalk, stem
bylina 1. herb *liečivá* **2.** plant *rastlina*
bylinkárka herbalist
bylinkový herbal
bylinožravce herbivore
bystrina torrent
bystrosť sharpness
bystrozraký sharp-sighted
bystrý keen, clever *rozumovo*
byť be, exist
byt flat
bytie being, existence
bytosť being, entity
bytovka housing unit
bytový residential • *housing cooperative* bytové družstvo
bývalý former, late
bývanie accomodation, dwelling, lodging
bývať dwell, live *žiť*
byvol buffalo
bzučať buzz, zoom
bzukot buzzing, whirr

C

cap billy-goat
cedidlo strainer, filter *jemné*
cediť strain, filter
ceduľa 1. bill **2.** label *nálepka* **3.** small notice *vývesná*
cela cell
celistvý complete, entire
celkom 1. altogether *úplne*, in all **2.** entirely, wholly, totally
celkove totally
celkový total *úplný,* complete • *gross weight* celková hmotnosť
celodenný all-day, whole day´s
celofán cellophane
celok whole, complex
celonárodný national, nation-wide
celoročný all the year round, whole year´s
celostránkový full page
celosvetový world-wide, global
celoštátny state, national
celoživotný lifelong, life-time • *life-work* celoživotné dielo
celulóza cellulose
celý all, whole *všetok* • *all day long* celý deň
cement cement
cementáreň cement works
cena price
cencúľ icicle
cengot ringing
ceniť 1. value *oceňovať* **2.** estimate *odhadovať cenu*
ceniť si esteem s. o. *vážiť si koho*
cennosť valuable *cenná vec*
cenný valuable, valued
cenovka price label *označenie ceny,* price tag *visačka*
cenový price • *bid* cenová ponuka
centiliter centilitre
centimeter centimetre
centrála exchange *telefónna*
centrálny central • *central nervous system* centrálna nervová sústava

centrum centre • *city* centrum mesta
ceremoniál ceremonial
certifikát certificate
ceruza pencil
cesnak garlic
cesta **1.** road *hradská*, path *cestička* **2.** way *spôsob* **3.** journey *cestovanie*, voyage *loďou*, travel *cestovanie* **4.** tour *okružná cesta* **5.** route *trasa* **6.** trip *výlet* • *all the way* celou cestou
cestár road maker
cestný road
cesto dough, paste
cestopis book of travel
cestopisný of travel
cestovanie travel *presun*, journey • *driving* cestovanie automobilom • *travel by car/bus/train/tube* cestovanie autom, autobusom, vlakom, metrom
cestovať travel, make a journey • *go by car/bus/ /train/tube* cestovať autom, autobusom, vlakom, metrom • *hitch-hike* cestovať autostopom • *hike* cestovať peši
cestovateľ traveller, tourist
cestovina pastries
cestovné fare
cestovný travelling • *travelling bag* cestovná taška • *travel documents* cestovné doklady • *travel insurance* cestovné poistenie • *passport* cestovný pas • *timetable* cestovný poriadok • *tourism* cestovný ruch
cestujúci **1.** traveller *cestovateľ* **2.** passenger *pasažier*
cez **1.** across *smer* **2.** through *krížom*
cezpoľný **1.** cross-country race *beh* **2.** commuter *študent*
cibuľa onion
cicať suck
cicavec mammal
cieľ **1.** aim, goal *zámer* **2.** mark *terč* **3.** *voj.* target **4.** destination *cesty*
cieľavedomý purposeful, strong-minded *človek*

cieliť **1.** aim *zamýšľať* **2.** be directed at *smerovať kam* **3.** target *mieriť*
cieľový goal, target • *the strait* cieľová rovinka
ciferník dial, face of the clock *hodín*
Cigán Gipsy
cigániť lie *klamať*
cikať wee
cimbal cymbal
cintorín cemetery, churchyard *pri kostole*
cirkev the Church
cirkevný church • *hymn, hymnus* cirkevná pieseň • *church wedding* cirkevný sobáš
cirkulácia circulation
cirkulárka circular saw
cirkulovať circulate
cirkus circus
cisár emperor
cisárovná empress
cisársky imperial
cisárstvo empire
cisterna cistern, tank *nádrž* • *tanker* cisternová loď
cit **1.** feeling *vnímanie* **2.** sense *zmysel*
citát quotation, citation
cítenie feeling
cítiť **1.** feel *dotykom* **2.** perceive *vnímať zmyslami* **3.** smell *čuchom* **4.** experience *prežívať* **5.** taste *chuť* • *feel sorry* cítiť ľútosť • *feel better* cítiť sa lepšie
cítiť sa feel
citlivosť sensitivity
citlivý **1.** sensitive *pokožka* **2.** perceptive *vnímavý* • *a sore point* citlivé miesto
citový sentimental
citrón **1.** lemon, lime *zelený* **2.** lemon-tree *strom*
citrónový lemon • *zest* citrónová kôra • *salt of lemon* kyselina citrónová
citrus citrus
civilizácia civilization
civilizovaný civilized • *civilization* civilizovaná spoločnosť
clo duty *poplatok*, customs • *customs free* bez cla •

import duty dovozné clo • *dutiable* podliehajúci clu
cloniť shade *tieniť*
cmar buttermilk
colnica Customs, customs house
colník customs officer
colný customs • *customs examination* colná kontrola • *customs documents* colný doklad • *customs formalities* colné formality • *border area* colné pásmo • *customs declaration* colné prehlásenie • *customs, duties* colné poplatky • *customs officer* colný úradník
ctený honoured
ctiť honour, esteem *mať v úcte*
ctiť si regard
ctiteľ admirer *obdivovateľ*
ctižiadosť ambition
cudzí 1. foreign *zahraničný*, alien *neznámy* 2. stranger *neznámy človek*
cudzina foreign country • *abroad* v cudzine
cudzinec foreigner, alien, stranger
cudzojazyčný in a foreign language
cudzokrajný foreign, exotic *dovezený*
cukor sugar • *lump sugar* kockový cukor • *granulated sugar* kryštálový cukor • *castor sugar* práškový cukor
cukornička sugar-basin
cukrár confectioner
cukráreň confectionery, confectioner´s
cukrík candy, toffy
cukrovar sugar-mill
cukrovinky sweets, candies
cukrový sugar, candy • *sugar-beet* cukrová repa
cumeľ dummy
cumľať suck
cumlík nipple
cúvať give way *ustupovať*
cvaknúť snap *fotoaparátom*
cval gallop
cválať gallop

cvičebnica exercise-book, textbook
cvičenie **1.** exercise **2.** training *výcvik* **3.** lesson *úloha*
cvičený trained
cvičiť **1.** exercise **2.** train *trénovať* **3.** drill *opakovaním*
cvičiteľ trainer, instructor
cvičný drilling, practice • *exercise book* cvičný zošit
cvik exercise, practice, training
cvikla red beet
cvrček cricket
cyklista cyclist
cyklón cyclone
cyklus cycle
cyrilika Cyrillic alphabet • *Cyrillic type* cyrilské písmo

Č

čaj tea • *five o'clock tea* čaj o piatej

čajka gull, seagull *morská*

čajník teapot

čajovňa tea-room

čajový tea • *tea-service* čajová súprava

čakanie waiting

čakáreň waiting-room • *nursery* pre matky s deťmi

čakať 1. wait for **2.** expect *očakávať*

čalúnnictvo upholstery

čalúnnik upholsterer

čapica cap

čarbať scrawl, scribble

čaro charm

čarodejnica witch

čarodejníctvo witchery

čarodejník wizard, magician *kúzelník*

čarodejný witching

čarovať charm

čarovný charming, magical *magický*

čas 1. time • *lunch-time* čas obeda • *the time of departure* čas odchodu • *working hours* pracovný čas • *from time to time* z času na čas **2.** *gram.* tense **3.** weather *počasie*

časopis journal *odborný*, newspaper, magazine *ilustrovaný*

časopisecký of a periodical

časovanie conjugation *slovies*

časovať 1. time *bombu* **2.** conjugate *sloveso*

časový temporal • *time zone* časové pásmo

časť part *celku* • *in parts* po častiach

častejšie more often

častica piece, small part, element

často often, frequently

častokrát many times, many a time

častý frequent

čašníčka waitress

čašník waiter

čata 1. *voj.* squad **2.** team *pracovná*

čatár sergeant
Čech Czech, Bohemian
Čechy Bohemia
čeľadník domestic
čelenka headband
čeliť beard *odvážne*
čelo forehead • *About turn!* Čelom vzad!
čeľusť jaw bone
čepeľ blade
čerešňa **1.** cherry-tree *strom* **2.** cherry *plod*
čerešňový cherry
čeriť dimple *hladinu*
černica blackberry
černoch black, negro
černokňažník warlock
černoška negress
černošský negro
čerpací pumping • *petrol station* čerpacia stanica
čerpadlo pump, water engine *vodné* • *petrol station* benzínové čerpadlo
čerpať bail *vodu*
čerstvý **1.** fresh **2.** latest *najnovší* **3.** cool *chladivý*
čert devil
čertovský devilish
červ worm, little worm *červík*, grub *larva*
červenať sa blush, redden
červenkastý reddish
červenolíci ruddy-faced
červenovlasý red-haired
červený red • *red corpuscle* červená krvinka • *Red Cross* Červený kríž
červík maggot
červivý wormy
česať comb, groom *psa*
český Czech • *the Czech Republic* Česká republika
česť honour
čestne honourably
čestnosť honourableness
čestný fair, honest • *the seat of honour* čestné miesto • *parole* čestné slovo
Češka Czech woman
čeština Czech *language*
či if *ak*, whether *naozaj*
čí, čia, čie whose
čiapka cap
čiara line
čiarka **1.** short line **2.** com-

ma *interpunkčné znamienko*

čiastka 1. part *časť* 2. amount *peňazí*

čiastočný partial

čierny 1. black *farba* 2. dark *tmavý* • *flight-recorder* čierna skrinka • *black pepper* čierne korenie • *whooping cough* čierny kašeľ

číhať stalk, watch

Čile Chile

čím whereby • *the sooner* čím prv • *the sooner the better* čím skôr, tým lepšie

čin act, action • *venue* miesto činu • *criminal act* trestný čin

Čína China

Číňan Chinese

činiteľ factor *sila*

činka *šport.* bar-bell

činnosť 1. action, activity 2. performance *osobný výkon*

činný active

činohra play, drama *divadelná hra*

činžiak block of flats

číry pure

číselník dial

číselný numeral, digital • *digital information* číselná informácia • *number system* číselná sústava

číslica digit, figure, number *číslo*

číslicový digital, numeral

číslo 1. code 2. number 3. size *veľkosť* • *house number* číslo domu • *passport number* číslo pasu • *post code* poštové smerovacie číslo • *area code* volacie číslo

číslovať number, page *stránky*

číslovka numeral

čistenie clarification, purification

čistiaci cleaning • *sewage farm* čistiaca stanica • *detergent* čistiaci prostriedok

čistiareň cleaning shop, laundry

čistič 1. cleaner, shoeshine *topánok* 2. air filter *vzduchu*

čistička purification plant
čistiť clean, clear, polish *obuv*, brush *kefou*
čistokrvný thoroughbred
čistota cleanliness
čistotný hygiene-minded
čistý 1. clean **2.** pure *rýdzi* **3.** blank *nevyplnený* • *net weight* čistá hmotnosť
čítanie reading
čítanka reading book
čitáreň reading room
čítať read, read out *nahlas*
čitateľ reader
čitateľný legible, readable • *legible hand* čitateľný rukopis
čitateľský readers´
čiže that is, or *alebo*
čižma high boot
článok 1. joint *prsta* **2.** article *v novinách*
čľapkať sa splash
člen 1. member **2.** *gram.* article **3.** fellow *príslušník* • *honorary member* čestný člen • *airman* člen posádky lietadla
členiť divide *deliť*
členitý rugged *krajina*
členok ankle
členstvo membership
čln boat, barge *nákladný*, rowing-boat *s veslami*
člnkovať sa boat, row
človek body, human being, man, person
čmeliak bumblebee
čnieť 1. dominate **2.** tower *týčiť sa*
čo 1. what *opytovacie zámeno* • *what is it*? čo je to? **2.** that, which *vzťažné zámeno*
čokoláda chocolate
čokoládový chocolate
čokoľvek what(so)ever
čoraz each time • *more and more* čoraz viac
čosi 1. anything *hocičo* **2.** something *niečo*
čoskoro directly, soon
čože! what! *zvolanie*
črep 1. shrapnel *granátu* **2.** splinter *skla*
črepina splinter *črepinka*,

shard *úlomok*
črepník flowerpot
črevo *lek.* intestine • *appendix* slepé črevo
črieda 1. flock *kŕdeľ* **2.** herd *dobytka*
črta 1. sketch *náčrt* **2.** feature *charakteristická* • *physiognomy* črty tváre
čučoriedka bilberry
čudák queer fellow
čudný 1. funny *zábavný* **2.** odd *zvláštny*
čudovať sa wonder, be surprised
čuch smell *zmysel*
čuchať smell
čuchový of smelling
čupieť squat
čušať be quiet, be silent

D

dabing dubbing
dabovať dub
dačo 1. something **2.** anything *hocičo*
dajako somehow
dajaký some
dakde somewhere, someplace
dakedy sometimes
ďakovať thank • *thank you, thanks* ďakujem
ďakovný votive
dakto 1. somebody, one **2.** anybody *hocikto*
daktorý 1. some **2.** any *hocijaký*
ďalej further
ďaleko far, far off
ďalekohľad telescope, binoculars
ďalekozraký long-sighted
ďaleký far, faraway, distant
ďalší 1. further **2.** next *nasledujúci* **3.** another *ešte jeden*
dáma 1. lady, dame **2.** *šach.* queen • *Ladies and gentlemen* Dámy a páni!
dámsky lady´s, ladies´ • *lingerie* dámska bielizeň • *powder-room* dámska toaleta
Dán Dane
daň duty *clo*
dánčina Danish
daniel fallow-deer
Dánsko Denmark
dánsky Danish
dar gift, present
darca giver, donor • *blood donor* darca krvi
darček gift, present
dariť sa succeed *mať úspech* • *how are you getting on?* ako sa vám darí?
darovať present, donate
ďasno gum
dať 1. give **2.** put *položiť* • *cuff* dať facku • *to pay attention* dať pozor
ďateľ woodpecker
ďatelina clover
datľa date
datľovník date-palm

dátum date • *date of birth* dátum narodenia
dav army *ľudí*
dávať 1. give 2. attend *dávať pozor*
dávka dose *porcia*
dávno long ago, for a long time
dávnovek antiquity
dávny 1. historical 2. ancient *starodávny*
dážď 1. rain 2. shower *prehánka*
daždivý rainy, wet
dáždnik umbrella
dážďovka earth worm
dcéra daughter • *little daughter* dcérka • *goddaughter* krstná dcéra
debna case, chest *debnička*
december December
decembrový December
deciliter decilitre
decimeter decimetre
dedina village
dedinčan villager
dedinský village, rustic
dedo grandfather, old man *starec*
defekt breakdown *na aute*
definícia definition
dej plot *hry*
dejepis history
dejinný historical
dejiny history
dejstvo *div.* act
deka blanket
dekagram decagramme
delegácia delegation *skupina*
delenie division
delfín dolphin
deliť 1. divide 2. separate *oddeľovať*
deliť sa divide into *členiť sa na*
delo gun
delostreľba cannonade
delostrelec gunner
demižón demijohn
demokracia democracy
deň day • *day by day* deň čo deň • *day off* deň pracovného pokoja • *every day* každý deň • *day and night* vo dne v noci

denne every day, daily
denník diary *zápisník*
denný daily • *daylight* denné svetlo
depo depot
deravý **1.** full of holes **2.** carious *zub*
desat' ten
desat'boj decathlon
desatina one tenth part
desatinný decimal • *decimal point* desatinná čiarka • *decimal place* desatinné miesto
desat'krát ten times, tenfold
desat'minútový ten-minute
desat'násobný tenfold
desat'ročie decade
desat'ročný decennial
desiata snack, picnic
detail detail
detektív detective • *inquiry agent* súkromný detektív
detektívka detective story
deti **1.** children **2.** kids
detský baby´s, children´s • *nursery* detská izba • *crib* detská postieľka
detstvo childhood
devät' nine
devät'desiat ninety
devätina one ninth part
devätnást' nineteen
dezert dessert
dezinfekcia disinfection
dezinfikovat' disinfect
diabol devil
diabolský devilish
diagnóza diagnosis
diagram diagram, chart
dial'ava distance
dial'ka distance
dial'nica motorway
dialóg dialogue
diamant diamond
diamantový diamond
diapozitív slide
diat' sa happen
diel part
dielňa workshop
dielo work • *work of art* umelecké dielo
diera hole
dierkovaný punched
diet'a **1.** baby **2.** child
diéta diet

dievča 1. girl 2. girlfriend *priateľka* 3. little girl *dievčatko* • *maiden name* dievčenské meno
diktát dictation
diktovať dictate
dioptria diopter
dioptrický dioptric
diplom 1. certificate 2. diploma *športový* 3. degree *vysokoškolský*
dirigent conductor
dirigovať *hud.* conduct
disciplína discipline
disciplinovaný disciplined
disk *šport.* discus
disketa floppy disc
diskotéka disco
diskriminácia discrimination • *racial discrimination* rasová diskriminácia
diskusia discussion
dispečer controller
displej display unit
div wonder, miracle *zázrak*
divadelný theatrical • *drama* divadelná hra
divadlo theatre
divák 1. onlooker *náhodný* 2. *šport.* spectator 3. viewer *televízny*
diván couch
diviak wild boar
divina 1. game *zver* 2. venison *mäso*
divný strange, odd
divočina wilderness
divoch savage
divoký wild, savage
dlaň palm
dlaždica tile
dlážka floor
dlh debt
dlho 1. a long time 2. long *dávno*
dlhodobý longdated, long-term
dlhoročný long-year
dlhotrvajúci long-lasting
dlhý 1. long 2. tall *o človeku*
dĺžeň diacritic mark
dĺžka length
dlžník debtor
dnes today, this day • *this morning* dnes ráno • *tonight* dnes večer

dnešný today´s
dnešok today, this day
dno bottom
dnu in, inside
do 1. to, into *smerovo* **2.** to, by, till, untill *časovo* • *from beginning to end* od začiatku do konca
doba 1. era, epoch • *nowadays* v našej dobe **2.** time *čas* • *flight time* doba letu • *time of departure* doba odchodu • *time of arrival* doba príchodu
dobehnúť run up to
dobiedzať molest
dobiť 1. beat **2.** charge *batériu*
dobrák good-natured fellow
dobre 1. well, good **2.** right, alright *v poriadku* • *I am all right, I am well* Mám sa dobre
dobro the good
dobročinný benefit, charity
dobrodruh adventurer *cestovateľ*
dobrodružný adventurous *odvážny*
dobrodružstvo adventure
dobrosrdečný kind-hearted
dobrota 1. benevolence *vlastnosť* **2.** candy *sladkosť*
dobrovoľník volunteer
dobrovoľný free, voluntary
dobrý 1. good **2.** kind *láskavý* • *good morning* dobré ráno • *good afternoon* dobrý deň • *good evening* dobrý večer
dobyť gain *získať*
dobytok cattle *hovädzí*
dobývať 1. mine *ťažiť* **2.** conquer *pevnosť*
dobyvateľ conqueror
dočiahnuť reach
dodať 1. add *pridať* **2.** deliver *doručiť*
dodatočne in addition
dodatočný additional
dodávať 1. deliver **2.** supply *zásobovať*
dodnes up to now
dodržiavať keep
doga bulldog
dohadovať sa argue

dohľad **1.** view **2.** supervision *dozor*
dohliadať beware
dohoda agreement
dohodiť throw as far *kam*
dohodnúť sa agree on *na*
dohola bare
dohorieť burn out
dohovárať blame
dohovoriť sa make o.s. understood *dorozumieť sa*
dohrýzť bite
dochádzať attend *navštevovať*
dochádzka attendance • *compulsory education* povinná školská
dojatie emotion
dojatý moved, touched
dojča baby, infant
dojem effect, impression • *impress* urobiť dojem
dojič milkman
dojička milkmaid
dojiť milk
dokedy how long
dokiaľ while, till
doklad document *listina*
dokonalý perfect
dokonca even
dokončiť finish, complete
doktor doctor, physician *lekár*
dokument document
dolámať break
doľava to the left
dole down
dolina **1.** valley **2.** lowland *nížina*
dolný lower, low • *lower deck* dolná paluba
dolu **1.** below *poloha* **2.** downwards *smer*
dom **1.** house **2.** small house *domček* • *mortuary* dom smútku • *council house* nájomný dom
doma at home, inside *vo vnútri*, indoors *dnu*
domáca **1.** housekeeper **2.** housewife *žena v domácnosti*
domáci **1.** homely **2.** domestic *zviera* • *homework* domáca úloha • *housework* domáce práce

domácnosť household
domáhať sa demand *žiadať*
domček 1. a small house 2. shell *ulita*
domino dominoes *hra*
domnievať sa suppose *predpokladať*
domorodec native, aboriginal
domorodý native
domov 1. home 2. native country *vlasť* • *homeless* bez domova • *rest home* domov dôchodcov
domovina fatherland, homeland, native country
domovník porter, housekeeper
domýšľať si pretend
donášať carry *nosiť*
donedávna not long ago
doniesť 1. bring 2. carry *dopraviť*
donútiť force
doobeda in the morning, a.m.
doobedie morning
dookola all around
dopadnúť land *na zem*
dopisovateľ correspondent
dopiť drink up
doplniť fill up *naplniť*
dopoludnia in the morning, a.m.
dopoludnie morning
dopoly half
doporučený registered • *registered letter* doporučený list
doporučiť recommend
doposiaľ till now, up to now
doprava to the right *smer*
doprava traffic *cestná* • *shipping* doprava loďou
dopravca carrier
dopraviť transport
dopravný traffic • *traffic accident* dopravná nehoda • *traffic police* dopravná polícia • *traffic jam* dopravná zápcha • *rush-hour traffic* dopravná špička • *traffic lights* semafory
dopredu forward, ahead
dopriať grant, allow
dopustiť allow, let

dorásť grow up
dorastenec junior
doraziť come in *prísť*
dorezať cut up
dorozumieť sa come to an understanding, speak *cudzou rečou*
doručiť deliver, hand in
doručovateľ postman
doska board, plank *drevená* • *breadboard* doska na krájanie chleba • *roningboard* doska na žehlenie
dospelosť adult age • *school-leaving examination* skúška dospelosti
dospelý grown-up, adult
dospievanie adolescence
dosť enough, plenty of
dostať **1.** get, receive *prijať* **2.** obtain *získať* • *catch flue* dostať chrípku
dostať sa get, arrive at *kam*
dostatok abundance, plenty *hojnosť*
dostihový racing • *race-track* dostihová dráha
dostihy the races • *steeple-chase* prekážkový beh
dotazník form, questionnaire *anketový*
doteraz till now, up to the present time
dotknúť sa touch
dotyk touch
dovážať import
Dovidenia! Good bye!
dovidieť see as far as
doviesť **1.** bring **2.** lead
doviezť carry
dovliecť pull
dovnútra inside, into
dovolenka leave, holiday • *be on holiday* byť na dovolenke
dovolenkár holiday-maker
dovoliť allow
dovoliť si afford *môcť*
dovtedy till then
dozadu backwards, to the back
dozerať control, supervise *kontrolovať*
dozor control, supervision
dozorca **1.** guard *stráž*

2. custodian *múzea*
dožadovať sa 1. demand 2. claim *domáhať sa*
dožičiť si afford
dožiť sa live to see
dôchodca pensioner • *old-age pensioners* dôchodcovia • *retirement age* dôchodkový vek
dôchodok 1. income *príjem* 2. pension *penzia* • *old age pension* starobný dôchodok
dôjsť come, arrive
dôkaz argument
dôležitý 1. important 2. burning *naliehavý*
dôsledok result
dôstojník officer
dôstojný dignified
dôvera trust
dôverčivý credulous
dôverný 1. familiar *známy* 2. confidential *tajný*
dôverovať trust
dôveryhodný trustworthy
dôvod argument for *za*, against *proti*
dráha 1. *šport.* track 2. railway *železničná* 3. orbit *obežná* • *Milky Way* mliečna dráha
draho expensively
drahocenný precious
drahokam precious stone
drahý 1. dear *milý* 2. expensive *cenovo*
drahý dear *oslovenie*
drak 1. dragon 2. kite *šarkan*
dravec carnivorous animal
dravý wild
drep squatting posture
dres sports dress
drevárstvo timber-trade
drevenica wooden cottage
drevený wooden
drevo wood
drevorubač wood-worker
drez sink
driapať sa clamber *po skalách*
driek trunk, bodice
driemať doze, snooze
drobiť crumble
drobizg kids, the little ones

drobné small change
drogéria chemist´s
drogista chemist
drôt wire
drôtený wire
drozd thrush
droždie leaven, yeast
drsnosť roughness, rigour *prísnosť*
drsný **1.** rough *ruky* **2.** inconsiderate *bezohľadný*
druh **1.** kind, sort **2.** breed *plemeno*
druhotný secondary
druhý **1.** second **2.** another *iný* **3.** next *ďalší*
družba **1.** best man *ženícha na svatbe* **2.** friendship *priateľstvo*
družica satellite
družička bridesmaid
družina suite, after-school centre *školská*
družnosť **1.** companionability **2.** sociableness *srdečná*
družný companionable, sociable
družstevný cooperative
družstvo **1.** cooperative **2.** housing society *bytové*
drzo cheekily
drzosť arrogance, cheek
drzý arrogant, cheeky
držať **1.** hold **2.** keep *v tajnosti* **3.** diet *diétu* • *Hold the line.* Držte linku. *pri telefonovaní*
držať sa **1.** hold on to *čoho* **2.** hang on *visieť* • *Keep behind me.* Držte sa za mnou. **3.** hold hands *za ruky*
dub oak
dubák boletus
dubový oak
dúfať hope, believe *veriť*
dúha rainbow
dúhový rainbow
duch **1.** spirit **2.** ghost *strašidlo*
dukát ducat
dumať ponder over *nad*
dunieť roll
duo duo
dupať stamp, trample

dupnúť step
dupot stamping
dusený roasted, stewed
dusiť 1. suffocate *dusiť sa* **2.** stew *mäso*
dusný stuffy, muggy
dúšok draught • *at one draught* jedným dúškom
duť blow
dutý hollow
dužina stave, pulp
dužinatý pulpy
dva two • *twice* dva razy
dvadsať twenty
dvakrát twice • *two times a day* dvakrát denne
dvanásť twelve, dozen *tucet*
dvere door
dvierka wicket
dvíhať 1. lift **2.** curtain *oponu*
dvíhať sa 1. rise *vietor* **2.** turn *žalúdok*
dvojaký twofold, double
dvojbodka colon
dvojča twin
dvojfarebný in two colours
dvojhlas duet
dvojhláska diphthong
dvojhlasný for two voices
dvojhra double
dvojica couple, pair
dvojičky twins
dvojitý double, dual
dvojjazyčný bilingual
dvojlôžkový double-bedded
dvojmo double
dvojnásobok double
dvojník double
dvojročný two years old
dvojslabičný disyllabic
dvor yard, court
dvoriť court *komu*
dych breath • *in one breath* jedným dychom
dýchací breathing
dýchanie respiration, breathing • *mouth-to-mouth resuscitation* dýchanie z úst do úst
dýchať breathe
dychčať pant
dychtivý keen
dýka dagger *bodák*
dym smoke
dymiť smoke

dyňa watermelon
dynamit dynamite
dynosaurus dinosaur
džbán jug
džem jam, marmalade
džínsy jeans
džíp jeep
džudo judo
džungľa jungle
džús juice

E

edícia edition • *publishing scheme* edičný plán
efekt effect
egreš gooseberry
egyptský Egyptian
ekológ ecologist
ekológia ecology
ekologický ecological
ekonóm economist
ekonomický economical, economic
ekosystém ecosystem
elán ardour, vigour
elastický elastic
elegantný elegant
elektráreň power station • *atomic power station* atómová elektráreň • *hydroelectric power station* vodná elektráreň
elektrický electric • *electric flex* elektrická šnúra • *electric field* elektrické pole • *electricity* elektrický prúd • *electrical appliance* elektrický spotrebič
električka tram
elektrikár electrician
elektrina electricity
elektrón electron
elektrospotrebič electric appliance
elipsa *mat.* ellipse
ementál Emment
encyklopédia encyclopedia
energetický energetic • *energy industry* energetický priemysel
energetik power engineer
energetika energetics
energia energy • *nuclear energy* atómová energia • *electric energy* elektrická energia
epický epical • *epic novel* epický román
epidémia epidemic
epika epic poetry
epocha epoch
éra era, age
erb coat of arms
erupcia eruption
esej essay
esejista essayist

eskorta escort
espreso espresso
estetika aesthetics
estráda music hall art
ešte 1. still *stále* **2.** yet *po zápore* • *another* ešte jeden • *once more* ešte raz
etapa stage
etický ethical
etika 1. ethics *filozofia* **2.** ethic *morálka*
Európa Europe, Continent
Európan European
európsky European, continental
evakuácia evacuation
evakuovať evacuate
evidencia record, evidence
exhalát exhalation
exhibícia *šport.* exhibition
existencia being, existence
existovať exist
exkurzia excursion
expedícia expedition *výprava* • *scientific expedition* vedecká expedícia
experiment experiment
explodovať explode
explózia explosion
exponovať expose *film*
expres express

F

fabrika factory, manufacture

facka 1. slap in the face **2.** smack • *get a slap on the face* dostať facku

fackať smack

fajčenie smoking • *no smoking* fajčenie zakázané

fajčiar smoker

fajčiť smoke

fajka pipe • *peace-pipe* fajka mieru

fakľa torch

fakulta faculty • *Faculty of Arts* filozofická fakulta • *Faculty of Medicine* lekárska fakulta • *Faculty of Science* prírodovedecká fakulta

faloš falsehood, falsity, lie

falošnica deceitful woman

falošník deceitful man

falošný 1. false *neúprimný* **2.** wrong *nesprávny* • *red herring* falošná stopa • *discord* falošný tón

falšovať falsify, forge

fáma fame

fanfára flourish *na privítanie*

fantastický fantastic, imaginary *vymyslený*

fantázia fancy, imagination *umelecká*

fantazírovať fantasize

fantóm phantom

fanúšik fun

fara parish *farnosť*

faraón Pharaoh

farár priest *kresťanský*, parson *protestantský*

fárať mine, go down

farba 1. colour *sfarbenie* **2.** paint *maliarska* **3.** dye *farbivo* **4.** complexion *pleti*

farbička crayon, pastel

farbiť colour, paint, dye *látku*

farboslepost' colour-blindness

farboslepý colour-blind

farebný coloured • *coloured illustration* farebná ilustrácia

farma farm
farmár farmer
farmáriť farm
fascinovať captivate *upútať*
fašírka mincemeat
faul *šport.* faul
fauna fauna
favorit the favourite
fax fax
faxovať fax
fazuľa bean • *butter-beans* biela fazuľa • *string beans* zelená fazuľa
február February
fén hair-drier
fénovať fan
fér fair • *fair play* fér hra • *that's not fair* to nie je fér
festival **1.** festival *prehliadka* **2.** feast *slávnosť* • *film festival* filmový festival • *music festival* hudobný festival
fialka violet
fialový purple
figa fig
figovník fig-tree
figúra figure *postava*, wax figure *vosková*
figúrka *šach.* chessman
filatelia philately
filatelista philatelist
filatelistický philatelistic
filé fillet • *fillet of fish* rybie filé
filharmónia philharmonic orchestra
film film • *animated film* kreslený film • *silent film* nemý film
filmár film producer
filmovať make a film, shoot *záber*
filmový film • *film star* filmová hviezda • *screenplay* filmový scenár
filozof philosopher
filozofia philosophy
filozofický philosophical • *Faculty of Arts* filozofická fakulta
filter filter • *air filter* vzduchový filter
finále *šport.* final
finalista finalist

finálový final • *cup final* finálový zápas
financie finance • *Minister of Finance* minister financií
finančný financial • *finance company* finančná inštitúcia
Fínsko Finland
fintiť sa doll
firma firm • *owner of the company* majiteľ firmy
fit fit • *be fit* byť fit
fixka felt-tip pen
fľak blot *machuľa*
fľakatý blotched
flanel flannel
flanelový flannel
fľaša bottle • *empty bottle* prázdna fľaša
fľaškový bottled
flauta flute
flautista flautist
flóra flora
flotila fleet, flotilla • *merchant navy* obchodná flotila
fňukanie whimper
fňukať whimper
folklór folklore
fonetický phonetic • *phonetic transcription* fonetický prepis
fontána fountain • *drinking water fountain* fontánka
forma form *tvar* • *be in form* byť vo forme
formalita formality • *customs formalities* colné formality
formula formula
formulár form, blank • *application form* formulár žiadosti • *fill in a form* vyplniť formulár
fotel armchair
fotiť take snaps
fotka snap • *take a snap* urobiť fotku
fotoaparát camera
fotoarchív picture library
fotobunka photocell
fotograf photographer • *amateur photographer* amatérsky fotograf
fotografia photograph, photo

fotografovať take a snap, photograph
fotolaboratórium photographic laboratory
fotosyntéza photosynthesis
frajer 1. boyfriend *milý* 2. amour *priateľ*
frajerka 1. girl-friend *milá* 2. amour *priateľka*
frak evening suit
Francúz Frenchman
Francúzka Frenchwoman
Francúzsko France
francúzsky French • *croissant* francúzsky rožok
francúzština French *language*
fráza phrase • *empty phrase* prázdna fráza • *closing* zdvorilostná fráza
frazeológia phraseology
frazeologický phraseological • *dictionary of phrases* frazeologický slovník • *locution* frazeologický zvrat
frekvencia frequency
frfľať snort
fŕkať 1. snort *kôň* 2. spatter *špliechať*
fučať 1. whizz *vietor* 2. snort *dýchať*
fuj fie, pshaw
fujara shepherd´s pipe
fujavica blizzard, snowstorm *snehová*
fúkať blow
fúrik wheelbarrow
fusak baby warmer *detský*
futbal football
futbalista footballer
futbalový footbal • *football* futbalová lopta • *football ground* futbalové ihrisko • *football match* futbalový zápas
fúzatý bearded
fúzy moustache
fyzický physical • *labour* fyzická práca
fyzik physicist
fyzika physics *nuclear physics* atómová fyzika
fyzikálny physical

G

gágať cackle
gagot cackle
gajdy bagpipes
galantéria 1. fancy goods *tovar* **2.** haberdashery *obchod* • *leatherware* kožená galantéria
galaxia galaxy
galéria gallery, art-gallery *obrazov*
gang gang, band
gangster gangster
gániť look askance
garáž garage
garážovať garage
gašparko Punch
gaštan 1. chestnut tree *strom* **2.** chestnut *plod*
gauč couch, sofa
gavalier gentleman
gáza gauze
gazda farmer
gazdiná housewife
gazdovať farm
gazdovský farm
gazdovstvo farming
gazela gazelle
gejzír geyser
gél gel
generácia generation
generál general
generálny general • *director general* generálny riaditeľ • *general staff* generálny štáb
geniálny talented *nadaný* • *genius* geniálny človek
geografia geography
geografický geographical
geológ geologist
geológia geology
geologický geological • *geological map* geologická mapa
geometria geometry • *descriptive geometry* deskriptívna geometria
geometrický geometric
gepard cheetah
gerundium gerund
gesto gesture *posunok*
gitara guitar
gitarista guitarist
glg draught

glóbus globe
gól goal • *own goal* vlastný gól
golf golf • *golfer* hráč
golfový golf • *golf ball* golfová loptička • *golf club* golfová palica • *golf course* golfové ihrisko
Golfský prúd the Gulf Stream
golier collar
gombík button • *buttonhole* gombíková dierka
gong gong
gorila gorilla
graf graph
grafikon flow sheet, schedule
gram gramme
gramaticky grammatically
gramatický grammatical
gramatika grammar
gramofón record player, gramophone • *stylus* gramofónová ihla
granát *voj.* grenade, shell • *hand-grenade* ručný granát
grapefruit grapefruit
gratulácia congratulation
gratulant congratulant
gratulovať congratulate • *congratulations!* gratulujem!
gravitácia gravitation
gravitačný gravitational • *gravity* gravitačná sila • *the law of gravity* gravitačný zákon
Grécko Greece
grécky Greek
gréčtina Greek
Grék Greek
grgať belch
gril grill
grilovaný grilled • *grilled chicken* grilované kura
grilovať grill
grimasa grimace
gróf count
grófka countess
grófstvo county *kraj*
groteska grotesque, animated cartoon
guľa globe, ball • *snowball* snehová guľa • *shot put* vrh guľou

guláš goulash
gúľať sa roll
guľatý round
gulička marble *na hranie* • *ball-point pen* guličkové pero
guľka bullet *náboj*
guľomet machinegun
guľovať sa snowball
guľový ball-shaped
guma 1. rubber **2.** tyre *pneumatika* **3.** rubber strink *šnúra*
gumárenstvo rubber industry
gumovať rub out
gumovník rubber tree
gumový rubber
gunár gander
gymnasta gymnast
gymnastický gymnastic
gymnastika gymnastics • *do gymnastics* robiť gymnastiku
gymnazista grammar school boy
gymnazistka grammar school girl
gymnázium grammar school

H

háčik 1. little hook **2.** fish hook *na ryby* **3.** crochet *na háčkovanie*
háčkovací crocheting
háčkovanie crochet work
háčkovaný crochet
háčkovať crochet
had snake • *asp* jedovatý had
hádam perhaps
hádanka riddle, puzzle *detská* • *solve a riddle* vylúštiť hádanku
hádať 1. guess **2.** solve *hádanku*
hádať sa quarrel
hadí snaky • *snake poison* hadí jed
hadica tube *trubica*
hádka quarrel *zvada*, disagreement *roztržka*
hádzaná *šport.* handball
hádzanár handball player
hádzanie throwing, darts *šípkami*
hádzať throw • *shoot the craps* hádzať kocky
háj grove, wood
hájiť defend *obhajovať*, protect *chrániť*
hájnik gamekeeper
hájovňa gamekeeper´s cottage
hala hall, entry • *sports hall* športová hala • *exhibition hall* výstavná hala
haló hey *volanie*
halucinácia hallucination
haluška dumpling
haluz branch, twig
hanba shame
hanbiť sa be ashamed of *za*, blush *červenať sa*
hanblivosť modesty, shyness
hanblivý shy
handra rag
harfa harp
harfista harpist
harmónia harmony
harmonický harmonious • *harmonious relations* harmonické vzťahy
harmonika accordion *akor-*

deon, harmonica *ústna*, concertina *ťahacia*
harmonikár harmonica player
harmonogram flow chart, graphic schedule
hárok sheet (of paper), list *zoznam*
hasenie extinction of fire *ohňa*
hasiaci extinguishing • *extinguisher* hasiaci prístroj
hasič fireman
hasiť 1. extinguish *oheň* 2. quench *smäd*
hašlerka cough lozenge
hašteriť sa quarrel
hašterivý quarrelsome
havária crash *náraz*, accident *nehoda*
havarovať crash, break down
havran rook
hebký soft, fine
hej hi, yes
hektár hectare
hektoliter hectolitre
helikoptéra helicopter
helma helmet
herbár herbarium, herbal book
herec actor, player, star *hviezda* • *film actor* filmový herec
herecký theatrical • *dramatic art* herecké umenie
herectvo dramatic art
herečka actress
herňa playroom *detská*
heslo 1. password *kód* **2.** slogan *myšlienka* **3.** headword *v slovníku*
hieroglyf hieroglyph
híkať 1. bray *osol* **2.** heehaw *somár*
história history
historicky historically
historický historic(al) • *historic event* historická udalosť
historik historian
historka story, tale • *funny story* žartovná historka
hitparáda hit parade
hľa lo, look
hlad hunger, starvation •

• *starve* umierať hladom
hľadaný wanted
hľadať look for, seek
hladička iron
hľadieť 1. look at *na* **2.** stare at *zízať na*
hladina surface *povrch*, water-surface *vody* • *above sea level* nad hladinou mora
hľadisko auditorium *v divadle*
hladkať caress
hladký smooth *rovný*
hladný hungry • *I am hungry* som hladný
hladomor famine
hladomorňa dungeon
hladovanie starvation
hladovať starve
hlas voice • *in a low voice* tichým hlasom
hlásateľ 1. announcer *rozhlasový, televízny* **2.** newscaster *spravodajský* **3.** commentator *športový*
hlásiť 1. notify *úradne* **2.** report to *komu* **3.** announce *v rozhlase, televízii*
hlásiť sa 1. register *kde* **2.** hold up o.s. hand *v škole*
hlasitý loud, noisy
hláska sound, phone
hláskovanie spelling
hláskovať spell *písmenká*
hlasno aloud, loudly
hlasný loud, noisy
hlava head • *I have a headache* bolí ma hlava • *Head of State* hlava štátu • *cheer up* hlavu hore
hlavička header *do vody aj vo futbale*
hlávka head • *head of cabbage* hlávka kapusty • *lettuce* hlávkový šalát
hlavne mainly, especially
hlavolam brain-twister
hlavný basic, main • *high road* hlavná cesta • *protagonist* hlavná postava • *main clause* hlavná veta • *capital* hlavné mesto • *front door* hlavný vchod
hĺbka depth
hlbočina depth

hlboký deep • *flesh-wound* hlboká ran • *deep-breathing* hlboké dýchanie • *dreamless sleep* hlboký spánok
hliadka watch, guard *stráž*
hliadkovať patrol
hlina earth, clay *hrnčiarska*
hlodavec rodent
hlt bite *jedla*
hltať gobble *jesť*
hlúčik small crowd
hlučne noisily
hlučný noisy
hluchonemý deaf and dumb
hluchý deaf
hluk noise, din *silný*, clamour *vrava*
hlúposť stupidity
hlúpy stupid, silly
hmatať touch
hmla mist *opar*, fog
hmota 1. substance *podstata* **2.** material • *fuels* pohonné hmoty • *plastic* umelá hmota
hmotnosť weight • *atomic mass* atómová hmotnosť • *gross weight* celková hmotnosť
hmyz insect
hmyzožravce insectivora
hnačka diarrhoea
hnať 1. drive *poháňať* **2.** urge *uháňať*
hnať sa 1. rush **2.** run after *za kým*
hneď at once, instantly
hnedooký brown-eyed
hnedouhoľný brown-coal
hnedý brown • *kidney beans* hnedá fazuľa • *brown coal* hnedé uhlie
hnev anger
hnevať angry, make angry
hnevať sa be angry
hniezdiť nest
hniezdo nest • *wasps'nest* osie hniezdo
hnilý rotten
hniť rot
hnoj manure, dung
hnojiť manure, dung
hnojivo manure
hnutie movement
hoblík plane

hobľovať plane
hoboj oboe
hobojista oboist
hoci though *aj keď*, although
hocičo anything, whatever *čokoľvek*
hocijaký whatever, of any kind
hocikde anywhere, wherever
hocikedy whenever, at any time
hocikto whoever, anyone, anybody
hociktorý anyone, whichever, whoever
hod throw *vrh* • *throwing the discus* hod diskom • *grenade throwing* hod granátom • *throwing the javelin* hod oštepom
hodina **1.** hour **2.** lesson *vyučovacia* • *what time is it?* koľko je hodín?
hodinár watchmaker
hodinárstvo watch-maker´s
hodinky watch
hodiny clock *nástenné* • *hour-hand* hodinová ručička • *sundial* slnečné hodiny
hodiť sa suit, be fit *pristať*
hodiť throw, cast
hodnotenie classification
hodnotiť classify, value
hodváb silk
hodvábny silken
hody feast
hojdací rocking • *rocker* hojdacie kreslo
hojdačka swing
hojdať sa rock, swing
hojnosť abundance, plenty of *dostatok čoho*
hokej hockey • *ice hockey* ľadový hokej
hokejista hockey player
hokejka hockey-stick
hokejový hockey
Holanďan Dutchman
Holanďanka Dutchwoman
holandčina the Dutch language
Holandsko the Netherlands
holandský Dutch
holenie shaving • *aftersha-*

ve voda po holení
holiaci shaving • *safety razor* holiaci strojček
holič barber
holičstvo barber's
holiť sa shave
holohlavý bald, hairless
holub pigeon • *carrier pigeon* poštový holub
holubica hen pigeon
holý bald, naked
hon chase *lov*, hunt • *fox-hunting* hon na líšku
hopkať skip *na mieste*, bounce *nadskakovať*
hora 1. mountain **2.** forest, wood *les*
horár gamekeeper, forester
horáreň gamekeeper's cottage
horčica mustard
hore above, up • *upstairs* hore po schodoch
horiaci burning
horieť burn, be on fire
horizont horizon
horko-ťažko barely
horký bitter
horľavý combustible
hornatina uplands, hilly country
hornatý mountainous, hilly
hornina rock, mineral
horný upper, top • *upper floor* horné poschodie
horolezec mountaineer
horolezectvo mountaineering
horský mountain • *chalet* horská chata
horší worse
horúci hot, boiling hot *vrelý*
horúčava heat
horúčka fever
hospitalizácia hospitalization
hospitalizovať hospitalize
hospodáriť farm *na statku*
hospodárny economic *úsporný*
hospodársky 1. economical **2.** agricultural, farming • *economic geography* hospodársky zemepis
hospodárstvo 1. economy **2.** farm • *national economy* národné hospodárstvo

• *planned economy* plánované hospodárstvo

hosť **1.** guest • *frequent guest* častý hosť **2.** visitor *návštevník* **3.** resident *ubytovaný* **4.** customer *zákazník*

hosteska hostess

hostina banquet, feast • *wedding banquet* svadobná hostina

hostinec pub, inn

hostiteľ host

hostiteľka hostess

hotel hotel

hotelový hotel

hotový **1.** finished, completed **2.** ready *pripravený* • *dinner is ready* obed je hotový

hovädzí cattle *dobytok* • *bouillon* hovädzí vývar

hovädzina beef

hovienko droppings

hovor talk, conversation *rozhovor*, call *telefónny* • *freefone* hovor na účet volaného • *long-distance call* medzimestský hovor • *international call* medzinárodný hovor • *local call* miestny hovor

hovorca speaker

hovoriť discuss *diskutovať*, say, talk, speak

hra play, game *kolektívna* • *the Olympic Games* Olympijské hry

hrabať cock *seno*

hrable rake

hraboš fieldmouse

hrací playing • *dice* hracia kocka

hráč **1.** player **2.** gambler *hazardný*

hračka toy

hračkárstvo toy-shop

hrad castle • *castle courtyard* hradné nádvorie

hradba walls

hrádza dike *nábrežie*, dam *priehrada*

hrach peas, pea *zrnko*

hrachový pea • *pease pudding* hrachová kaša • *pea soup* hrachová polievka

hrana edge, corner

hranatý angular • *angle bracket* hranatá zátvorka
hranica 1. frontier, border • *cross the border* prejsť hranicu 2. boundary *medza*
hraničiť border with *s niečím*, neighbour *susediť*
hraničný border, frontier • *borderline* hraničná čiara • *border crossing* hraničný prechod
hranolky chips
hrať play *športovať* • *play fair* hrať fé • *play tennis* hrať tenis
hrať sa play, toy
hrazda horizontal bar
hrb hump
hrbiť sa bend
hrča lump
hrdina hero • *hero of the hour* hrdina dňa
hrdinka heroine
hrdinskosť heroism
hrdinsky bravely *statočne*
hrdinský heroical • *heroic feat* hrdinský čin
hrdlička turtle-dove
hrdlo throat, neck *fľaše* • *I have a sore throat* bolí ma hrdlo
hrdý proud of *na*
hrebeň comb
hrejivý warming
hrešiť 1. rebuke *karhať* 2. swear *nadávať*
hriadka garden-bed, patch *zeleninová*
hrianka toast
hriať warm
hríb mushroom
hriech sin
hriva thatch *vlasov*
hrkálka rattle
hrkať rattle
hrkútať coo
hrmieť thunder
hrnček little pot, mug
hrnčiar potter • *potter's wheel* hrnčiarsky kruh
hrnčiarstvo pottery
hrniec pot • *enamel pot* smaltovaný hrniec
hrob grave • *mass grave* hromadný hrob • *family grave* rodinný hrob

hrobár grave-digger
hroch hippopotamus, hippo
hrom thunder
hromada heap, pile • *heap of sand* hromada piesku
hromadiť heap up, pile up
hromobitie thunderstorn
hromozvod lightning-conductor
hromžiť swear
hrot point
hrozba threat
hroziť threaten
hrozivý threatening
hrozne awfully, terribly
hrozno grape
hroznový grape • *grape juice* hroznová šťava • *grape-sugar* hroznový cukor
hrozný awful, horrible, terrible • *that's awful!* to je hrozné!
hrôza horror
hrsť handful of *čoho*
hrubý thick • *bad mistake* hrubá chyba
hruď chest, breast
hrudník chest, breast
hrudný chest • *rib-cage* hrudný kôš
hruška **1.** pear tree *strom* **2.** pear *plod*
hrýzť gnaw, bite
huba sponge *špongia*
hubár mushroom-picker
hubárčiť mushroom
hudba music • *classical music* klasická hudba • *dance music* tanečná hudba
hudobne musically
hudobník musician
hudobný musical • *music band* hudobná skupina • *composition* hudobné dielo • *musical instrument* hudobný nástroj
húf crowd, flight *vtákov*
húkanie hoot *sirény*
humno barn
humor humour • *black humour* čierny humor • *sense of humour* zmysel pre humor
humorista humorist • *comic paper* humoristický časopis • *humorous litera-*

ture humoristická literatúra
humorný humorous, witty *vtipný*
huncút rogue
huncútstvo roguery
hurá hurrah, hurray
hurikán hurricane
hus goose • *wild goose* divá hus
húsenica caterpillar
husí goose • *goose-flesh* husia koža
husle violin, fiddle • *play the violin* hrať na husliach • *violin clef* husľový kľúč
huslista violinist
huspenina brawn
hustota density *fyzikálna vlastnosť aj osídlenia*
hustý dense, thick
hvezdáreň observatory
hvezdárstvo astronomy
hviezda star
hviezdička starlet
hviezdnatý starry
hviezdny astral
hvizd whistle
hvízdať whistle
hýbať sa make a move
hydina poultry
hydináreň poultry farm
hydroelektráreň hydroelectric power station
hygiena hygiene
hygienický hygienic
hygienik hygienist
hymna anthem, hymn
hynúť **1.** perish **2.** decay *upadať*
hypnotizovať hypnotize
hypnóza hypnosis

CH

chalan boy
chaluha sea-weed
chalupa cottage
chalúpka little cottage
chameleón chameleon
chamtivec grasping fellow
chamtivý grasping
chaos chaos
chápať understand *rozumieť*
charakter character
charakteristický characteristic, typical *typický* • *touch* charakteristická črta
charakteristika characterization
charakterizovať characterize
chata hut *domček*, cottage *víkendová*, chalet *turistická* • *hutted camp* chatová osada
chatár cottage owner
chatrč shanty
chcieť 1. want, wish *želať si* 2. will
chémia chemistry • *inorganic chemistry* anorganická chémia • *organic chemistry* organická chémia
chemický chemical • *dry-cleaning* chemické čistenie
chemik chemist
chichot giggling
chichotať sa giggle
chirurg surgeon
chirurgia surgery • *plastic surgery* plastická chirurgia
chirurgický surgical • *surgery* chirurgický zákrok
chlad cold, cool
chladený cooled, ice *nápoj*
chladiaci cooling, refrigerant *cooler* chladiaca nádoba
chladiť cool, refrigerate, ice *ľadom*, quench *vodou*
chladnička cooler, fridge • *fridge-freezer* chladnička s mrazničkou
chladný 1. cold *nepríjemne* 2. chilly *mrazivý* • *cold weather* chladné počasie
chládok 1. freshness *tieň* 2. lock-up *väzenie*

chlap **1.** man **2.** husband *manžel*
chlapčenský boyish • *boyhood* chlapčenské roky
chlapec boy, youth *mladík*
chlapík chap, fellow
chlebník knapsack, breadbin *nádoba*
chlebový bread
chlieb bread • *loaf of bread* bochník chleba • *bread and butter* chlieb s maslom
chliev pigsty *pre ošípané*
chlorofyl chlorophyll
chlp hair
chlpatý **1.** hairy **2.** thick-haired *vlasatý* **3.** thick-bearded *fúzatý*
chĺpok fuzz
chmára black cloud *mrak*
chmeľ **1.** hop *rastlina* **2.** hops *plody* • *pick hops* česať chmeľ
chmeľnica hop-garden
chobot trunk *slona*
chobotnica octopus
chod **1.** work *fungovanie* **2.** run *činnosť* **3.** process *priebeh* **4.** course *jedlo*
chodba **1.** corridor **2.** passage *priechod* **3.** underground passage *podzemná*
chodec walker, pedestrian • *pedestrian crossing* prechod pre chodcov
chodidlo sole
chodiť **1.** go **2.** walk *ísť peši* • *walk to and fro* chodiť sem a tam **3.** attend *navštevovať* **4.** go with *mať známosť*
chodník pavement
chorľavieť be ailing
chorľavý ailing, sickly
choroba illness, disease • *infectious disease* infekčná choroba
Chorvátsko Croatia
chorý sick, diseased, ill
chov breeding *mláďat*
chovať **1.** breed, raise *zvieratá* **2.** feed *kŕmiť*
chovateľ breeder *dobytka*
chôdza walk
chrám cathedral *kresťanský*
chránený protected

chrániť 1. protect **2.** defend *brániť* **3.** guard *strážiť*
chrápať snore
chrasta scab
chrbát back, chine *horský*
chrbtica spine, backbone
chrčať rattle
chren horse raddish
chrípka 1. influenza **2.** *hovor.* flu • *have flu* mať chrípku
chrobák insect, beetle
chromý 1. lame *krivý* **2.** crippled *ochrnutý* **3.** limp *bezvládny*
chrt greyhound
chrúmať crunch
chrumkavý crunching
chrup set of teeth
chrúst cock-chafer
chúďa poor child
chudák poor man
chudnúť lose weigh
chudoba poverty, poorness • *live in poverty* žiť v chudobe
chudobný 1. poor, miserable **2.** lacking in *majúci nedostatok*
chudý thin, slim *štíhly*
chuligán hooligan
chuligánstvo hooliganism
chumáč 1. tuft *vlasov* **2.** wisp *slamy*
chuť taste *jedla* • *tasteless* bez chuti
chutiť taste
chutný tasteful
chvála 1. praise **2.** glory *sláva*
chvalabohu fortunately
chváliť praise, compliment *vychvaľovať*
chvastať sa talk big
chvastúň braggart
chvieť sa tremble *triasť sa*, shiver *zimou*
chvíľa while, short time, moment *chvíľka* • *constantly* každú chvíľu
chvost tail
chyba 1. defect *vada* **2.** mistake *omyl*
chýbajúci absent, missing *stratený*
chýbať 1. be lacking in *mať nedostatok čoho* **2.** be

missing, be absent *byť neprítomný*
chybný wrong, incorrect *nesprávny* • *false step* chybný krok
chýr rumour, news *zvesť*
chýrny famous
chystať prepare, make ready
chytať catch, take • *fish* chytať ryby
chytiť **1.** catch **2.** seize *uchopiť* **3.** overtake *dohoniť*
chytiť sa **1.** catch at *čoho* **2.** catch fire *začať horieť*
chytrý **1.** quick, fast *rýchly* **2.** clever *dôvtipný*
chyžná chambermaid

I

i *spoj.* **1.** and **2.** also *aj* **3.** even *dokonca*
iba only, just
ideál ideal
ideálny ideal
idol idol
idyla idyll
igelit plastic
ignorovať ignore
ihla needle *na šitie*
ihlica pin, needle • *hairpin* ihlica do vlasov • *knitting-needle* ihlica na pletenie
ihličie pine-needles
ihličnatý coniferous
ihneď immediately, at once
ihrisko playground
ich their, them *4. pád*
ikona icon
ikra spawn
íl clay
ilustrácia illustration
ilustrátor illustrator
ilustrovaný illustrated • *picture-book* ilustrovaná kniha
ilustrovať illustrate
ilúzia illusion • *disillusioned* bez ilúzií
imelo mistletoe
impulz impulse
imunita immunity • *immune system* imunitný systém
imúnny immune
ináč otherwise
Ind Indian
inde elsewhere
India India
Indián Red Indian
indiánsky Indian
indický Indian
Indoeurópan Indo European
indoeurópsky IndoEuropean
Indonézia Indonesia
infekcia infection
infekčný infectious • *infectious disease* infekčná choroba
infinitív infinitive
inflácia inflation
informácia information • *Inquiry Office* informačná kancelária
informácie information •

inside dôverné informácie
informačný information • *information barrier* informačná bariéra • *information explosion* informačná explózia • *information centre* informačné stredisko
informátor informant
informovať inform
informovať sa ask for information, inquire
infúzia infusion
injekcia injection • *syringe* injekčná striekačka
inkaso cash in hand, collection
inkasovať cash in, collect
inokedy another time, next time *nabudúce*
inscenácia setting
inšpekcia inspection
inšpektor inspector • *police inspector* policajný inšpektor • *inspector of schools* školský inšpektor
inšpirácia inspiration
inšpirovať inspire
inštalatér plumber
inštalovať install, fit *zaviesť*
inštinkt instinct
inštitúcia institution
inštrukcia instruction
inštruktor instructor
inteligencia intelligence
inteligentný intelligent
internát boarding house, hostel • *boarding-school* internátna škola
interprét interpreter
interval interval
interview interview
intonácia intonation
intuícia intuition
invalid invalid
inventúra inventory • *do the stock-taking* robiť inventúru
iný other, different *odlišný*, another, else *ďalší*
inzerát advertisement
inzerovať advertise *robiť reklamu*
inžinier engineer
Ír Irishman, Irish
Írsko • *Northern Ireland* Severné Írsko

írsky Irish
iskra spark
iskriť sa sparkle
iskrivý sparkling
Island Iceland
ísť 1. go, walk *pešo* **2.** travel *cestovať* **3.** work *fungovať* • *go to school* ísť do školy • *go for a walk* ísť na prechádzk • *go away* ísť preč
iste, isto certainly, surely
istota security *bezpečie*
istý 1. certain *určitý* • *be sure* byť si istý **2.** safe *bezpečný*
izba 1. room **2.** small room *izbička*

J

ja I
jablko apple • *apple pie* jablkový koláč
jablkový apple
jabloň apple-tree
jačať yell
jačmeň barley
jadierko little grain
jadro kernel *orecha*, stone *kôstka*, grain *zrnko*
jadrový nuclear • *nuclear power* jadrová energia • *nuclear war* jadrová vojna
jagať sa glitter, sparkle
jaguár jaguar
jahňa lamb
jahňacina lamb
jahoda strawberry
jahodový strawberry
jachta yacht
jachtár yachter
jachtárstvo yachting
jama hole *zvieraťa*, ditch priekopa
jamka 1. dimple *lícna* **2.** hole *golfová*
január January
japončina the Japanese
Japonec Japanese
Japonsko Japan
japonský Japanese
jar spring
jarabica partridge
jarmok fair, market *trh*
jarník spring coat
jarný spring, fresh *svieži*
jarok ditch *pri ceste*, brook *potôčik*
jaseň ash-tree *strom*
jaskyňa cave
jasle nursery
jasný bright, clear
jastrab hawk
jašter lizard, saurian
jašterica lizard
jaternica sausage
jav phenomenon
javisko stage, scene
javiť sa 1. become known *prejaviť sa ako* **2.** show up *ukázať sa* **3.** appear *objaviť sa*
javor maple
jazda ride *na koni*, drive *na*

dopravnom prostriedku • carriageway jazdný pruh
jazdec rider
jazdecký riding
jazdiť ride, drive
jazero lake, loch, sea *veľké* • *little lake* jazierko
jazva scar
jazvec badger
jazvečík dachshund
jazyk 1. tongue 2. language *reč* • *mother tongue* materinský jazyk • *computer language* počítačový jazyk
jazykový • *language barrier* jazyková bariéra
jed poison *otrava*, venom *hada*
jedák eater
jedáleň 1. dining room 2. refreshment room *verejná* 3. canteen *závodná*
jedálenský eating • *parlour car* jedálenský vozeň
jedálny dining • *menu* jedálny lístok
jeden one • *one another* jeden - druhý • *one by one* po jednom
jedenásť eleven
jedenástka football eleven
jedenie eating
jedenkrát once
jedináčik the only child
jediný only, odd *výnimočný*
jedľa fir tree *strom*
jedlo 1. food *potravina*, meal *pravidelné* • *pastry* múčne jedlo 2. dish *chod*
jedlý eatable
jednodenný one-day
jednoducho simply
jednoduchý simple, easy *ľahký*
jednofarebný unicoloured
jednohlasne with one voice
jednohlasný unanimous
jednoizbový one-room
jednojazyčný monolingual
jednolôžkový single-room
jednomiestny one-seat
jednonohý one-legged
jednooký one-eyed
jednoposchodový two-storeyed
jednoposteľový single-room

• *single room* jednoposteľová izba
jednoročný annual
jednosmerný one-way
jednota unity
jednotka best mark *známka*
jednotlivec individual
jednotlivo **1.** individually *individuálne* **2.** one by one *po jednom*
jednotlivý several, individual *ojedinelý*
jednotný united *zjednotený*, uniform • *uniform price* jednotná cena • *singular* jednotné číslo
jedovatý **1.** poisonous **2.** venomous *had*
jeho **1.** his *on* **2.** its *ono* (neživotné)
jej her
jeleň stag, red deer
jelša alder
jemne gently, softly
jemný **1.** fine, soft *materiál* **2.** gentle *mierny* **3.** sensitive *citlivý* **4.** mild *jedlo*
jeseň autumn
jesenný autumnal
jeseter sturgeon
jesť eat, have meals *pravidelne*
jestvovať be, exist
jež hedgehog, sea-urchin *morský*
ježibaba witch
Ježiš Jesus
ježiško Christchild, Santa Claus *cez Vianoce*
ježiť sa bristle
jód iodine • *iodine tincture* jódová tinktúra
jóga yoga
jogín yogi
jogurt yoghurt
joj ah, oh
jubilant person celebrating an anniversary
jubileum anniversary *výročie*, jubilee
juh south • *in the south* na juhu
juhovýchod southeast
juhovýchodný southeastern
juhozápad southwest
juhozápadný south-western

júl July
júlový July
jún June
junior junior
júnový June
južný 1. southern **2.** tropical *ovocie* • *the South Pole* južný pól

K

k 1. *predl.* to *smer*, towards *smerom k* **2.** as far as *až po*
kabát coat, jacket *sako*
kábel cable
kabelka handbag
kabína 1. cabin **2.** box *oddelená*
kabinet museum *školský*
káblový cable • *cable television* káblová televízia
káčer drake
kačiatko duckling
kačica duck, teal *divá*
kade which way, where • *here and there* kade-tade
kadečo whatever, all sorts of things
kadejaký whosoever
kadekoľvek whichever way
kadekto whoever
kaderníctvo hairdresser´s *dámske*, barber´s *pánske*
kaderník hairdresser *dámsky*, barber *pánsky*
kadiaľ which way
kachle tile stove
kachlička tile
kajak *šport.* kayak
kajakár kayak-paddler
kajakárstvo kayak-paddling
kajuta cabin
kakao cocoa
kakaovník cacao-tree
kakaový cocoa
kaktus cactus
kal mud *blato*, slush *špina*
kalamita calamity
kalendár 1. calendar **2.** diary *zápisník* • *calendar month* kalendárny mesiac • *civic year* kalendárny rok • *wall calendar* nástenný kalendár
kaleráb kohlrabi
kalich 1. chalice *na bohoslužbe* **2.** goblet *na víno* **3.** calix *rastliny*
kalkulačka calculator
kaluž puddle, pool
kam where, to what place
kamarát friend, mate, good fellow • *schoolmate* kamarát zo školy

kamarátiť sa be friends
kamarátka girlfriend
kamarátsky familiar, friendly
kamarátstvo friendship
kamaše leggings
kameň stone • *millstone* mlynský kameň • *grave stone* náhrobný kameň
kamenistý stony • *stony soil* kamenistá pôda
kamenný stone • *Stone Age* doba kamenná
kameňolom quarry
kamera camera • *film camera* filmová kamera
kameraman cameraman
kamienok little stone
kamión lorry, truck
kamkoľvek anywhere, wherever
kamsi somewhere
kamzík chamois
Kanada Canada
Kanaďan Canadian
kanadský Canadian • *practical joke* kanadský žartík
kanady knee boots
kanál 1. sewer *stoka* **2.** canal *vnútrozemský* **3.** channel *morský, televízny* **4.** tunnel *podzemný* • *drainage ditch* odvodňovací kanál • *irrigation canal* zavlažovací kanál
kanalizácia sewerage
kanárik canary
kancelária office • *information office* informačná kancelária
kandidát candidate • *list of candidates* zoznam kandidátov
kanoe canoe
kanoista canoeist
kanoistika canoeing
kanva can • *churn* kanva na mlieko
kanvica kettle
kapacita capacity, volume *objem* • *memory capacity* kapacita pamäti
kapela band
kapelník bandmaster
kapitál capital • *inancial capital* finančný kapitál
kapitalista capitalist

kapitalistický capitalist • *capitalist countries* kapitalistické krajiny
kapitalizmus capitalism
kapitán captain, skipper *posádky*
kapitola chapter
kapitulácia capitulation
kapitulovať capitulate
kaplnka chapel
kapor carp
kapota bonnet *auta*
kapsa pocket
kapucňa hood
kapusta 1. cabbage 2. sauerkraut *kyslá kapusta*
kapustnica soup of sauerkraut juice
kapustný cabbage
kar funeral festival
kára pushcart
karamel caramel
karamelka toffee
karatista karatist
karate karate
karavan caravan
karé cutlet *druh mäsa*
karfiol cauliflower
karhať rebuke, admonish *napomínať*
kariéra career
karneval carnival • *carnival procession* karnevalový sprievod
karotka carrot
karta 1. card 2. postcard *pohľadnica* • *play at cards* hrať karty
kartáč brush
kartón 1. cardboard 2. box *krabica* • *bandbox* kartónová krabica
kartotéka 1. card index 2. file *evidencia*
kasáreň barracks
kaskadér stunt-man
kastról saucepan, pot
kaša 1. pulp, porridge *ovsená* 2. gruel *pokrm* • *mashed potatoes* zemiaková kaša
kašeľ cough • *dry cough* suchý kašeľ
kašička pap
kašľať cough, sputter *vykašliavať*

kašovitý pulpy, pasty, pappy • *mushy food* kašovitá strava
kaštieľ castle
kat hangman
katalóg catalogue • *catalogue card* katalógový lístok
katapult catapult
katapultovať catapult
katastrofa catastrophe
katedrála cathedral
kategória category • *age group* veková kategória
katolík Catholic
kaučuk India rubber
kaučukovník gum-tree
káva coffee • *coffee with milk* biela káva • *black coffee* čierna káva • *ground coffee* mletá káva • *make coffee* urobiť kávu
kaviár caviar
kaviareň coffee-house, tea-shop
kaviarnička café
kavka daw
kávovar coffee maker
kávovník coffee plant
kávový coffee • *teaspoon* kávová lyžička
kaz faw, fault *chyba* • *dental caries* zubný kaz
kázať preach *v kostole*
kázeň preaching *kázanie*
kaziť sa get out of order
každodenný daily, everyday
každoročný annual, yearly
každý **1.** each, every *sám o sebe* **2.** everyone, everybody, anyone *človek* • *hourly* každú hodinu • *per minute* každú minútu
kde where • *once upon a time* kde bolo, tam bolo • *here and there* kde-tu
kdečo anything
kdejaký anybody, whatever
kdekto anybody, whoever
kdekoľvek wherever, anywhere
kdesi somewhere
kdeže wherever
keby if, would • *If I were you* Keby som bol na tvojom mieste
kečup ketchup

keď 1. when *časovo* 2. if *ak* 3. while *kým* • *unless* keď nie
kedy when • *now and then* kedy-tedy
kedykoľvek whenever, at any time
kedysi once, at one time
keďže because, since
kefa brush, hairbrush *na vlasy*, clothes-brush *na šaty*
kefír kefir
kefka toothbrush *na zuby*, bottle-brush *na fľaše*
kefovať brush
keks biscuit
kel cabbage *zelenina*
kemp camp
kemping camping *stanovanie*
kengura cangaroo
ker bush
keramický ceramic
keramika 1. ceramics *umenie* 2. chinaware *výrobky*
kiež if only
kikiríkať cock-a-doodle-doo
kilogram kilogramme
kilometer kilometre
kimono kimono
kino cinema
kivi kiwi fruit *ovocie*
kľačať kneel
kladivko mallet *malé*
kladivo hammer
kľakať kneel down
klaksón klaxon
klam fraud *podvod* • *optical illusion* optický klam
klamár cheat, deceiver, liar
klamať deceive, cheat, tell a lie
klamstvo lie, deceit
klaňať sa bow down
klarinet clarinet
klarinetista clarinetist
klas ear of grain • *corn-cob* kukuričný klas
klasický classic • *classical literature* klasická literatúra
klasifikácia marking *v škole*
klasifikovať mark *známkovať*
klások ear

klásť put *kam*, lay • *put questions* klásť otázky
kláštor nunnery *pre mníšky*, monastery *pre mníchov* • *take the veil* vstúpiť do kláštora
klaun clown
klávesnica keyboard
klavír piano • *play the piano* hrať na klavíri • *piano piece* klavírna skladba
klavirista pianist
klbko ball, clew
klebeta gossip
klebetiť gossip
klebetnica gossiper
klenba vault, arch *oblúk*
klenot gem, stone, jewel • *the crown jewels* korunovačné klenoty
klenotníctvo jewellery
klenotník jeweller
klepať 1. type *na stroji* **2.** beat *mäso*
klepeto claw
klesať 1. fall down *upadať* **2.** drop *prudko*
kliať curse, swear
klíčiť germinate
klient client, customer *zákazník*
kliešť tick
kliešte pliers
klietka cage • *birdcage* klietka pre vtákov
klimatizácia air conditioning • *air condition* klimatizačné zariadenie
klinec nail
klinika clinical hospital
klobása sausage
klobúk hat, bonnet *ženský* • *sailor hat* slamený klobúk
klokan kangaroo
kloktať gargle
klopať beat, knock
klub 1. club *spolok* **2.** clubhouse *budova*
klubovňa clubroom
kľúč key • *latchkey* kľúč od vchodu • *lockpicker* pakľúč
kľučka knob *guľová*, handle *dverová*, dribble *vo futbale*
kľučkovať 1. dribble *s lop-*

tou **2.** weasel out *vykrúcať sa*

kľúčový key • *keyhole* kľúčová dierka • *keyword* kľúčové slovo

kľud calm, quiet • *at rest* v kľude

klusať 1. jog **2.** trot *kôň*

klzačka slide

klzať sa slide *šmýkať sa*

klzisko skating rink

klzký slick, slippery

kmeň 1. trunk *stromu* **2.** family *rod*

kmotor godfather

kmotra godmother

kmotrovci godparents

kňaz priest *katolícky*, clergyman *evanjelický*

knedľa dumpling

knieža prince

kniežatstvo principality

kniha book, textbook *učebnica* • *fable book* kniha bájok • *attendance book* kniha návštev • *book of complaints* kniha sťažností

kníhkupec bookseller

kníhkupectvo bookshop

knihovník librarian

knísať sa swing, rock

knižnica 1. library *inštitúcia* **2.** bookcase *kus nábytku* • *library rules* knižničný poriadok • *book fair* knižný veľtrh

knižôčka booklet

knôt wick

kňučanie whine

koberček rug

koberec carpet, tapestry *na stenu*

kobra cobra

kobyla mare

kobylka 1. young mare **2.** grasshoper *lúčná*

kocka 1. cube **2.** dice *na hranie*

kockový cubic • *cube sugar* kockový cukor

kocúr tom-cat

kocúrik puss

koč carriage *ťažký*

kočík 1. baby carriage **2.** *hovor.* pram • *doll's pram* pre bábiku

kočiš coachman
kód code • *secret code* tajný kód
kohút cock
kohútik 1. cockerel *kohúta* **2.** tap *uzáver*
kojenec suckling • *infant food* kojenecká výživa
kokakola 1. coca-cola **2.** *hovor.* coke
kokos coconut
kokosovník coconut palm, coconut tree
kokosový coconut • *grated coconut* kokosová múčka
kokršpaniel cocker-spaniel
koktať stammer, stutter *zajakávať sa*
koktavý stammering, stuttering
kokteil coctail, milk-shade *nealkoholický*
koláč 1. cake**2.** small cake *koláčik* **3.** pie
koľaj 1. rut *stopa* **2.** rail *železničná*
koľajnica rail
koleda carol • *Christmas carol* vianočná koleda
kolega colleague, fellow-worker
kolegyňa colleague
kolekcia set, collection • *assortment of Christmas tree sweets* vianočná kolekcia
kolektív collective, team
kolektívny collective, team • *team-work* kolektívna práca
koleno knee
koleso wheel
koliba shelter
kolík peg *na zavesenie,* baton *štafetový*
kolísať sa 1. rock **2.** swing *hojdať sa*
kolíska cradle
koľko how much, how many • *what's the time?* koľko je hodín? • *how much is it?* koľko to stojí?
koľkokrát how many times, how often
koľký which
kolmica vertical line
kolmý vertical

kôlňa wood-shed *na drevo*
kolo 1. circle, ring **2.** *šport.* round **3.** lap *pri pretekoch*
kolobeh circulation, cycle
kolobežka scooter
kolok stamp
kolóna convoy
kolónia colony
kolónka column
kolotoč merry-go-round
kolt colt
komár mosquito
kombajn combine harvester
kombajnista combine operator
kombinácia combination
kombinačky pliers
kombinéza overalls
komédia comedy
komediant comedian
komentátor commentator
komentovať comment
kométa comet
komický comic
komik comedian, comic
komín 1. chimney **2.** stact *továrenský*
kominár chimney sweep
komisár commissioner
komisia committee, commission
komora 1. pantry, storeroom **2.** larder *špajza*
komorná chamber maid
komorník chamberlain
komorný chamber • *chamber music* komorná hudba • *chamber orchestra* komorné teleso • *chamber concert* komorný koncert • *chamber orchestra* komorný orchester
kompa ferry *trajekt*
kompas compass
kompletný complete, full
komplikácia complication
komplikovať complicate
komponovať compose *hudbu*
kompost compost
kompót 1. compote *v náleve* **2.** stewed fruit, fruit salad • *stewed apples* jablkový kompót
komunikácia communication
komunikačný communica-

tion • *means of communication* komunikačné prostriedky
komunikovať communicate
konár 1. branch **2.** twig *konárik*
konať do *robiť*
konať sa take place
koncentračný concentration • *concentration camp* koncentračný tábor
koncepcia 1. conception *predstava* **2.** concept *myšlienka*
koncept sketch *náčrt*
koncert concert
koncertný concert • *concert-hall* koncertná sieň
koncertovať tour
končatina limb
končiar peak
končiť end, finish
končiť sa end, make an end, finish up
kondícia 1. physical condition **2.** fitness *telesná*
kondolovať condole
konečne finally, at least
konečný definitive, final • *the final decision* konečné rozhodnutie • *flat* konečné slovo
konferencia 1. conference **2.** staff meeting *školská* • *press conference* tlačová konferencia
konflikt conflict • *armed conflict* ozbrojený konflikt
kongres congress
koniareň stable
koníček 1. hobby *záľuba* **2.** little horse, pony *poník*
koniec 1. end **2.** tip *špička* **3.** conclusion *záver* • *after all* koniec koncov
konspekt abstract *obsah*
konštatovať claim *tvrdiť*
konštruktér constructor
konštruovať 1. design *zostaviť* **2.** construct
kontajner container
kontakt contact • *establish contact with* nadviazať kontakt s
kontaktný contact • *a contact lens* kontaktné šošovky

kontinent 1. continent *svetadiel* 2. the Continent *Európa*
kontinentálny continental
kontrola 1. examination *prehliadka* 2. control *passport control* pasová kontrola
kontrolný control • *code number* kontrolné číslo
kontrolór checker, examiner, inspector
kontrolovať check, examine, inspect
konvalinka lily of the valley
konverzácia conversation, talk
konverzačný conversational
konzerva tin *mäsová*
konzervácia conservation
konzervovať conserve, tin, pot *mäsové výrobky*, preserve *zaváraním*
konzul consul
konzulát consulate
konzultácia consultation • *tutorial hours* konzultačné hodiny
konzultovať consult
kop kick • *penalty kick* pokutový kop • *corner kick* rohový kop
kopa 1. heap, pile 2. stack *sena*
kopáč digger
kopačka football boots
kopanec kick
kopať 1. dig *jamu* 2. kick *nohami*
kopcovitý hilly
kopec 1. hill, mount 2. slope *svah*
kópia copy
kopírovať copy
kopírka copier
kopírovací copy • *carbon paper* kopírovací papier
kopnúť kick *nohou*
kopov setter
kopyto hoof *zvieraťa*
koralový coral • *coral island* koralový ostrov • *coral reef* koralový útes
korbáč whip
korčuľa skates
korčuliar skater

korčuľovanie ice-skating
korčuľovať sa skate
koreň 1. root *rastliny* 2. word root *slova* • *radical* koreň rovnice
korenený spiced
korenička spice-box
korenie spices • *pepper* čierne korenie
koreňový root • *root vegetable* koreňová zelenina
korešpondencia correspondence
korešpondenčný correspondence • *postcard* korešpondenčný lístok
korisť capture, prey *úlovok*, boodle *z lúpeže*
kormidelník helmsman, pilot
kormidlo helm, wheel
kormidlovať steer, pilot
korok cork
koruna 1. crown *platidlo aj kráľovská* 2. head stromu
korunný crown • *crown prince* korunný princ
korunovácia coronation
korunovať crown, queen *za kráľovnú*
korytnačka tortoise, turtle *morská*
koryto 1. trough *nádoba* 2. riverbed *rieky*
kosa scythe
kosačka landmower, lawnmover *na trávnik*
kosínus cosine
kosiť mow, cut
kosť bone • *collarbone* kľúčna kosť
kostol church
kostra skeleton • *human skeleton* kostra človeka
kostrbatý bumpy, rugged • *scrawly handwriting* kostrbaté písmo
kostým 1. suit 2. costume • *trouser suit* nohavicový kostým
košatý bushy, spreading
košeľa shirt • *night shirt* nočná košeľa
košiar sheepfold
košík basket, creel *na ryby*
košikár basket-maker

košikárstvo basket-making
kotkodákať cackle
kotleta chop *bravčová*, cutlet *teľacia*
kotlík small kettle
kotlina basin, hollow
kotol kettle
kotolňa boiler room
kotrmelec somersault
kotúľať sa roll
kotva anchor *na lodi*
kotviť anchor, harbour *v prístave*
kov metal
kováč blacksmith
kováčsky blacksmith´s • *forge* kováčska dielňa
kovový metallic
koza goat, she-goat
kozľa kid
kozľacina goat meat
kozmetický cosmetic • *cosmetic changes* kozmetické úpravy • *beauty salon* kozmetický salón
kozmetička cosmetician
kozmetika cosmetics
kozmický cosmic, space • *spacecraft* kozmická loď
kozmonaut cosmonaut, astronaut, spaceman
kozmos cosmos
kozub hearth, fireplace
koža 1. skin *pokožka* 2. leather
kožený leather
kožiarstvo tannery
kožný skin
kožuch fur coat
kožušina coat, fur
kožušinový furry • *necklet* kožušinový golier
kožušníctvo furrier´s
kožušník furrier
kôl pile
kôlňa shed
kôň horse
kôpor dill
kôra 1. bark *drevín* 2. peel *šupka*
kôrka crust *z chleba*
kôstka pit *jadierko*, stone *z ovocia*
kôš basket • *clothes-basket* kôš na bielizeň • *litter-bin* kôš na odpadky

krab crab
krabica box
kráčať walk, march
krádež **1.** theft **2.** burglary *vlámanie* **3.** shoplifting *v obchode*
kradnúť **1.** steal, thieve **2.** lift *v obchode*
kraj **1.** edge, border *okraj* **2.** country *krajina* **3.** region *oblasť*
krajan fellow-countryman
krájanie cutting
krajanka fellow-countrywoman
krájať cut, slice *na plátky*
krajčír tailor, dressmaker *dámsky*
krajčírstvo tailor´s
krajec slice of *plátok čoho*
krajina country, land, region • *mountainous country* hornatá krajina • *dream-land* krajina snov
krajka lace
krajový regional
krajský district
krákanie croaking
krákať croak
kráľ king • *The Three Magi* Traja králi
králik rabbit
kráľovať reign
kráľovič prince royal
kráľovná queen • *queen mother* kráľovná matka
kráľovský royal, kingly • *royalty* kráľovská rodina
kráľovstvo kingdom, royalty • *he Kingdom of Heaven* kráľovstvo nebeské
krása beauty
kráska beauty
kraslica painted Easter egg
krásny beautiful, lovely
krasokorčuliar figure skater
krasokorčuľovanie figure skating
krášliť sa beautify, adom *zdobiť*
krát times • *how many times?* koľkokrát? • *once* jedenkrát • *twice* dvakrát *three times* trikrát

kráter crater
krátiť cut
krátiť sa become/get shorter
krátko briefly, shortly
krátkodobý short, short-term
krátkozraký shortsighted
krátky 1. short **2.** brief *stručný* • *call* krátka návšteva • *tag* krátka otázka • *chit* krátka správa • *shorts* krátke nohavice
kraul crawl
krava cow
kravata tie, necktie
kravín cowshed
kravský cow´s • *cow´s milk* kravské mlieko
kŕč spasm
krčah jug, pitcher
krčiť 1. crease, wrinkle **2.** shrug *plecami*
krčiť sa shrink, wrinkle
krčma inn, pub
krčmár inkeeper
kŕdeľ flock
kredenc 1. *hovor.* sideboard **2.** cupboard
krehký fragile, brittle *sklo* • *puff pastry* krehké cesto
krém 1. shoe wax **2.** cream *kozmetický*
krematórium crematorium
krémovať 1. cream **2.** polish *obuv*
krémový cream-coloured *farba*
kresba drawing, picture
kreslenie drawing
kreslič designer, draftsman
kresliť draw, pencil *ceruzkou*, crayon *pastelkou* • *animate cartoon* kreslený film
kreslo armchair • *electric chair* elektrické kreslo
kresťan Christian
kresťanský Christian
kresťanstvo Christianity
krhľa can
kričať 1. shout, scream *dieťa*, yell *jačať* **2.** shout to *volať na* • *scream with pain* kričať od bolesti
krídlo wing

krieda chalk
krík bush
krik shouting, scream
kriket cricket
kriminálka criminal police
kriminálny criminal • *job* kriminálny čin
Kristus Christ • *before christ (BC)* pred Kristom
kritik critic • *music critic* hudobný kritik • *literary critic* literárny kritik
kritika criticism
kritizovať criticize
krívať limp
krivda wrong
krivdiť do wrong
kriviť sa stoop *hrbiť*
krivý 1. twisted *skrivený* **2.** lame *chromý*
kríza crisis
kríž cross
krížom across *naproti* • *crisscross* krížom-krážom
križovať sa 1. cross **2.** intersect *cesty*
križovatka crossroad, crossing
krížovka crossword
krk 1. neck **2.** throat *hrdlo*
krkovička pork neck *mäso*
kŕmič feeder
kŕmidlo bird-table *pre vtákov*
kŕmiť feed
krmivo fodder, feedstuff
krochkať grunt
kroj costume • *national costume* národný kroj
krok step • *step by step* krok za krokom • *at a walking pace* krokom
krokodíl crocodile
krompáč pick
kronika chronicle
kronikár chronicler
kropiť sprinkle, water *rastlinky*
krotiť break in *koňa*
krotiteľ tamer
krotký 1. tame **2.** gentle *mierny*
krstiny christening party
krstiť christen
krstňa *hovor.* godchild
krstný godfather *otec*, god-

mother *mama* • *goddaughter* krstná dcéra • *Christian name* krstné meno • *godparents* krstní rodičia • *birth certificate* krstný list • *godson* krstný syn
krt mole
krtinec molehill
kruh 1. *geom.* circle • *polar circle* polárny kruh **2.** *ring hoop* kruh na vyšívanie
kruhový round
krupica semolina, grits
krútiť 1. wag *chvostom* **2.** twist *skrúcať* **3.** bridle *hlavou*
krútiť sa 1. turn round **2.** dance **3.** twirl
krutý brutal *brutálny*, drastic *drastický* • *animal* krutý človek
kružidlo compass
krúžiť 1. turn round **2.** rotate *rotovať*
kružnica circle
krv blood • *blood donor* darca krvi
krvavý bloody
krvný blood • *blood group* krvná skupina • *blood count* krvný obraz • *blood pressure* krvný tlak
kryha floe
krysa rat
kryt 1. cover **2.** guard *ochranný* **3.** shelter *úkryt*
kryť 1. cover, shelter **2.** protect *chrániť*
kto who, which *z viacerých* • *which of you?* kto z vás?
ktokoľvek whoever, anyone
ktorý 1. who *osoba,* which *neživotné* **2.** that *vypustiteľná spojka*
ktorý *zám.* **1.** what *opyt.* **2.** which *opyt.*
ktorýkoľvek whichever, whoever
ktorýsi certain, some, someone
ktosi somebody, someone
ktovie who knows
ku *predl.* to
kučera curl, lock
kučeravý curly, curly-haired

• *kale* kučeravý kel
kúdoľ wreath *dymu*
kufor 1. suitcase 2. boot *auta*
kufrík small suitcase
kuchár cook • *chef* šéfkuchár
kuchársky cooking • *cookery* kuchárska kniha
kuchyňa kitchen *miestnosť* • *cold and hot meals* studená a teplá kuchyňa
kuchynský kitchen, cooking • *fitted kitchen* kuchynská linka • *kitchen table* kuchynský stôl
kukla 1. cap *na hlavu* 2. chrysalis *hmyzu*
kukučka cuckoo
kukurica maize • *cornflour* kukuričná múka
kultúra civilization
kulturista body-builder
kulturistika *šport.* body building
kultúrny cultural, civilized
kuna marten
kúpa buy, purchase • *hire purchase* kúpa na splátky
kúpací bathing • *bathrobe* kúpací plášť
kúpalisko swimming pool, bathing pool
kúpanie bathing
kúpať 1. bathe *plávať* 2. give a bath *umývať*
kúpať sa 1. bathe *plávať* 2. have a bath *umývať sa*
kupé compartment *vo vozni*
kupec buyer, purchaser
kúpeľ bath, tub *vo vani*
kúpele spa
kúpeľňa bathroom
kúpeľný spa • *bather* kúpeľný hosť
kúpiť buy, purchase
kupovať buy, purchase
kupujúci buyer, purchaser, customer *zákazník*
kura chicken, roaster *na pečenie*
kúrenie heating
kuriatko chick
kurič stoker, fireman
kurín chicken-house
kúriť make fire *zakúriť*,

heat *vykurovať*
kurt *šport.* court • *tennist court* tenisový kurt
kurz 1. course **2.** direction *smer*
kus piece, bit *časť*
kúsok bit, a little *trošku* • *gobbet* kúsok jedla
kuť forge *kovať*
kút corner *roh*
kuvik barn owl
kúzelník magician, wizard *čarodej*
kúzelný magic *magický*, charming *okúzľujúci*
kúzlo 1. trick **2.** charm *čaro*
kužeľ *geom.* cone
kvadratický quadratic • *quadratic equation* kvadratická rovnica
kvákať quack
kvalifikácia qualification
kvalifikačný qualificatory
kvalita quality
kvalitný high quality • *quality products* kvalitné výrobky
kvantita quantity
kvantitatívny quantitative
kvapalina fluid, liquid
kvapka drop, drip • *drops* kvapky
kvapkať drop, drip *vodovodný kohútik*
kvarteto quartet
kvasnice leaven, yeast
kvet flower
kvetináč flowerpot
kvetinárstvo the florist´s
kvetinový flower, flowery • *flower bed* kvetinový záhon
kvičať squeal
kvinteto quintet
kvitnúť blossom, flourish
kvíz quiz
kvočať squat
kybernetika cybernetics
kýchať sneeze
kým 1. while *zatiaľ čo* **2.** till, untill *až, do časovo*
kypieť boil over
kypriť cultivate *pôdu* • *baking powder* kypriaci prášok
kyselina acid • *citric acid*

kyselina citrónová
kyslík oxygen
kyslíkový oxygen
kyslý sour • *sauerkraut* kyslá kapusta • *sour cream* kyslá smotana • *curd* kyslé mlieko
kysnúť rise *cesto* • *sourdough* kysnuté cesto
kytica bunch of flowers *kvetov*
kývať 1. wave *mávať* **2.** nod *hlavou*
kývať sa swing

L

laba pad *psa*
laborant laboratorian
laboratórium laboratory
laboratórny laboratory
labuť swan
labužník gourmet
labyrint labyrinth
lacný cheap *cenovo*
ľad ice
ladiť tune *zvuk*
ľadoborec icebreaker
ľadovec 1. glacier *horský* **2.** iceberg *ľadový* **3.** floe *kryha*
ľadový ice, icy *studený* • *ice hockey* ľadový hokej
lagúna lagoon
ľahko easily
ľahký 1. light *hmotnosť*, soft *jemný* **2.** easy *obsahom* • *English is easy.* Angličtina je ľahká.
ľahnúť si 1. lie down **2.** go to bed *ísť spať* **3.** lie back *na chrbát*
lahodný delicious *chuť*
lahôdka titbit, delicasy
lahôdkárstvo delicatessen
laik layman
lajdák lazybones
lak 1. lacquer *jemný* **2.** nail-varnish *na nechty* **3.** hair-spray *na vlasy*
lákať entice *vábiť*
ľakať sa be frightened
lakeť elbow
lakomec miser
lakomý miserly
ľalia lily
lámať break, wonder *si hlavu*
lamentovať lament
lampa lamp
lampáš lantern
lampión Chinese lantern
lampiónový lantern
lán field *pole*
laň roe
langusta lobster
lano rope, cable *kovové* • *climb a rope* šplhať sa po lane
lanovka cableway
lapaj scamp, rogue

lapať gasp *dych*
larva larva
laser laser
lasica weasel
láska 1. love **2.** liking *záľuba* **3.** love *milovaná osoba* • *love at first sight* láska na prvý pohľad • *maternal love* materinská láska • *parental love* rodičovská láska
láskavý 1. attentive *pozorný* **2.** kind
laso lasso
lastovička swallow
lastúra shell
lata lath, board
latinčina Latin
latinský Latin, Roman *písmo*
látka 1. substance *hmota* **2.** cloth, material *tkanina*
láva lava
ľavák left-handed person
lavica 1. bench **2.** desk *v škole* **3.** pew *v kostole*
lavička bench
lavína avalanche
lávka foot-bridge
ľavý 1. left **2.** clumsy *neobratný* • *outside left* ľavé krídlo
lebka skull
lebo because *pretože*
lečo vegetable stew
ledva 1. as soon as *len čo* **2.** hardly *takmer nie*
legenda fable, legend
legendárny legendary, fabulous
légia legion • *foreign legion* cudzinecká légia
legitimácia identity card
legitimovať legitimate
lejak downpour, heavy rain
lekár 1. doctor **2.** surgeon *chirurg* **3.** dentist *zubár* **4.** specialist *odborný* • *paediatrician* detský lekár
lekáreň pharmacy
lekárnička first aid box
lekársky medical • *medical* lekárska prehliadka
lekárstvo medicine
lekcia lesson
lekno water-lily

lektor lector *zahraničný*
lekvár jam
lem 1. hem *odevu* **2.** rim *nádob*
len only, just *práve* • *as soon as* len čo
lenivec idler, lazybones
lenivosť laziness
lenivý lazy, idle
lentilky smarties
lenže but
leopard leopard
lep glue, paste
lepiaci gluey • *sticky tape* lepiaca páska
lepidlo paste, glue, gum *na papier*
lepiť glue, paste
lepkavý sticky
lepší better
lepšie better
les wood, forest • *fir-wood* ihličnatý • *green-wood* listnatý
lesík grove
lesklý 1. lustrous **2.** brilliant *jasný*
lesknúť sa shine, glitter *jagať sa*
lesnatý woody
lesník forester
lesný woodland • *wood strawberries* lesné jahody
leštiť polish
let flight • *chartered flight* nepravidelný let • *schedule flight* pravidelný let
leták pamphlet
letec pilot
letecký air • *airmail* letecká pošta • *air base* letecká základňa
letectvo *voj.* air force
letenka air ticket, flight ticket
letieť 1. fly **2.** glide *vznášať sa*
letisko airport • *terminal* budova letiska
letný summer • *summer holidays* letné prázdniny • *midsummer* letný slnovrat
leto summer • *Indian summer* babie leto • *in summer* v lete
letopočet 1. era, epoch **2.** date

• *AD* nášho letopočtu • *BC* pred naším letopočtom
letovisko summer-resort, holiday-inn
letový air, of flight • *flight path* letová dráha • *flight schedule* letový poriadok
letuška air hostess, stewardess
lev lion
levica lioness
levíča lion´s cub
lexikón lexicon
ležať 1. lie **2.** be in bed *spať* **3.** be situated *rozprestierať sa*
liať pour *dážď*
libra pound • *English pound* anglická libra
líce 1. cheek, face **2.** right side *vonkajšia strana* • *cheek-bone* lícna kosť
líčiť sa put on make-up
liečba treatment, therapy
liečebňa treatment centre, sanatorium
liečebný healing, therapeutic • *method of treatment* liečebná metóda • *cure* liečebný postup
liečenie cure
liečiť heal, cure, treat *chorobu*
liečivý curative, healing
liehovar distillery
liek cure, medicine
lienka lady-bird
lieska hazel
lieskovec hazel-nut *oriešok*
lietadlo aircraft, aeroplane, plane
lietanie flying
lietať 1. fly **2.** soar *plachtiť*
lievanec griddle cake
lievik funnel
liezť 1. creep, crawl **2.** climb *škriabať sa*
liga league *športová*
ligotať sa shine, glitter
ligotavý glittering
ligový league
líhať si lie down
limonáda lemonade
limuzína limousine
linajka line
linka line • *hold the line,*

please držte linku (pri telefonovaní) • *airline* letecká linka
linoleum linoleum
lipa lime
lis press
list 1. leaf *stromu* **2.** sheet papiera **3.** letter *písomná správa* • *registered letter* doporučený list • *certificate of baptism* krstný list • *birth certificate* rodný list • *certificate of marriage* sobášny list • *certificate of death* úmrtný list
lístie leaves
listina act, document • *attendance list* prezenčná listina • *official document* úradná listina
listnatý leafy *strom*, deciduous *les*
lístok 1. menu *jedálny* **2.** ticket *cestovný*
líšiť sa differ from *od*
líška fox
liter litre
literárny literary • *authorcraft* literárne dielo • *literary critic* literárny kritik
literatúra literature
litrový litre
lízanka lollipop, lolly
lízať lick
loď ship, boat *čln* • *space ship* kozmická loď • *cargo boat* nákladná loď • *merchant ship* obchodná loď • *wrecker* záchranná loď
lodenica shipyard, dockyard
lodník boatman
lodný ship, naval • *shipping traffic* lodná doprava • *ship's crew* lodná posádka • *shipload* lodný náklad
loďstvo 1. fleet **2.** *voj.* navy
logaritmický logarithmic • *log tables* logaritmické tabuľky
logaritmus logarithm
logický logical
logika logic
logo logo
lokomotíva engine
lom quarry *kameňolom*
lomoz noise

Londýn London • *the City* londýnska city
Londýnčan Londoner
lopata shovel
lopatka spade, dustpan *na smetie*
lopta ball • *ball game* loptová hra
losos salmon
lotor **1.** villain **2.** rascal *lapaj*
lov hunt, chase
lovec hunter, chaser
lovecký hunting • *harrier* lovecký pes
loviť **1.** hunt **2.** chase *zver* **3.** fish *ryby*
loziť crawl, creep
lož lie, falsehood
ložisko bed *nerastov*
lôžko bed, berth *vo vlaku* • *sleeping-car* lôžkový vozeň
ľúbiť **1.** love *milovať* **2.** like *mať rád*
ľúbostný love • *love-letter* ľúbostný list
ľubovoľný optional
ľúbozvučný melodious
lúč beam • *X-ray* rőntgen
lúčiť sa say good-bye
lúčny grass • *grasshopper* lúčny koník
ľud the people, nation
ľudia people, humans
ľudový popular, folk • *folk music* ľudová hudba • *folk song* ľudová pieseň • *folktale* ľudová povesť
ľudožrút cannibal
ľudský human • *anatomy* ľudské telo
ľudstvo mankind
luk bow
lúka meadow
lukostrelec bowman
lunapark fair, funfair
lupa pocket lens
lúpať peel, shell *hrach*
lúpež robbery, burglary
lúpežník bandit
lupič robber, burglar *v noci*
lupina scurf *vo vlasoch*
lúskať **1.** crack **2.** snap *prstami* **3.** pod *fazuľu*
luster chandelier

lúštiť solve, do crosswords *krížovku*
ľúto feel sorry • *I am sorry.* Ľutujem.
ľútosť pity, sorrow *žiaľ*
ľutovať be sorry
lyrický lyric(al) • *lyrical poem* lyrická báseň • *lyrical poetry* lyrická poézia
lyrika lyric poetry
lysý bald *bez vlasov*
lýtko calf
lyže ski • *pole* lyžiarska palica • *ski-lift* lyžiarsky vlek
lyžiar skier
lyžica spoon
lyžička teaspoon
lyžovačka skiing
lyžovať sa ski, go skiing

M

macko teddy bear
maco bear
macocha stepmother
máčať **1.** soak *bielizeň* **2.** dip *ponoriť*
mačiatko kitten
mačka cat • *lucky dip* mačka vo vreci
Maďar Hungarian
maďarčina Hungarian
Maďarsko Hungary
maďarský Hungarian
mág magician
magický magic
magistrála arterial road
magnet magnet
magnetický magnetic • *magnetic tape* magnetická páska • *magnetic field* magnetické pole
magnetka magnetic needle
magnetofón tape recorder, casette recorder *kazetový*
magnetofónový recording • *recording* magnetofónový záznam
mach moss
machuľa blot, blotch • *ink blot* atramentová machuľa
máj May • *May Day* 1. Máj
maják lighthouse
majáles May festival
majetok possession, property
majiteľ owner • *householder* majiteľ domu • *landowner* majiteľ statku
majonéza mayonnaise
major major
majster **1.** craftsman *remeselník* **2.** master *maliar* **3.** *šport.* champion
majstrovský masterly • *masterpiece* majstrovské dielo
mak **1.** poppy **2.** poppy-seed *zrnko*
makaróny macaroni
makovník poppy-cake *koláč*
makový poppy
makrela mackerel
malátny weary *unavený*
maľba **1.** painting **2.** picture *obraz* **3.** paint *náter*

malebný picturesque
maliar 1. painter, artist *umelec* **2.** decorator *izieb* **3.** cartoonist *karikatúr* **4.** portraitist *portrétov*
maliarka paintress
maliarstvo 1. art of painting **2.** painting and decoration *izieb*
malíček little finger
máličko little bit, a little
malina raspberry
malinovka soft drink
malinový raspberry • *malinová šťava* raspberry juice
málo little, a little/a bit, few
málokde hardly anywhere
málokedy seldom, rarely *zriedkavo*
málokto hardly anybody
máloktorý hardly any
maloletý under age
maľovaný painted
maľovať paint *farbami*
málovravný silent
malý 1. small, little *vekom* **2.** short *výškovo*
mama mother • *godmother* krstná mama
mamička mum
mamut mammoth
manažér manager
manažérka manageress
mandarínka tangerine, mandarine
mandľa *bot.* almond
mandľovník almond-tree
mandľový almond
manekýn mannequin
manekýnka 1. model **2.** mannequin *figurína*
manéž circus ring
mango mango
mangovník mango-tree
manifestácia manifestation
manifestovať manifest
manikúra manicure • *manicure set* súprava
manzarda attic
manžel husband • *a married couple* manželia
manželka wife
manželstvo marriage, married life • *wed* vstúpiť do manželstva
manžeta cuff, wrist *na ruká-*

ve • *buttons* manžetové gombíčky
mapa map
maratón marathon
maratónec marathon runner
maratónsky race *beh, preteky* • *marathon* maratónsky beh
marec March
margarín margarine
marhuľa 1. apricot tree *strom* 2. apricot *plod*
maringotka caravan
marioneta marionette
marmeláda marmalade
marmeládový jam, marmalade
márnica dead-house
márny 1. useless *zbytočný* 2. worthless *bezcenný*
masa mass
masáž massage
masér masseur
masérka masseuse
masírovať massage
masív massif
maska 1. mask 2. fancy dress *karnevalová*
maskér make-up man
maskérka make-up woman
maskovať 1. mask, make up 2. camouflage *zastierať*
maslo butter • *bread and butter* chlieb s maslom
maslový butter
masovokomunikačný medial • *mass media* masovokomunikačné prostriedky
masť lard, fat
mastiť 1. grease 2. lard *natierať*
mastný fat, oily • *fat meat* mastné mäso
maškara mask
maškarný masked • *masked ball* maškarný ples
maškrta dainties
mašľa 1. tie *uzol* 2. ribbon *stužka*
maštaľ stable
mať 1. have, have got 2. own *vlastniť*
mat mate • *chess and mate* šach mat
mať sa 1. be *žiť* 2. have a time • *how are you?* ako

sa máš?
matematický mathematical • *mathematical sign* matematické znamienko
matematik mathematician
matematika mathematics
materčina mother tongue
materský mother
materiál 1. material **2.** matter *látka*
materinský maternal • *mother tongue* materinský jazyk
materský maternity • *maternity leave* materská dovolenka • *kindergarten, nursery school* materská škola • *freckle* materské znamienko
matika *hovor.* maths
matka 1. mother **2.** female *u zvierat* • *Queen Mother* Kráľovná Matka • *queen bee* včelia matka
mátoha ghost, phantom
mátožiť haunt
maturant graduate from secondary school
maturita school-leaving examination, final examination • *General Certificate of Education* maturitné vysvedčenie • *school farewell-party* maturitný večierok
maturovať matriculate
mávať wave to *na*
maximálny maximum
maximum maximum
maznať sa caress
mäkčeň diacritic mark
mäkký 1. soft **2.** gentle *jemný*
mäsiar butcher
mäsiarstvo butcher´s *obchod*
mäso meat
mäsový meat
mäsožravec carnivorous animal
mäsožravý carnivorous
mäta mint, pepper-mint *pieporná*
mé baa
meč sword
mečať baa

med honey
medaila medal
medailónik locket *prívesok*
medicína medicine *veda*
medik medic, medical student
medovník honey-cake
medový honey
medúza jelly fish
medveď bear, she-bear *medvedica*
medvedík teddy-bear *hračka*
medzera space
medzi between *dvomi,* among *viacerými*
medzikontinentálny intercontinental
medziľudský interpersonal
medzimestský intercity, trunk call *hovor*
medzinárodný international • *treaty* medzinárodná zmluva
medziposchodie mezzanine
medzištátny international
medzitým meanwhile
mech sack
mechanik mechanic
melódia 1. melody **2.** tune *pieseň*
melodický melodious
melón honeydew, melon *žltý*
meluzína wailing wind
menej less, fewer • *less time* menej času
meniny name´s day
meniť 1. change **2.** change *vymeniť*
meniť sa 1. change into *na* **2.** interchange *striedať sa*
meno 1. name **2.** reputation *povesť* • *Christian name* krstné meno • *maiden name* dievčenské meno • *first name* rodné meno
menoslov roll
menovať 1. name **2.** call *nazývať* **3.** appoint *vymenúvať*
menovať sa be called
menovec namesake
menší smaller, fewer
menšina smaller part
mentolka menthol drop
mentolový menthol

meradlo measure, scale *mierka*
merať 1. measure, tape *páskou* **2.** compare with *porovnávať s* **3.** time *čas*
mesačný monthly • *moonlight* mesačný svit
mesiac 1. Moon *planéta* **2.** month *obdobie*
mestečko small town
mesto town, city • *capital* hlavné • *county seat* krajské/okresné mesto • *port* prístavné
mestský urban *patriaci mestu* • *town council* mestská rada • *townhall* mestská radnica • *village* mestská štvrť • *municipal office* mestský úrad
mešec purse, pouch *na tabak*
meškať 1. be late, come late **2.** delay *oneskorovať sa* **3.** be slow *hodiny*
metabolizmus metabolism
metelica blizzard, snowstorm
meteor meteor
meteorit meteorite
meteorológ meteorologist
meteorológia meteorology
meteorologický meteorological • *meteorological map* meteorologická mapa
meter 1. metre **2.** measuring tape *meradlo*
metla whisk *kuchynská*
metóda method
metro underground
metrový metre
mieniť 1. mean, think **2.** intend *zamýšľať, mať v úmysle*
mienka opinion *názor* • *in my opinion* podľa mňa
mier peace • *break peace* porušiť mier • *make peace* uzavrieť mier
mieriť 1. aim at *cieliť na* **2.** point to *ukazovať na*
miernit' relieve *bolesť*
mierny gentle, mild
mierový peaceful
miesiť 1. knead *cesto* **2.** mix *miešať*
miestenka seat reservation

miestnosť room, office *kancelárska*
miesto 1. place, seat *na sedenie* **2.** space *priestor* • *birthplace* miesto narodenia
miešačka mixer
miešať mix, stir *lyžicou*
mihalnica eyelash
mihnúť sa flash
mikrób microbe
mikrofón microphone
mikroskop microscope
míľa mile
milá girl-friend
miláčik 1. pet *zvieratko* **2.** dear *oslovenie*
miliarda milliard
miliardár billionaire
miligram milligramme
mililiter millilitre
milimeter millimetre
milión million
milionár millionaire
milosť pardon *omilostenie*
milovaný beloved
milovať love
milučký sweet
milý 1. dear, favourite *obľúbený*, nice *v správaní* **2.** graceful *pôvabný* • *dear friend* milý priateľ
mimo 1. out of, outside of *miesto, dej* **2.** out of order *nefunkčný*
mimochodom by the way, incidentally *náhodou*
mimoriadny 1. special, extra, emergency *naliehavý* **2.** remarkable *pozoruhodný* **3.** uncommon *nezvyčajný*
mimoškolský outside the school
mína mine
míňať sa pass, spend
míňať 1. spend *peniaze* **2.** consume *zásoby*
minca coin
minerál mineral
minerálka mineral water
minigolf minigolf
minimálny minimum
minimum minimum
minister minister
ministerský ministerial •

• *Prime Minister, Premier* ministerský predseda
ministerstvo ministry
minisukňa miniskirt
minuloročný last year´s
minulosť 1. the past 2. history *dejiny*
minulý 1. past, old *dávny* 2. previous *predošlý* 3. historical *historický* • *past tense* minulý čas • *last week* minulý týždeň
mínus minus
minúť spend *peniaze*
minúť sa pass *čas*
minúta minute
misa bowl
misia mission
mixovať mix
mláďa young one
mládenec young man • *bachelor* starý mládenec
mládež young people, youth, teenagers *dospievajúci*
mladík youngman
mladomanželia newly married couple
mladosť youth
mladoženích bridegroom
mladučký very young
mladucha bride
mladý 1. young, teen 2. junior *mladší*
mláka puddle, pool
mľaskať smack *pri jedle*
mláťačka threshing machine
mlátiť 1. thresh 2. strike *udierať*
mlčanie silence
mlčanlivý silent *tichý*
mlčať be/keep silent, say nothing
mlčky silently
mletý ground • *pepper* mleté korenie
mliečny milk, milky • *milk chocolate* mliečna čokoláda • *the Milky Way* Mliečna dráha • *milk bar* mliečny bar • *milk-tooth* mliečny zub
mliekár milkman
mliekárka milkwoman
mliekáreň dairy
mlieko milk • *sour milk*

kyslé mlieko
mlieť 1. grind, mill *v mlyne* 2. mince *mäso*
mlok salamander
mlyn 1. mill 2. watermill *vodný mlyn* 3. windmill *veterný mlyn*
mlynár miller
mlynček 1. grinder 2. mincing machine *na mäso* 3. pepper-mill *na korenie* 4. coffee grinder *na kávu*
mlynský mill • *mill-stone* mlynský kameň
mňau miaow
mňaučať miaow
mnohí plenty of, lot of • *plenty of people* mnohí ľudia
mnoho much *nepočítateľné*, many *počítateľné*, lot/lots of
mnohokrát many times
mnohonásobný multiple, manifold *rozmanitý*
množina *mat.* set
množiť sa 1. multiply *pestovaním* 2. breed *zvieratá*
množstvo 1. quantity 2. plenty *hojnosť*
moc 1. power 2. ability *schopnosť* 3. force *vojenská* • *armed forces* ozbrojené sily
mocnieť grow strong
mocný 1. powerful 2. strong *statný*
moč urine
močiar marsh, swamp
móda 1. fashion 2. craze *bláznivá* • *the latest fashion* najnovšia móda
model model
modelár designer
modelárstvo modelling
modelka model, mannequin
modelovať model
moderátor moderator
modernizácia modernization
moderný 1. modern 2. fashionable *módny* 3. up-to-date *súčasný*
modliť sa pray
modlitba prayer, grace *pred jedlom*

módny fashionable • *fashion show* módna prehliadka
modrina bruise
modrooký blue-eyed
modrý blue
mohutnieť grow strong
mohutný powerful, voluminous *objemný*
moknúť 1. be out in the rain 2. get/become wet, soaked *premočiť celkom*
mokrý 1. wet 2. drenched *premočený*
molekula molecule
mólo mole
moment instant *okamih*
monitor monitor
monokel black eye *pod okom*
monológ monologue
montér mechanic
montérky overalls
montovať assemble, set up
monzún monsoon
morča guinea-pig
more sea • *high seas* šíre more
moreplavba voyage
moreplavec mariner, voyager
moriak turkey
morka turkey hen
morský sea • *seasickness* morská choroba • *ground* morské dno • *bay* morský záliv
moruša mulberry *plod*
morušovník mulberry tree
most bridge
mostík footbridge
motať reel, wind
motať sa roam, be about *okolo*
motivácia motivation
motlitba prayer
motocykel motorbike
motocyklista motor-cyclist
motokros moto-cross
motor motor, engine
motorest roadhouse
motorista motorist
motorizmus motoring
motorka motor-bike
motorový motor *motor-boat* motorový čln
motúz twine *silný*

motyka hoe
motýľ *zool.* butterfly
mozog brain
možno maybe, perhaps • *it is possible* je možné
možnosť opportunity *príležitosť*, choice *výber*
možný acceptable, possible
môcť can, may
môj, **moja**, **moje** my, mine *samostatné*
mračiť sa be cloudy *o počasí*
mrak cloud
mrakodrap skyscraper
mramor marble
mrav 1. manners *správanie* **2.** custom *obyčaj*
mravec ant
mravenisko ant-hill
mráz freeze, cold *zima* • *freezing point* bod mrazu
mrazený frozen, iced *ľadový*
mraziaci freezing • *freezer* mraziaci box
mraziť freeze, chill *studeniť*
mrazivý frosty
mraznička freezer
mreža bar
mrkať flutter *očami*
mrkva carrot
mrož walrus
mŕtvola corpse *človeka*
mŕtvy dead
mrviť crumble *drobiť*
mrzačiť maim, cripple
mrzák cripple
mrznúť freeze
mrzutý sulky
múčnik pastry, dessert
múčny floury
mudrc wise man
múdrosť wisdom
múdry wise, clever
mucha fly
mucholapka fly-paper
muchotrávka fly agaric
múka flour, meal *hrubá*
mulica mule
múmia mummy
munícia ammunition
múr wall, rampart *hradba*
murár mason, bricklayer
múrik low wall
murovaný walled

murovať lay bricks
musieť must, have to *mať za povinnosť*, be obliged *byť povinný*
muškát muscatel • *mace* muškátový kvet • *nutmeg* muškátový oriešok
mušketier musketeer
mušľa shell
mušt must • *cider* jablčný mušt
mútiť stir *vodu*
múzeum museum
muzika music
muzikál musical
muzikant musician
muž 1. man **2.** husband *manžel*
mužíček goblin *škriatok*
mužský male • *masculine* mužský rod
mužstvo 1. team *športové* **2.** crew *posádka*
my we • *both of us* my obaja • *all of us* všetci
mydliť soap
mydlo soap
mydlový soapy • *soap-bubble* mydlová bublina
mykať jerk *mykať sa*, wrest *šklbať*
mýliť puzzle, confuse
mýliť sa be mistaken, make a mistake
mýlka error, mistake *chyba*
myseľ mind
myslieť 1. believe, think **2.** have in mind *mať na mysli*
myš mouse
myšička mousie
myšlienka thought, idea *nápad*
myť wash
mzda day *denná*, wage *týždenná*, salary *mesačná*

N

na *predl.* **1.** on, upon *miestne* **2.** for *účel* **3.** to, into *smer* **4.** for
nabádať prompt to *na*
naberačka *kuch.* ladle
naberať 1. gather **2.** fold *záhyby*
nabiť 1. beat up *zbiť* **2.** load *pušku*
náboj cartridge *strela*
nabok aside
naboso barefoot
náboženský religious
náboženstvo religion
nabrať 1. take in **2.** fill up *naplniť* **3.** draw *tekutinu* **4.** breathe in *dych*
nábrežie embankment *rieky*
nabrúsiť sharpen
nabudúce next time, in future
nábytok furniture • *unfurnished* bez nábytku
nacvičiť drill, practice
nácvik training, drill
načas on time, in time *včas*
náčelník chief, leader • *station master* náčelnícka stanica
načiahnuť reach
náčinie 1. implements *náradie* **2.** utensils *kuchynské*
načmárať scribble
načo 1. what for *účel* **2.** why *príčina*
náčrt 1. outline *obrys* **2.** sketch *skica*
načrtnúť 1. sketch **2.** outline *opísať*
nad, nado over, beyond, above
nadácia foundation
naďalej henceforward
nadanie talent
nadaný talented
nadávať 1. call names **2.** swear *kliať*
nadávka abuse *niekomu*
nadbytočný redundant
nadbytok abundance, redundance
nádej 1. hope **2.** expectation *očakávanie*
nádejný hopeful

nádhera magnificence, luxury *prepych*
nádherný splendid *skvelý*, magnificent *veľkolepý*
nádcha cold
nadchádzajúci coming
nadjazd overpass
nadlho for long
nadľudský superhuman
nadmorský above sea level • *altitude above sea level* nadmorská výška
nadnášať float *vo vode*
nádoba vessel, vase *na kvety* • *dustbin* smetná nádoba
nadobudnúť acquire, obtain
nadol down, downwards
nadpis title *titul*
nadpolovičný more than a half
nadporučík first lieutenant
nadpozemský unearthly
nadpriemerný above the average
nadprirodzený supernatural
nadriadený 1. senior *starší* **2.** chief *osoba*
nádrž 1. container, basin *vodná* **2.** dam *priehrada*
nadskočiť skip
nadšenie enthusiasm
nadváha overweight
nadvihnúť lift up
nadvláda rule
nádvorie courtyard
nádych breath
nadýchnuť sa breathe in, take in *vdýchnuť*
nafarbiť 1. paint **2.** dye *vlasy*
nafta oil
naháňať chase
nahlas aloud, loudly *hlasno* • *speak up* hovor nahlas
náhle suddenly *zrazu*
náhliť hurry, rush *ponáhľať*
náhly sudden
nahnevaný angry
nahnúť bend
náhoda accident
náhodný accidental
náhodou by accident • *by a lucky hit* šťastnou náhodou
nahor up
nahota nakedness
nahradiť substitute *zastúp*

náhradník *šport.* stand in
náhradný compensatory • *spare parts* náhradné súčiastky
nahrať record, tape
nahrávka 1. recording **2.** *šport.* pass
náhrdelník necklace, necklet
náhrobný grave • *gravestone* náhrobný kameň • *epitaph* náhrobný nápis
nahromadiť heap up
náhubok muzzle *zvierací*
nahý naked
nachádzať sa be situated, occur *vyskytovať sa*
nachladnúť catch a cold • *I have a cold.* Mám nádchu.
nachystať prepare
nachytať 1. catch **2.** fool *nalákať*
naisto for sure, surely
najavo come to light *výjsť najavo*
nájazd raid, invasion *prepad*
najbližšie the next time *časovo*
najedovať make angry
naježiť sa bristle
najmä especially
najmenej the least, at least *aspoň*
najneskôr at the latest
najnovšie most recently
nájom rent
nájomca renter
nájomné rent
nájomník lodger, renter
najprv first
najskôr the soonest • *as soon as possible* čo najskôr
nájsť find, discover, find out *zistiť*
najväčší greatest, biggest
najviac most, the most
najvyšší highest
nákaza infection *infekcia*
náklad load, cargo *lodný*
nákladný 1. cargo **2.** expensive *drahý* • *truck* nákladné auto
naklásť load, pile
naklepať beat *mäso*
nakoniec finally, in the end

nakradnúť steal
nákres drawing, sketch
nakresliť draw, sketch
nakŕmiť feed
nakrútiť **1.** wind **2.** shoot *film*
nákup purchase, shopping *shopping-list* zoznam
nakúpiť buy, purchase
nákupný purchase, shopping • *shopping centre* nákupné stredisko
nakupovať do shopping, go shopping
nakvapkať drip into
nákyp pudding • *rice pudding* ryžový nákyp
nakysnúť rise *cesto*
nálada mood, temper • *be in a good mood* mať dobrú náladu • *be in a bad mood* mať zlú náladu
náladový moody
naľakať frighten
naľakať sa get scared
nalakovať varnish
naľavo on the left *kde*
nalepiť stick, glue
nálepka label
nálet air raid
nález **1.** discovery *objav* **2.** finding *zistenie*
nálezca finder
nálezisko finding-place
naliať pour
naliehavý urgent
nálož charge
naložiť load up
námaha strain, effort *úsilie*
namáhavý difficult, hard
namaľovať paint
námestie square
namieriť **1.** aim at *na* **2.** point *zbraň*
namiesto instead of
namiešať mix
namočiť dip, moisten *navlhčiť*
namontovať install, mount
námorníctvo *voj.* navy
námorník seaman, sailor
námorný marine, sea
namotať roll up, wind
namydliť soap
namyslený haughty
nanešťastie unfortunately

naobedovať sa have lunch/dinner
naokolo around
naozaj really, indeed
naozajstný true, real
nápad idea
napadnúť attack *zaútočiť*
napichnúť stick, pin on *na*
napínavý thrilling, exciting *vzrušujúci*
nápis notice *vývеska*
napísať write down
napiť sa have a drink
naplánovať plan
náplasť plaster
náplň filling
naplniť bottle *do fliaš*
napodobnenina imitation
napodobňovať imitate
nápoj drink • *soft drink* nealkoholický nápoj
napojiť give a drink, water *zviera*
napoludnie at noon
napomenúť admonish, reprove *dohováraním*
naposledy 1. last time • *for the last time* posledný raz **2.** lastly • *finally* nakoniec
napraviť correct, repair *škodu*
napravo on the right
napred 1. forward **2.** beforehand *skôr*
naprieč across
napriek on purpose, out of spite
napríklad for instance, for example
naprostred in the middle
naproti on the opposite side, opposite *oproti*
napuchnúť swell
napustiť 1. let in *do* **2.** fill *naplniť*
narábať handle, use
náradie implements, tools
náramok bracelet
naraňajkovať sa have breakfast
narásť grow up
naraz at the same time, suddenly *zrazu*
náraz 1. stroke *úder* **2.** collision *zrážka*
naraziť collide with *do*,

clash
nárečie dialect
nárek lament
nariadenie 1. decree *úradné* **2.** ordinance *príkaz*
nariadiť order, direct
nariekať lament
narkóza narcosis • *under narcosis* v narkóze
náročný difficult *ťažký*
národ 1. nation **2.** people
narodenie birth
narodeniny birthday • *birthday present* darček k narodeninám
narodený born
narodiť sa be born • *I was born ...* Narodil som sa ...
národnosť nationality
národný national • *National Theatre* Národné divadlo
nárok 1. right *právo* **2.** claim *požiadavka*
narovnať straighten
naruby inside out
náruč armful
narukovať join the army
nás us
nasadnúť get on
naschvál on purpose *úmyselne*
násilie force *fyzické* • *by force* násilím
násilník brute, tyrant
naskočiť jump on *na*
náskok start • *get a start* získať náskok
následok effect, result *výsledok*
nasledovať 1. follow **2.** succeed *v poradí*
nasledujúci following, next *ďalší*
násobenie multiplication
násobiť multiply
násobok multiple
nasoliť salt
naspamäť by heart
naspäť back
naspodu at the bottom
nasporiť save
nasťahovať sa 1. move in **2.** migrate *do inej krajiny*
nastať begin, happen *stať sa*
nástenka wall newspaper

nástraha trap *pasca*
nastrašiť scare, frighten
nastriekať spray
nástroj tool • *musical instrument* hudobný nástroj
nástup 1. getting on 2. line-up *zoradenie*
nástupište platform
nastúpiť 1. get 2. form up *zoradiť sa* 3. begin, start *začať*
nasypať fill
nasýtiť feed
náš our, ours *samostatné*
našepkať whisper
naštartovať start
našťastie fortunately, happily
naštudovať study, learn
natiahnuť stretch, tighten *napnúť*
natierač painter
nátlak pressure • *under pressure* pod nátlakom
natočiť 1. curl *vlasy* 2. shoot *film* 3. record *pieseň*
natrieť paint, lacquer *lakom*
naučiť sa learn
naučiť teach
náušnica ear-ring
navariť make, cook
navečerať sa have supper
naveky for ever
naviesť vector *nasmerovať*
navliecť thread *niť*
návnada bait
návod 1. instruction 2. directions *pokyny*
návrat return, coming-back, home-coming *domov*
návrh proposal, project *plán*
návrhár designer
navrhnúť propose, draw up
návšteva 1. visit, call 2. stay *pobyt*
návštevník 1. visitor, guest 2. customer *zákazník*
navštevovať 1. attend *školu* 2. call, visit
navštívenka visiting card
navštíviť 1. attend 2. visit, call on
návyk habit, custom
navyknúť si get accustomed
navzájom each other
navždy for ever

nazad backwards
nazbierať gather, collect
nazlostiť anger
naznačiť indicate
názor opinion, view • *in my opinion* podľa môjho názoru
názov title, name
nazrieť look into *do*
nazvať call, name
naživе alive
nealkoholický soft • *soft drink* nealkoholický nápoj
nebeský heavenly
nebezpečenstvo danger, risk
nebezpečný dangerous, risky
nebo the sky *obloha* • *in the open air* pod šírym nebom • *in heaven* v nebi
nebožtík dead man
nečakaný unexpected
nečestný dishonest, dishonourable
nečinný inactive, idle *nepracujúci*
nečistý dirty *špinavý*
nečitateľný illegible
neďaleko not far off, close
nedávno recently, not long ago
nedávny recent, late
nedeľa Sunday
nedeľný Sunday
nedisciplinovaný undisciplined
nedočkavý impatient
nedorozumenie misunderstanding
nedospelý minor, underage
nedostatok lack, shortage
nedovoliť forbid
nedôvera distrust, mistrust
nedôverčivý distrustful
neexistujúci non-existent
nefajčiar nonsmoker
negatív negative
nehoda accident
nehybný immobile
nech **1.** let *príkaz nepriamy* **2.** may, will *želanie*
nechať **1.** let *dopustiť* **2.** leave *odísť* **3.** keep *uschovať*
necht nail
nechtiac unwillingly
nechutný **1.** tasteless *o jedle*

2. disgusting *odporný*
neistý uncertain
nejako somehow, anyhow
nejaký **1.** some, any **2.** certain *určitý*
nejestvujúci non-existent
nekonečný infinite
nektár nectar
nekvalitný low quality
neliečiteľný uncurable
nemčina German
Nemec German
Nemecko Germany
nemecký German
nemilý unpleasant
nemocnica hospital
nemotorný clumsy
nemý mute • *silent film* nemý film
nenáročný modest *skromný*
nenávidieť hate
nenávisť hate
neobľúbený unpopular
neobvyklý unusual, uncommon
neočakávaný unexpected
neochotný unwilling
neopatrnosť carelessness
neopatrný careless
nepárny odd
neplnoletý underage, minor
nepohodlný uncomfortable
nepohyblivý immovable
nepokoj disorder, stir *rozruch*
neporiadny untidy, disorderly
neporiadok **1.** disorder **2.** *hovor.* mess
neposlušný disobedient
nepotrebný unnecessary, useless *zbytočný*
nepovinný optional
nepozorný inattentive, careless
nepravda falsehood, untruth
nepravdivý untrue, false
nepravidelný irregular
neprávom injustly
nepravý wrong, false *falošný*
nepremokavý waterproof
nepriamy indirect
nepriateľ **1.** enemy **2.** rival *protivník*
nepriateľský unfriendly

nepriateľstvo enmity
nepríjemný unpleasant
neprítomnosť absence
neprítomný **1.** absent **2.** missing
nerast mineral
neraz not once
neriešiteľný insolvable
nerovnaký unequal
nerovnováha imbalance
nerovný **1.** uneven *povrch* **2.** different *odlišný*
nerozhodný undecided
nerozumný unreasonable, foolish *pochabý*
nerv nerve • *it gets on my nerves* lezie mi to na nervy
nervozita nervousness
nervózny nervous
neschopnosť inability, impotence
neschopný impotent, incapable
neskoro late
neskorý late
neskôr later, later on
neskromný immodest
neskutočný unreal
neslušný indecent
nesmelý timid, shy *plachý*
nespokojný dissatisfied with *s*
nesprávny wrong, incorrect
nespravodlivosť injustice, wrong *krivda*
nespravodlivý unjust, unfair
nestály unstable, unsteady
nesúhlas disagreement
nešikovný clumsy
nešťastie misfortune, accident *nehoda*, bad luck *smola*
nešťastný unfortunate, unhappy, unlucky
neter niece
netopier bat
netrpezlivý impatient
neúctivý disrespectful
neúprimný insincere
neurčitok infinitive
neúroda bad harvest
neúrodný barren, infertile *pôda*
neúspech failure
neúspešný unsuccessful
neustály constant, permanent

neuveriteľný unbelievable
nevďačný ungrateful
nevesta 1. bride *žena* **2.** daughter-in-law *synova manželka*
nevhodný unsuitable, inapt
neviditeľný invisible
nevinný innocent
nevľúdny unfriendly
nevšímavý inattentive
nevyhnutný inevitable
nevýhoda disadvantage
nevychovaný uneducated, ill-mannered *neslušný*
nevzdelaný uneducated
nezábudka forget-me-not
nezamestnaný unemployed, jobless
nezáujem lack of interest, indifference *ľahostajnosť*
nezávislosť independence
nezávislý independent
nezbedný naughty
nezmysel nonsense
neznámy unknown
nezodpovedný irresponsible
nezrelý unripe *ovocie*
nezvestný missing
nezvyčajný unusual
než 1. than *ako* **2.** before *skôr*
nežný tender, gentle
nič nothing
ničiť 1. destroy **2.** devastate *pustošiť*
ničivý destructive
nie 1. no **2.** not *záporná častica po slovese* • *not at all* vôbec nie
niečo something
niekam somewhere, anywhere
niekde somewhere, anywhere
niekedy sometimes • *once upon a time* kedysi dávno
niekoľko several, a few, some
niekoľkokrát several times
niekoľkoročný of some years
niekto somebody, someone
niektorý some, any
nielen not only
niesť 1. carry **2.** bring *prinášať* **3.** lay *vajíčka*

nijaký no
nik nobody
nikam nowhere
nikde nowhere
nikdy never • *never ever, never more* nikdy viac
nikto nobody, no one, none
niť thread
nízky **1.** short **2.** low *nízky*
nížina lowland
noc night
nocľah overnight accommodation
nocovať stay overnight
nočník chamber pot
noha leg, foot *chodidlo*
nohavice trousers
nohavičky panties, underpants
nora den
normálny normal
Nórsko Norway
nos nose • *lead by the nose* vodiť za nos
nosič porter, carrier *prenášač*
nosiť **1.** carry **2.** wear *na sebe oblek*
nosorožec rhinoceros
nota *hud.* note
notár notary
notes notebook
nováčik beginner, novice
november November
novinár journalist
noviny newspaper
novomanželia newly-married couple
novoročný New Year´s
novorodenec newborn child
novostavba new building
nový **1.** new • *New Year´s Day* Nový rok
2. recent *nedávny*
nožík pen-knife
nožnice scissors
nôtiť tune
nôž knife
nuda boredom
nudiť sa be bored
nudný boring
núdza **1.** poverty **2.** penury *chudoba* **3.** shortage *nedostatok*
núdzový emergency • *emergency exit* núdzový východ

ňufák snout, nose
núkať offer
nula 1. zero, nought • *above zero* nad nulou • *below zero* pod nulou **2.** *šport.* nil
nulový zero, null
nútiť force
nutnosť necessity
nutný necessary
nuž well now

O

o *predl.* **1.** about, of **2.** at *čas* • *at five o'clock* o piatej
oáza oasis
obaja both
obal wrapper, cover
obaliť wrap up *zabaliť*, cover *pokryť*
obálka envelope *listu*
obava **1.** anxiety *tieseň* **2.** fear *strach*
obávať sa be afraid of *čoho, koho*
občan citizen
občas occassionally, from time to time
občerstvenie fast, refreshment, snack *rýchlé*
občerstviť sa refresh
občiansky **1.** civic **2.** civil *civilný* • *identity card* občiansky preukaz
občianstvo citizenship • *nationality* štátne občianstvo
obdariť present with *čím*
obdiv admiration, wonder *úžas*
obdivovať admire
obdivovateľ admirer
obdivuhodný admirable
obdĺžnik rectangle
obdobie season *ročné*
obdržať get, obtain *získať*
obec municipality *samospráva*
obecenstvo **1.** the audience *v divadle* **2.** the public *publikum* **3.** the spectators *diváci*
obed dinner *hlavné jedlo*, lunch *obed*
obedovať have dinner • *have for dinner* mať na obed
obeh orbit *po obežnej dráhe* • *blood circulation* krvný obeh
obehnúť run round
oberať pick
obežnica planet
obhájiť defend
obchod shop *predajňa*
obchodník businessman
obchodný commercial •

supermarket obchodný dom
obchodovať do business
obidvaja both
obiehať orbit *po obežnej dráhe*
obilie corn *zrno*
obísť **1.** go round *dookola* **2.** avoid *vyhnúť sa*
objasniť explain
objať enfold
objať sa embrace
objav discovery, invention *vynález*
objaviť **1.** find out *zistiť* **2.** discover *nájsť*
objaviteľ discoverer, inventor *vynálezca*
objednať book *rezervovať*
objednávka **1.** reservation **2.** booking
objem **1.** size *rozmer* **2.** volume *rozsah*
obkladať face *stenu*, board *drevom*
obklopiť surround
oblak cloud
oblasť **1.** area, region *kraj* **2.** district *okres* **3.** territory *územie*
oblátka wafer
oblečenie dress, wear
oblek suit *pánsky*, dress *šaty*
obletieť orbit
obliecť sa put on, dress
obliečka pillowcase *na vankúš*
oblievať water
oblízať lick
obloha sky
oblok window
obľúbený favourite, popular *populárny*
obľúbiť si favour
oblý round *okrúhly*
obmeniť alter *pozmeniť*, change *zmeniť*
obnosený worn-out
obnoviť restore, renovate *prestavbou*
obočie eyebrow • *eyebrow pencil* obočenka
obojok collar
obojsmerný two-way
obor giant
obozretný vigilant *ostražitý*

obrad ceremony • *religious ceremony* náboženský obrad
obrana defence, protection *ochrana*
obranca 1. defender 2. *šport.* back
obrániť defend, protect *ochrániť*
obratnosť skill *zručnosť*
obratný skillful
obraz 1. painting, picture 2. portrait *osoby*
obrazáreň picture gallery
obrázkový illustrated • *picture book* obrázková kniha
obrazotvornosť fantasy, imagination
obrazovka screen
obrovský giant, colossal
obrubník curbstone *chodníka*
obrúčka wedding ring *svadobná*
obrus tablecloth
obrúsok table-napkin
obrys contour *obrys*, silhouette *silueta*
obsadiť 1. take *mesto* 2. fill up *miesto*
obsah 1. contents 2. volume *objem*
obsahovať contain, include *zahŕňať*
observatórium observatory
obsluha service
obslúžiť serve
obstarať procure *zadovážiť*
obuť put shoes on
obuv shoes
obuvník shoemaker
obväz bandage
obviazať bandage *obväzom*
obvyklý customary, usual *normálny*
obyčaj custom, habit *zvyk*
obyčajne usually
obyčajný usual *bežný*
obydlie dwelling *príbytok*
obytný residential • *floor space* obytný priestor
obývačka sitting room
obývať inhabit, dwell, live *žiť*
obyvateľ inhabitant, occupier *bytu*

obyvateľstvo population, inhabitants
obzor horizon
obzvlášť especially, namely *zvlášť*, primarily *hlavne*
obživa living, food *potrava*
oceán ocean • *the Atlantic Ocean* Atlantický oceán • *the Pacific Ocean* Tichý oceán
oceľ steel
oceliareň steelworks
oceľový steel
oceniť 1. estimate *cenou* **2.** evaluate *ohodnotiť*
ocko daddy
ocot vinegar
octový vinegar
očakávať expect from *od*
očariť charm
očervenieť become red
očíslovať mark with numbers
očistiť 1. purify **2.** peel *olúpať*
očko mesh *pri pletení*, stitch *na pančuche*
očný eye-, optic • *eye specialist* očný lekár
od 1. from *priestor*, of, out of *miestne* **2.** since, from *časovo* • *since the morning* od rána
odbiť 1. strike *hodiny* **2.** refuse *odmietnuť*
odbočka turning
odbor 1. department *oddelenie* **2.** field *oblasť*
odborník expert, specialist
odborný expert, special • *technical literature* odborná literatúra
oddávna for a long time, since long ago
oddelenie department
oddeliť separate, divide
oddiel division, squad *policajný*
oddych relaxation, rest
oddýchnuť si take a rest
odev clothes
odfúknuť blow away
odchádzať go away
odchod departure
odísť 1. go away, drive away *autom* **2.** leave *opustiť*

odkaz message
odkiaľ from where • *where do you come from?* odkiaľ pochádzaš? odkiaľ si?
odkopnúť kick off
odkrojiť cut off
odlet take off, flight away *vtákov*
odlišný different
odliv low tide
odlomiť break off
odložiť put aside, take off *odev* • *Take off your things.* Odložte si.
odmena reward
odmeniť reward
odmerať measure
odmerka measure
odmietnuť **1.** refuse **2.** disagree *nesúhlasiť*
odnášať carry away
odniesť take away
odolný immune against *voči*
odomknúť unlock
odopnúť unbutton *gombíky*
odosielateľ sender
odoslať send, post *poštou*
odovzdať deliver *doručiť*
odpadky rubbish
odpadnúť faint *omdlieť*
odplata revenge *pomsta*
odpočinok rest
odpočinúť take a rest
odpočítať count down *odrátať*
odpočívať rest, relax
odporučiť commend *do pozornosti*
odpoveď answer
odpovedať answer • *answer the question* odpovedať na otázku
odprosiť apologize *ospravedlniť sa*
odpustiť forgive, pardon
odrátať discount
odrezať cut off
odrobinka crumb
odsek part, section *časť*
odskočiť jump off, bounce *odraziť sa*
odsotiť push away
odsťahovať sa move away
odsúdiť sentence • *sentence for life* odsúdiť na doživotie

odšťavovač juice extractor
odtekať flow off
odteraz from now
odtiaľ from there
odtieň shade
odvaha 1. courage *statočnosť* **2.** daring *trúfalosť*
odvážny 1. brave *statočný* **2.** daring *trúfalý*
odvďačiť sa reward *odmeniť sa*
odviesť take away *kam*
odvoz transport
odvtedy since then
odznak badge
odznova again
oficiálny official
ofina fringe
oheň fire
ohľaduplný considerate, tactful
ohlásiť report, announce *oznámiť*
ohluchnúť become deaf
ohnisko fireplace *kozub*
ohňostroj fireworks
ohnúť bend
oholiť sa shave
ohraničiť define *vymedziť*
ohriať heat, warm up
ohrievač heater
ohybný flexible
ochabnúť become weak
ochorenie sickness, illness
ochorieť become ill
ochota willingness
ochotný willing
ochrana protection, ward *osôb* • *conservation* ochrana prírody
ochranár conservationist *prírody*
ochranca protector
ochrániť protect against *proti*
ochranný protective, preventative
ochutnať taste
okamih moment
oklamať cheat, mislead *podviesť*
okno window
oko eye
okolie surroundings, environment *prostredie*
okolitý surrounding

okolo round, around
okoloidúci passing by
okoreniť spice
okrášliť beautify, decorate
okrem except for, apart from
okres district
okresný district • *district office* okresný úrad
okrúhly round
október October
okuliare glasses • *sunglasses* slnečné okuliare
okúpať sa have a bath
okúzliť charm *očariť*
olej oil
olejomaľba oil painting
oliva 1. olive tree *strom* **2.** olive *plod*
olízať lick
olovo lead
olovrant snack
oltár altar
olúpať peel
oľutovať regret
olympiáda Olympic games, Olympics
olympijský Olympic
omáčka sauce, gravy *mäsová*
omeleta omelette
omeškať sa be late for, come late *prísť neskoro*
omietka plaster
omilostiť pardon
omladnúť become younger
omša mass • *Holy Mass* svätá omša
omyl 1. error **2.** mistake *chyba*
on he
ona she
ondatra musk-rat
onemieť become dumb
onen, oná, ono that
oneskorený late
oneskoriť sa be late, come late
oni, ony they
ono it
oňuchať smell
opačný opposite *protiľahlý*
opak 1. reverse side **2.** opposite *protiklad*
opakovací repeating
opakovanie repetition

opakovať repeat • *repeat after me* opakujte po mne
opálený sunburnt
opáliť sa 1. burn *ohňom* **2.** get sunburnt *slnkom*
opasok belt
opatera 1. care **2.** nursing
opatriť take care of, nurse *chorého*
opatrný careful *starostlivý*
opatrovať take care
opatrovateľka nurse, nursemaid
opäť again
opätok heel
opečiatkovať stamp
opekať roast, grill
opera opera
operácia surgery, operation • *face-lift* kozmetická operácia
operadlo back *stoličky*
operátor operator
opereta operetta
operný opera
operovať operate
opevnenie fortification
opevniť fortify
opica monkey
opis description
opísať describe
opona curtain
opora support
oprať wash
oprava correction, repair
opravár repairman
opraváreň repair shop
opraviť repair
oproti opposite
optika optics
optimista optimist
opuchlina swelling
opuchnúť swell
opustiť 1. leave **2.** abandon *ponechať osudu*
opýtať sa ask
oranžový orange
orať plough
ordinácia medical practice, surgery
ordinovať receive patients • *prescribe a medicine* predpísať liek
orech nut • *hazelnut* lieskový oriešok • *walnut* vlašský orech

organizácia organization
organizátor organizer
organizovať organize
orchester orchestra
orchestrálny orchestral
orientácia orientation
orientačný orientation • *office-plan* orientačná tabuľa
orientovať sa orientate
originál original
orlica female eagle
orlíča eaglet
orloj calendar clock
ornament ornament
orol eagle
osa wasp
osada 1. settlement **2.** recreation *rekreačná*
osadník settler
osamelý single, lonely
osem eight
osemdesiat eighty
osemnásť eighteen
osídliť inhabit, populate, settle *obývať*
osídľovanie colonization
osídľovať populate
osivo seed
oslabiť weaken
osladiť sugar *cukrom*
oslava anniversary *výročia*, celebration • *birthday party* oslava narodenín
oslávenec honoured person
osláviť celebrate
oslepnúť become blind
oslobodenie liberation
oslobodiť liberate, free
osloboditeľ liberator
oslovenie address
osloviť address
osmeliť sa dare
osoba 1. person **2.** individual *jednotlivec*
osobitný individual
osobne personally
osobnosť personality, person
osobný 1. personal • *personal data* osobné údaje • *identity card* osobný preukaz **2.** individual *subjektívny*
osoh benefit, profit
osol ass, donkey *somár*

osoliť salt
ospravedlnenie apology
ospravedlniť apologize
osprchovať sa take a shower, have a shower
ostať stay
ostrihať cut • *cut the hair* ostrihať vlasy
ostrov island, isle • *the British Isles* britské ostrovy
ostrúhať sharpen *ceruzku*
ostružina blackberry
ostrý sharp, pointed *špicatý*
osud destiny
osušiť dry up
osuška bath towel
osviežovač freshener *vzduchu*
osviežujúci refreshing • *long drink* osviežujúci nápoj
ošetriť treat *ranu*, attend to *pacienta*
ošetrovateľ 1. *lek.* male nurse **2.** tender *dobytka*
ošípaná pig
oštiepok smoked sheep-cheese
ošúpať peel
otáčať turn
otázka question
otáznik question mark
otčenáš The Lord´s Prayer
otec father • *godfather* duchovný otec
otecko daddy, dad
oteplíť sa warm up
otočiť 1. turn **2.** turn round *obrátiť auto*
otrava poison *jed* • *blood-poisoning* otrava krvi
otrávený poisoned
otráviť poison *jedom*
otrok slave
otrokár slaver
otužilý hardy
otužiť harden
otvárač tin-opener *na konzervy*
otvor opening, hole *diera*
otvorený open
otvoriť open
ovca sheep
ovčiak shepherd dog
ovčiar shepherd
oveľa much • *much better*

oveľa lepší • *many more* oveľa viac
ovocie fruit
ovocný fruit • *fruit juice* ovocná šťava • *fruit salad* ovocný šalát
ovoňať smell
ovos oats
ovplyvniť influence
ovsený oat • *porridge* ovsená kaša • *cornflakes* ovsené vločky
ovzdušie atmosphere
ozaj really, indeed *naozaj*
ozajstný actual, real
ozbrojený armed
ozdoba ornament, decoration
ozdobiť decorate, ornament
ozdobný decorative, ornamental
označiť mark
oznámenie notice • *death notice* úmrtné oznámenie
oznámiť announce, notify
ozón ozone
ozónový ozone • *ozone hole* ozónová diera • *ozone layer* ozónová vrstva
ozvena echo
ozývať sa echo
oženiť sa get married

P

pacient patient
páčiť sa like • *how do you like?* ako sa vám páči?
padák parachute
padať fall, drop
pádlo paddle
pahorok hill
pahreba embers
pach odour, scent, smell
páchnuť smell, stink *zapáchať*
palác palace
palacinka pancake
paľba fire
palec thumb, toe *na nohe*
palica stick • *hockey stick* hokejka
páliť **1.** fire, burn **2.** fire at *strieľať na*
palivo fuel
palma palm, palm-tree *strom*
paluba deck *na lodi*
pamäť memory • *by heart* naspamäť • *from time immemorial* od nepamäti
pamätať remember
pamätihodnosť sight
pamätník **1.** album *kniha* **2.** monument *socha*
pamiatka **1.** memory **2.** monument *pamätihodnosť*, sight *turistická*
pán **1.** gentleman **2.** ruler *vládca* **3.** boss *šéf* **4.** sir, mister **Mr** *označenie osoby*
pánboh the Lord
pančucha stocking • *tights* pančušky
pani **1.** lady **2.** wife *manželka* **3.** **Mrs** *skr. pred menom* • *goodwife* pani domu
panoráma panorama
panovať rule over, govern
panovník ruler *vladár*
pantomíma pantomime
panvica frying pan
papagáj parrot
pápež pope
papier paper
papiernictvo stationer´s, stationery
papierový paper

paplón quilt
paprika green/red/yellow pepper *plod*, cayenne pepper *korenina*
papuča slipper
pár couple *ľudia*, pair *veci*, *zvieratá*
para steam • *full steam ahead!* plnou parou vpred!
paradajka tomato
parašutista parachutist
parcela lot, site • *houselot* stavebná parcela
pardón excuse me • *I beg your pardon* prepáčte mi
parfum parfume
park park • *national park* národný park
parkovať park • *no parking* parkovanie zakázané
parkovisko parking place
parlament parliament, the House
parník steamer
párny even *číslo*
parochňa wig
párok sausage • *hot dogs* teplé párky
partner partner
partnerstvo partnership
pás 1. strip *pruh* **2.** *geogr.* zone **3.** waist *driek*
pas passport • *gun licence* zbrojný pas
pasažier passenger
pasca trap
pasienok pasture
pasívny passive
páska strip, ribbon *stužka*
pásmo zone *zóna*, area *oblasť*
pásť sa pasture
pasta paste
pastelka ceayon
pastier shepherd *oviec*
pašerák smuggler
pašovať smuggle
paštéta pie, paste
pátranie investigation, search
pátrať search for *po*, investigate *skúmať*
patriť belong to
páv peacock
pávica peahen
pavilón pavilion
pavučina cobweb, spider web

pavúk spider
pazucha armpit
pazúr claw
pažítka chives
päsť fist
päť five
päta heel, foot *šľapa*
päťboj pentathlon
päťdesiat fifty
pätnásť fifteen
pec 1. oven **2.** stove *kachle*
peceň loaf
pečať seal
pečený roast
pečiatka stamp • *postmark* poštová pečiatka
pečiatkovať stamp
pečienka roast meat
pedagóg pedagogue
pedagogický pedagogical
pedagogika pedagogy
pedál pedal
pedikúra pedicure
peha freckle
pekáč frying pan
pekár baker
peklo hell
pekný pretty *žena*, handsome *muž*
peľ pollen
pelerína pelerine
pelikán pelican
peň trunk, stem
pena foam • *shaving foam* pena na holenie
peňaženka purse, wallet
peniaz coin • *change* drobné • *cash* v hotovosti
peniaze money, finance
penzia pension *plat*, retirement *odpočinok* • *full board* plná penzia • *half board* polovičná penzia
penzionát boardinghouse
penzista pensioner *vekom*
pera lip
peračník pencilbox
percento per cent/percent
perfektný perfect, immaculate *bezchybný*
perina eiderdown
perkelt meat stew
perla pearl
permanentka pass
perník gingerbread
pero 1. feather *vtáčie* **2.** pen

na písanie • *fountain pen* plniace pero
personál personnel, staff
perspektíva perspective
pes dog, hound *poľovný*
pesimista pessimist
pesnička song • *folk song* ľudová pieseň
pestovať grow *rastliny*
pestovateľ grower
pestrofarebný many-coloured
pestrý fancy, varied *rozmanitý*
pestúnka nursemaid
peši on foot
petrolej petroleum
petržlen parsley
pevnina continent, land *zem*
pevný strong *silný*
piatok Friday • *Good Friday* Veľký piatok
piecť 1. bake, roast **2.** heat *hriať*
pieseň song
pieskovisko sand pile
piesok sand
pichať 1. stab *bodať* **2.** sting *hmyz* **3.** prick *ihlou*
pichliač thistle
piknik picnic
píla saw
pilier column *stĺp*
píliť saw
pílka hand-saw
pilník file
pilot pilot
pilulka pill
pingpong table-tennis
pinzeta tweezers
pirát pirate
piroh pie
písací stroj typewriter
písaný written • *handwritten* rukou písaný
pisár typist *na stroji*
písať 1. write **2.** type *na stroji*
pisateľ writer
pískať whistle
piskot whistling
písmeno letter, type *tlačené* • *capital letter* veľké písmeno
písmo handwriting • *Arabic script* arabské písmo •

Latin script latinské písmo
písomka written test
piškóta sweet biscuit
píšťala pipe, whistle *píšťalka*
pišťať peep
pištoľ pistol
piť drink
pivnica cellar
pivo beer • *lager* svetlé pivo • *porter* tmavé pivo
pivovar brewery
placka potato pancake
plač crying, weeping
pľačkanica slush
plagát poster
plachetnica sailing-ship
plachta 1. sheet *na posteľ* **2.** sail *na lodi*
plachtiť 1. glide vo *vzduchu* **2.** sail *plachetnica*
plachý shy, timid
plakať cry, weep
plameň flame
plán 1. plan, project **2.** design *návrh*
planéta planet
planina plateau
plánovať 1. plan **2.** design *navrhnúť*
plantáž plantation
plápolať flame *oheň*, flap *zástava*
plast plastic
plastelína plasticine
plastický plastic
plašiť frighten, chase away *zver*
plášť overcoat • *overall* pracovný • *raincoat* pršiplášť
plat pay, salary *mesačný*
platiť 1. pay **2.** be valid *byť v platnosti*
platňa record *gramofónová*
plátno linen
platnosť validity
platný valid
plátok slice, steak *mäsa*
plaváreň swimming pool
plávať swim
plavba shipping, voyage
plavčík 1. deckhand *na lodi* **2.** life-guard *na plavárni*
plavec swimmer
plavidlo vessel, craft

plaviť sa sail *loďou*
plavky swimsuit *dámske*, swimming trunks *pánske*
plavovláska blonde
plavovlasý fair-haired
plavý blond
plaz reptile
plaziť sa **1.** slither *had* **2.** crawl *človek*
pláž beach
plece shoulder
plecniak rucksack
plechovka tin
plemeno race *rasa*
ples ball, fancy-dress party *maškarný*
plesnivý mouldy • *mouldy cheese* plesnivý syr
pleso mountain-lake
plešatý bald
plešina bald
pleť complexion, skin
plienka napkin
pliesť knit
plieť weed
plniť fill up, fuel *palivom*
plnka forcemeat
plnoletý of age, fully-grown • *come of age* dosiahnuť plnoletosť • *major* plnoletá osoba
plný full of, filled *naplnený*
plod fruit
plocha area, surface *povrch*
plochý flat
plomba filling *zubná*
plombovať plumb
plošina plateau, tableland
plot fence, hedge *živý*
plť raft
pľúca lungs • *pneumonia* zápaľ pľúc
pluh plough
pluk regiment
plukovník colonel
plus plus
pľuť spit
pľuzgier blister
plyn gas
plynáreň gasworks
plynovod pipeline
plynový gas • *a gas mask* plynová maska
plynulý **1.** fluent **2.** continuous
plynúť **1.** flow *tiecť* **2.** pass

čas
plytký shallow
pneumatika tyre
po 1. to *priestor* **2.** after *čas* **3.** for *účel*
pobozkať kiss
pobrať sa be going
pobrežie seaside, seashore *morské*
pobrežný coast
pobyt stay
pocikať sa wet
pocit feeling, sense
pocítiť feel
pocta honour
počarbať scribble, scrawl
počas during, over
počasie weather
počet account, number
počítač personal computer
počítadlo counter
počítať count
počkať wait for *na* • *wait a minute* počkaj chvíľku!
počuť hear
počúvať listen to *čo*
pod 1. under **2.** below *nižšie*
poďakovať sa thank for *za*
podariť sa succeed
podať 1. pass **2.** shake hands *podať si ruky*
podbradník bib
podčiarknuť underline
podchod subway
podieľať sa participate *zúčastňovať sa*
pódium stage
podivuhodný admirable
podjazd underpass
podkolienka knee sock
podkrovie attic
podľa in accordance with *v súlade s* • *in my opinion* podľa mňa
podlaha floor
podlažie storey
podmet subject
podmienka condition
podmorský submarine
podnájom lodgings
podnájomník lodger
podnebie climate
podnik enterprise, firm, company
podnikateľ businessman
podnos tray

podoba appearance *výzor*
podobný similar *obdobný*
podoprieť support
podozrenie suspicion
podozrievať suspect of *z*
podozrivý suspect
podpáliť set fire
podpätok heel
podpis signature
podpísať sa sign
podpora support, help *pomoc*
podporiť support
podprsenka bust-bodice
podraziť trip up *nohy*
podráždiť irritate
podrobne in detail
podrobný detailed
podujatie event, happening
poduška pillow
podzemný underground
poézia poetry
pohádať sa quarrel
pohár 1. glass **2.** jar *zavárací* **3.** cup *v súťaži*
pohľad 1. look **2.** view *výhľad*
pohľadať look for
pohladiť caress
pohľadnica picture postcard
pohlavie sex • *male sex* mužské • *female sex* ženské
pohodlný comfortable
pohorie mountains
pohostiť entertain
pohotovosť emergency
pohotový ready, prompt
pohov *voj.* stand easy!
pohovka sofa, couch, settee
pohraničie borderland
pohraničný frontier
pohreb funeral
pohroma disaster, catastrophe
pohroziť 1. threaten **2.** warn *napomenúť*
pohyb movement
pohybovať sa move
pochádzať come from
pochod march
pochodovať march
pochopiť understand, comprehend
pochovať bury
pochúťka delicacy, titbit

pochvala praise
pochváliť praise
pochybnosť doubt
pochybovať doubt
poistenie insurance • *health insurance* nemocenské poistenie
poisťovňa insurance company
pokarhať rebuke
pokazený **1.** broken *stroj* **2.** spoilt *jedlo*
pokaziť **1.** break *stroj* **2.** spoil *jedlo*
pokiaľ **1.** as far as *čo sa týka* **2.** while *časovo* • *as for me* pokiaľ ide o mňa
poklad treasure
pokladnica **1.** safe **2.** checkout *v obchode*
pokladnička piggybank *detská*
pokladník **1.** cashier *v obchode* **2.** teller *v banke*
pokloniť sa bow
poklus trot
pokĺznuť sa slip, slide
pokoj rest, quiet
pokojný peaceful, calm, quiet
pokolenie generation
pokožka skin
pokračovať continue, go on
pokrm nourishment
pokročilý advanced
pokrok progress, improvement *zlepšenie*
pokryť cover, coat
pokus trial, experiment *skúška*
pokúsiť sa try *snažiť sa*
pol half • *half past six* pol siedmej
pól pole • *South Pole* južný pól • *North Pole* severný pól
poľadovica glazed frost
polárka North Star
polárny polar
polčas half time
pole **1.** field **2.** sphere *oblasť*
poleno log
polepšiť sa grow better
polhodina half an hour
Poliak Pole
poliať water

polica shelf
policajný police
policajt policeman
polícia police
polievka soup
poliklinika health centre
politik politician
polnoc midnight
poľnohospodár farmer
poľnohospodársky agricultural
poľnohospodárstvo agriculture
pologuľa hemisphere
poloha position, location *miesto*
polostrov peninsula
poľovačka hunt, chase
poľovať hunt, chase
polovica half
poľovníctvo hunting
poľovník hunter
položiť lay down, put down
polrok half-year
Poľsko Poland
poľský Polish
poľština Polish
poltopánka moccasin, shoe
poludnie noon, midday • *at midday* na poludnie
poludník meridian • *prime meridian* nultý poludník
poľutovať pity
pomáhať help
pomalý slow
pomaranč orange
pomarančovník orange-tree
pomätený crazy, mad
pomenovať describe, name, call
pomiešať mix up, stir *zamiešať*
pomlieť grind, mince *mäso*
pomník monument, memorial *pamätník*
pomoc help, aid
pomocník helper, assistant
pomôcť help, aid
pomsta revenge
pomýliť sa make a mistake
ponad over
ponáhľať sa hurry, be in a hurry
ponárať sa dive
ponaučenie lesson
pondelok Monday

poník pony
ponorka submarine
ponožka sock
ponuka offer
ponúkať offer
poobedie afternoon
popálenina burn
popáliť sa burn
poplach alarm
poplatky dues • *customs* colné poplatky
poplatok charge, duty
popol ash
popolník ashtray
popoludnie afternoon • *in the afternoon* popoludní
Popoluška Cinderella
popri by, next to, along
poprosiť ask for, beg
populácia population
populárny popular
pór pore
poradie order, sequence *sled*
poradiť advise, give an advice
poranenie injury
poraniť injure
porekadlo old saying, proverb
porezať sa cut
poriadok 1. order **2.** timetable *cestovný* • *all right* v poriadku
porota jury *súťažná*
porovnať compare
porozumieť understand, comprehend
portrét portrait
Portugalsko Portugal
porucha breakdown
porušiť 1. damage **2.** break *sľub*
posadiť sa sit down, take a seat
posádka crew *lode, lietadla*
poschodie storey, floor
poschodový • *double decker* poschodový autobus
posielať send
posilovňa fitness centre
poskytnúť grant, provide, offer *ponúknuť*
poslanec Member of Parliament
poslanie mission *úloha*
poslať send

posledný last, *current* najnovší
poslúchať obey
poslušný obedient
posoliť salt
postarať sa look after, take care
postava figure *telo*
postaviť build
postaviť sa 1. stand up *vstať* **2.** queue *do radu*
posteľ bed • *go to bed* ísť spať
postoj pose *telesný*
postup process, method *metóda*
postupne gradually
postupný gradual
posunúť shift, move
posypať 1. grit *cestu* **2.** dredge *jedlo*
pošepkať whisper, prompt *našepkať*
pošmyknúť sa slip, slide
pošta 1. post office *inštitúcia* **2.** post, mail *zásielka*
poštár postman
poštípať sting, bite *komár*
poštovné postage
poštový postal • *postal order* poštová poukážka • *P.O.Box* poštová schránka • *post code* poštové smerovacie číslo • *post office box* poštový priečinok
pot sweat
potajomky in secret
potápač diver
potápať sa dive
potešenie pleasure, joy *radosť*
potešiť cheer up, please
potichu quietly
potiť sa sweat
potkan rat
potlesk applause
potme in the dark
potok brook
potom then, afterwards, thereafter
potopa flood, deluge *záplava*
potrava food, nourishment
potrebný needed, necessary
potrebovať need
potrestať punish
potrubie pipeline

poukážka order • *postal order* poštová poukážka
použiť use
používateľ user
povaha character, nature
povedať tell, say
povel command
povesť 1. myth, tale, legend 2. rumour *chýr* • *name* dobrá povesť • *bad name* zlá povesť
poviedka story, tale *rozprávka*
povievať blow
povinnosť duty
povinný due • *compulsory education* povinné vzdelanie
povodeň flood, inundation *záplava*
povolanie profession, occupation
povraz rope
povrch surface
povšimnúť si notice
pozadie background
pozajtra the day after tomorrow
pozdrav 1. greeting 2. *voj.* salute
pozdraviť 1. greet 2. *voj.* salute
pozemok ground, lot • *close* ohradený pozemok
pozerať sa look at *na*
pozitívny positive
poznačiť 1. mark 2. make a note *poznačiť si*
poznámka 1. remark, comment 2. note *písomná*
poznanie knowledge
poznať 1. know *vedieť* 2. master *ovládať*
poznatok experience
pozor attention • *pay attention* dávaj pozor
pozor *interj. ready, steady, go* pripraviť sa, pozor, teraz
pozorný 1. attentive 2. watchful *obozretný*
pozorovať examine, watch
pozoruhodný remarkable
pozrieť sa have a look
pozvanie invitation
pozvánka invitation card

pozvať invite
požadovať require, ask
požiadať 1. ask, request 2. suit *o ruku*
požiadavka requirement, demand
požiar fire
požiarnik fireman
požičať lend
požičať si borrow
pôda ground
pôrodnica maternity hospital
pôsobiť influence *vplývať*
pôst fast
pôvab grace, charm *čaro*
pôvabný graceful, charming
pôvod 1. origin 2. source *prameň*
pôvodný original
práca job, work
praclík cracknel
pracovať work
pracovisko working place
pracovitý hard-working
pracovník worker
pracovný working • *working hours* pracovný čas
práčka washing machine
práčovňa laundry
pradedo great grandfather
prach dust
prachovka duster
prak sling
prales primeval forest
pralinka praline
prameň well, spring *rieky*
prasa pig
prášiť dust
prať wash, do the washing
pravda truth, right
pravdaže surely
pravdivý true, truthful
práve just, exactly
pravidelne regularly
pravidelný regular
pravidlo rule
pravítko ruler
právnička lawyeress
právnik lawyer
pravnučka great granddaughter
pravnuk great grandson
pravý right
prax practice
prázdniny holiday, vacation

• *summer holiday* letné prázdniny
prázdny empty, vacant
praženica scrambled eggs
pražiť roast, fry
pre for
prebehnúť run across *cez*
precediť strain, filter
preč away, off
prečítať read
prečo why
pred **1.** before, ago *časovo* **2.** in front of *miestne*
predajňa shop
predavač shop assistant
predávať sell
predizba hall
predjedlo hors d´oeuvre
predložka preposition
predmestie suburb
predmet object, subject *vyučovací*
predovšetkým above all, most of all
predpis **1.** rule **2.** prescription *lekársky*
predpísať prescribe *liek*
predpoklad supposition
predpokladať suppose
predpoveď forecast *počasia*
• *weather forecast* predpoveď počasia
predsa yet, still
predsieň hall
predstaviť introduce *koho komu*
predstaviť sa introduce one´s
predstaviť si imagine
predtým before
predvčerom the day before yesterday
prefíkaný sly
preglgnúť swallow
prehliadka **1.** examination *lekárska* **2.** fashion show *módna* **3.** sightseeing *pamätihodností*
prehrať lose
prechádzka walk
prechladnúť catch a cold
prejsť sa have a walk
prekážka barrier
preklad translation
prekladateľ translator, interpreter *tlmočník*

prekročiť cross, step over
prekvapenie surprise
prekvapiť surprise
preľaknúť sa get scared
preliezť climb over
premávka traffic • *heavy traffic* hustá premávka
premeniť change
premet somersault *kotrmelec*
premiér Premier, Prime Minister
premiéra premiere, first night
premietnuť project
premoknúť get wet, get drenched
premrznúť freeze through
premýšľať think
prenasledovať pursue
prepáčiť excuse, be sorry, pardon • *Sorry.* Prepáčte.
preprava shipment *tovaru*, transport *osôb*
prerušiť interrupt *rozhovor*, break *cestu*
preskúmať examine
presne exactly
presný exact, strict
presťahovať sa move
prestať stop
prestávka break *školská*
prestieradlo blanket *posteľné*
prestup change *pri cestovaní*
prestúpiť change
pretekár competitor
preteky race, competition *súťaž*
pretlak tomato puree *paradajkový*
preto that is why, therefore
pretože because
preukaz card, licence • *identity card* občiansky preukaz • *driving licence* vodičský preukaz
prezident president
prezrieť see the sights *pamätihodnosti*
prezúvka overshoe
prezývka nickname, pet name
prežehnať sa bless
príhľava nettle

pri 1. at, by, near *miesto* **2.** at *čas*
priamka straight line
priamo straight *rovno*
priamy direct *rovný*
prianie wish
priať wish
priateľ friend • *girl-friend* priateľka
priateliť sa be friends
priateľský friendly
priateľstvo friendship, amity
príbeh story
priblížiť sa come near
približne approximately
približný approximate
príboj surf
príbor cutlery
príborník sideboard, cupboard
pribrať put on weight *na váhe*
príbuzný relative • *close relatives* blízki príbuzní • *closest relatives* najbližší príbuzní
príčina cause, reason *dôvod*
pridať 1. add **2.** speed up *do kroku*
pridať sa join
priehrada dam *vodná*
priekopa ditch
priemerný average
priemysel industry
priemyselný industrial
prieplav canal
priestor 1. area **2.** space
priestupný • *leap year* priestupný rok
priesvitný transparent
prievan draught
priezvisko surname, family name
prihláška application
prihodiť sa happen
prihovoriť sa address
prihrať *šport.* pass
prichádzať come
príchod arrival, coming
prijať receive *hostí*
príjemný pleasant, pleasing
príkaz order, command
prikázať order, command • *the Ten Commandments* Desatoro prikázaní

príklad 1. example 2. *mat.* problem • *for instance* napríklad
prikryť cover
prikrývka blanket, quilt *prešívaná*
prikývnuť nod
prilba helmet
prilepiť stick, glue
priletieť come flying
príležitosť opportunity
príliv tide
primátor mayor • *Lord Mayor* primátor Londýna
prímorský seaside
princ prince
princezná princess
priniesť bring
prinútiť force
prípad case
pripevniť fix, fasten
pripináčik drawing pin
pripiť drink health
pripojiť sa join
pripomenúť 1. commemorate 2. remind *upozorniť*
príprava preparation
pripravený ready
pripraviť arrange, prepare
pripraviť sa get ready
pripútať fasten • *fasten your belts, please* pripútajte sa, prosím
príroda nature, life
prírodný natural
prírodopis zoology
príručka guidebook *turistická*
príslovka adverb
prisľúbiť promise
prísny strict
prispôsobiť sa adapt
prísť 1. come 2. arrive *dopravným prostriedkom*
prisťahovalec immigrant
pristáť land
prístav port, harbour
pristihnúť catch
prišiť sew on
príťažlivosť gravitation *zemská*
prítmie dusk
prítok flow
prítomnosť presence, attendance *účasť*
prítomný present

pritúliť sa snuggle
prívarok side dish
privážať carry
priveľa too much
príves caravan *obytný*
priviesť bring *osobne*
privítať welcome
privolať call
prízemie ground floor
prízvuk accent
problém problem
proces process *priebeh*
profesia profession
profesionál professional
profesor professor
program programme
programátor programmer
projekt design *návrh*
projektant designer
prosba demand, request
prosím please
prosiť ask, request, beg
prospech marks *v škole*
prostredie background, environment
prostredný middle
prostriedok. means *dopravný* • *means of transport* dopravný prostriedok
protiľahlý opposite
provokovať provoke
próza prose
prozaický prosaic
prsia chest *hruď*
prskavka sparkler
prst finger, toe *na nohe*
prsteň ring
prstenník ring finger
pršať rain, pour *silno*
prúd 1. flow, stream **2.** current *elektrický*
prúdiť flow, run
prút rod *rybársky*
pružný elastic
prv sooner
prvok element
prvý first • *first aid* prvá pomoc
pstruh trout
pšenica wheat
pštros ostrich
puberta puberty, adolescence
publikácia publication
publikum audience, spectators *diváci*
puding pudding

puk 1. puck *v hokeji* **2.** bud *kvetu*
puklina crack
pulóver pullover
pult counter, desk
pumpa pump • *filling station, petrol station* benzínová pumpa
púpava dandelion
pupok navel
pustatina wasteland
pustý deserted
puška gun, rifle
púšť desert
pútač boarding
pútať attract attention *pozornosť*
puzdro case
pýcha pride
pykať regret
pyramída pyramid
pyšný proud of
pýtať ask for *žiadať*
pýtať sa 1. ask **2.** inquire
pytliačiť poach
pytliak poacher
pyžamo pyjamas

R

rád 1. like *mať rád* **2.** be glad *byť potešený*
rad line *za sebou*, row *vedľa seba*
rada advice
radar radar
radca adviser
radiátor radiator
rádio radio • *on the radio* v rádii
rádioprijímač receiver
radiť advise, give advice
radiť sa consult *s kým*
radnica town hall
radosť pleasure *príjemnosť*, delight *potešenie* • *with pleasure* s radosťou
radostne cheerfully, joyfully
radostný joyful, cheery • *happy event* radostná udalosť
radovať sa rejoice
radšej rather, better, prefer *robiť radšej* • *rather than* radšej ako
ragbista rugby-player
rak crayfish, lobster *morský* • *tropic of the Cancer* obratník Raka
raketa 1. *voj.* rocket **2.** space rocket *kozmická* **3.** *šport.* racket
raketoplán rocket-plane
Rakúsko Austria
rakúsky Austrian
Rakúšan Austrian
rakva coffin
rameno shoulder, upper arm
rana 1. injury *poranenie* **2.** shot *výstrel*
raňajkovať have breakfast
raňajky breakfast
ranený wounded
raniť injure *fyzicky*, hurt *citovo*
ranný dawn, morning • *in the small hours* v skorých ranných hodinách
ráno morning, in the morning *kedy* • *yesterday morning* včera ráno • *tomorrow morning* zajtra ráno
rasa race

rasca cumin
rásť 1. grow, go up **2.** rise
rastlina plant
rastlinný plant
rátať count, calculate
raz once *jedenkrát*, the first time *prvýkrát* • *once and for all* raz a navždy
rázcestie crossroads
razítko stamp
rázny energetic, brisk *pohyb*
raž rye
ražeň spit, barbecue
rebrík ladder
rebro rib
recepcia reception
recepčný receptionist • *reception room* recepčná miestnosť
recept 1. *lek.* prescription **2.** *kuch.* recipe
recitácia recitation
recitátor reciter
recitovať recite
reč 1. address, speech *rečnícka* **2.** language, tongue *jazyk*
rečník speaker
rečniť make a speech
redaktor editor
reďkovka radish
reflektor reflector, headlight *na aute*
regál rack, shelf
región region
rehabilitácia rehabilitation
reklamný advertising • *advertising agency* reklamná agentúra • *handbill* reklamný leták
reklamovať claim
rekord record • *break a record* prekonať rekord
rekreácia holiday, recreation
rekreačný recreational • holiday inn *rekreačné stredisko*
rekreant holiday maker
relaxovať relax
remeň belt *opasok*
remeselník craftsman
remeslo craft
remíza draw
remizovať *šport.* draw
repa sugarbeet *cukrová*
reparát re-sit

reportáž report
reportér reporter
reprezentovať represent *zastupovať*
repríza night
reproduktor amplifier, loudspeaker
republika republic
rešpekt respect
rešpektovať respect
reštaurácia restaurant, eating house • *dining car* reštauračný vozeň
reťaz chain
retiazka chain • *a gold chain* zlatá retiazka
revať roar, scream
revír 1. hunting-ground *poľovný* 2. ward *policajný*
revízor inspector, controller
revolúcia revolution
revolver revolver, gun
rezanec vermicelli
rezať cut, chop
rezeň cutlet • *beef steak* hovädzí rezeň • *veal cutlet* teľací rezeň
rezerva reserve *zásoba*
rezervácia reservation • *national park* prírodná rezervácia
rezervovať reserve, book
rezký brisk, swift
režim routine *denný*
režisér producer
riad dishes
riadiť 1. direct, manage *podnik* 2. drive *auto*
riaditeľ director, headmaster *školy*
riaditeľka directress
riadok line
riasa 1. eyelash *očná* 2. seaweed *morské*
ríbezľa currant • *redcurrants* červené ríbezle • *blackcurrants* čierne ríbezle
riedky thin, light *hmla*
rieka river
riešiť solve, resolve
ringlota dog-plum
risk risk
riskantný risky, perilous *nebezpečný*
riskovať run a risk

ríša empire
riziko risk, peril *nebezpečie*
rizoto risotto
robiť **1.** do **2.** work *pracovať*
robot robot
robotník worker
ročne yearly
ročník class
ročný yearly
rod **1.** kin *kmeň* **2.** family *pôvod*
rodák native
rodený born
rodič parent • parents *rodičia* • *parentless* bez rodičov • *godparents* krstní rodičia
rodičovský parental
rodičovstvo parenthood
rodina family, relatives *príbuzní*
rodinný domestic, family • *family seat* rodinné sídlo • *villa* rodinný dom • *dependant* rodinný príslušník • *domesticity* rodinný život
rodisko birthplace, native place
rodný native • *citizen's card index number* rodné číslo • *native city* rodné mesto • *homeland* rodný kraj • *birth certificate* rodný list
rodokmeň **1.** family tree *názorný* **2.** pedigree *zvierací*
roh corner *kút*
rohový corner • *corner kick* rohový kop
rohož doormat
roj swarm *včiel*
rok year • *New Year* Nový rok • *leap year* priestupný rok
roláda swiss roll, rolled meat *mäsová*
rolák *hovor.* polo neck
roľa field *pole*
roleta blind
roľník peasant, farmer
román novel
romantický romantic
romantik romanticist
roniť weep *slzy*
ropa oil

ropný oil • *oil-slick* ropná škvrna
ropovod pipeline
ropucha toad
rosa dew • *dew-drop* kvapka rosy
rôsol jelly
roštenka roast-beef
rovesník contemporary
rovina plain, lowland
rovnaký the same *ten istý*
rovnať sa equal
rovnica equation
rovník equator
rovno straight *smer*
rovnobežka parallel
rovnošata uniform
rovnováha balance
rovný **1.** straight **2.** upright *postava*
rozbaliť unwrap, undo
rozbeh start
rozbehnúť sa start running, begin to run
rozbiť break
rozboliet' get sore
rozdeliť divide
rozdiel difference
rozdielny different
rozhlas broadcasting
rozhnevať sa get angry
rozhodnúť decide
rozhovor talk, conversation
rozchod parting *rozlúčenie*
rozkaz *voj.* order, command
rozkrojiť cut apart
rozkvitnúť blossom
rozľahlý extensive, wide *široký*
rozliať spill
rozličný various, different *odlišný*
rozloha area *územie*
rozlúčiť sa say goodbye
rozmanitý manifold, varied, various
rozmarín rosemary
rozmeniť change, break *peniaze*
rozmiestniť space *priestorovo*
rozmiešať mix up
rozmýšľať think about
rozobrať take to pieces
rozopnúť unbutton *gombík*
rozpamätať sa recollet

rozpor conflict
rozprávať sa debate, chat
rozprávka fairy tale, story • *bedtime story* rozprávka na dobrú noc
rozprávkový fairy-tale • *story-book* rozprávková kniha
rozprestierať sa extend, spread
rozsiahly extensive, widespread
rozsudok sentence *trest*
rozsvietiť switch on
rozum 1. intellect **2.** brain *mozog*
rozumieť understand
rozvážny deliberate
rozveseliť cheer up *rozveseliť sa*
rozviazať undo *uzol*
rozvíjať develop
rozvoj development, progress
rozvojový developing • *developing countries* rozvojové krajiny
rozvoz distribution, delivery *dodávka*
rozvrh plan, timetable *rozvrh hodín*
rožok roll, croissant *plnený*
rôzny 1. various **2.** varied *pestrý* **3.** different *odlišný*
rúbať hew, chop *polená*
ručička 1. hand *na hodinách* • *second hand* sekundová ručička **2.** needle *na prístroji*
ručne by hand
ručník scarf
ručný hand • *handbrake* ručná brzda
ruda ore • *iron ore* železná ruda
rugby Rugby
ruka hand *dlaň*, arm *horná časť*
rukáv sleeve
rukavica glove, mitten *palčiak*
rukojemník hostage
rukopis handwriting *písmo*
rumanček camomile
Rumun Rumanian
rumunčina Rumanian
Rumunsko Rumania

rúra 1. pipe **2.** oven *na pečenie*
Rus Russian
Rusko Russia
ruský Russian
rušeň locomotive, engine
rušný busy
ruština Russian
rúž lipstick *na pery*
ruža rose
ružový pink
ryba fish • *go fishing* ísť na ryby
rybací fishy
rybár fisherman
rybárčiť *hovor.* fish, go fishing
rybársky piscatorial • *fishhook* rybársky háčik
rybník pond, lake *veľký*
rybolov fishing
rýchlik express
rýchlo quickly, speedily
rýchločistiareň express loundry
rýchloopravovňa quick-repair
rýchlosť speed *veličina*
rýchly quick, fast
rýľ spade
rýľovať dig
rým rhyme
rys lynx *šelma*
rysovací drawing • *drawing-board* rysovacia doska
rysovať draw
ryšavý red-haired
rytier knight
rytmus rhythm
ryža rice

S

s, so with, and
sa oneself
sad 1. orchard *ovocný* **2.** park *park*
sada set • *paintbox* sada farieb
sadať si sit down
sadenica plant
sadiť plant, pot *do črepníka*
sadnúť si sit down, take a seat
sadra plaster
sadza soot
sako jacket, coat
sála 1. hall *sieň* **2.** operating room *operačná* **3.** ballroom *tanečná*
saláma salami
salaš chalet
salón 1. beauty parlour *kozmetický*, hairdresser's *kadernícky* **2.** car show *autosalón*
salto *šport.* somersault
sám 1. alone *jediný* **2.** oneself *samostatne* **3.** lonely *opustený, sám*
samec male
samica female
samohláska vowel
samoobsluha self-service shop, supermarket
samota 1. loneliness **2.** wilderness *pustatina*
samozrejme of course
sanatórium sanatorium
sandál sandal
sane sledge, toboggan
sanitka *hovor.* ambulance
sánka jawbone
sánkár sledger
sánkovať sa sledge, toboggan
sánky sledge
saponát detergent
sardinka sardine • *sardine tin* krabička sardiniek
satelit 1. satellite *družica* **2.** satellite dish *anténa*
sauna sauna
scediť strain off
scenár script • *screenplay* scenár filmu
scenárista script-writer

sčítať sum up
sebec egoist
sebecký selfish, egoistic
sedačka settee, sofa, couch
sedadlo seat
sedem seven • *seven times* sedemkrát
sedemdesiat seventy
sedemnásť seventeen
sedieť sit
sedlať saddle *koňa*
sedliak peasant, farmer
sedlo saddle
sedmokráska daisy
sejba sowing
sekáč chopper *na mäso*
sekaná force-meat
sekať cut, chop, hack *sekerou*
sekera axe, hatchet *sekerka*
sekretár cupboard *skriňa*
sekretárka secretary, assistent
sekunda second
sekundový second • *second hand* sekundová ručička
sem here • *here and there* sem a tam
semafor 1. signal **2.** traffic lights *pre chodcov*
semeno seed
semester semester
semifinále semifinal
semifinalista semifinalist
seminár 1. seminar *školenie* **2.** course *kurz*
sen dream
sendvič sandwich
senník hayloft
seno hay
senzácia sensation
september September
seriál serial
servírka waitress
servírovať serve
servis service *služba*
servítka napkin, serviette
sesternica cousin
sestra sister, nurse *opatrovateľka* • *stepsister* nevlastná sestra
sever north
Severná Amerika North America
severný north
severovýchod northeast

severozápad northwest
sezóna season
sfinga sphinx
sfúknuť blow off, blow out
schádzať sa meet *stretávať sa*
schod step, stair *v budove* • *downstairs* dolu po schodoch • *upstairs* hore po schodoch
schodište staircase
schopný able *telesne*
schovať hide, palm *do dlane*
schovať sa shelter
schovávačka hide-and-seek
schôdza conference, meeting
schôdzka appointment
schránka box • *safe* bezpečnostná schránka • *letter box* poštová schránka
schudnúť lose weight
schudobnieť become poor
siať sow, seed
sídlisko housing estate
sídlo 1. seat **2.** place of business *firmy*
sieň hall, room • *court* súdna sieň
sieť 1. net *pletivo* **2.** network
signál signal, light *dopravný*
signalizovať signalize
sila 1. strength *telesná* **2.** force *prírodná* **3.** power *fyzikálna*
silák strong man
silný strong, powerful *mocný*
Silvester New Year´s Eve
sipieť hiss *syčať*
sirota orphan
sirotinec orphanage
sirup syrup
sitko strainer, tea-strainer *na čaj*
situácia situation
sivý grey
skafander space suit *kozmonautov*
skákať jump, hop
skala rock, stone, cliff *útes*
skalnatý rocky
skaut scout
sklad storehouse
skladačka jigsaw
skladať sa consist of
skladateľ composer

skladba composition
skladník stockman
sklamaný disappointed
sklamať disappoint
sklenár glazier
skleník greenhouse
sklený glass
sklo glass
skočiť jump, jump over *cez čo*
skok jump • *long jump* skok do diaľky • *high jump* skok do výšky
skokan **1.** jumper **2.** green frog *žaba*
skončiť finish, end
skontrolovať check up, control
skóre score
skoro **1.** early **2.** soon *čoskoro*
skórovať score
skorý early
skôr **1.** sooner, earlier **2.** before *predtým*
skratka **1.** abbreviation *slova* **2.** short cut *cesta*
skriňa **1.** wardrobe *na šaty* **2.** showcase *výkladná*
skrinka **1.** case *na bielizeň* **2.** locker *v úschovni*
skromnosť modesty
skromný modest
skrotiť tame
skrutka screw
skrutkovať screw
skrýša hiding-place, blind *pre zvieratá*
skryť sa hide
skrývať sa skulk
skúmať study, examine
skúmavka test tube
skupina group
skúsenosť experience
skúsený experienced, skilled
skúsiť try, attempt *pokúsiť sa*
skúšať **1.** examine *učiteľ* **2.** try *pokúšať sa*
skúška examination *vedomostná*
skúšobný experimental
skutočnosť reality, fact
skutočný real, actual
slabika syllable

slabikovať spell
slabnúť become weak
slabosť weakness, feebleness
slabý weak *zdravie*, frail *krehký*
sláčik bow
sladiť sugar *cukrom*
sladkosť sweet
sladký sweet
slalom slalom • *slalom course* slalomová dráha
slama straw
slamený straw
slanina bacon
slaný salty
sláva glory, fame *povesť*
slávik nightingale
sláviť celebrate
slávnosť celebration, ceremony
slávny famous
slečna young lady, Miss *pred menom*
sledovať 1. follow, spy *špehovať* 2. watch *televíziu*
slepý blind
sliepka hen
slimák snail
slina saliva
sliniť salivate
slivka plum
slnečnica sunflower
slnečník sunshade
slnečný sunny • *the solar system* slnečná sústava • *sundial* slnečné hodiny • *sun-glasses* slnečné okuliare • *sunbeam* slnečný lúč
slniť sa sunbathe
slnko sun
sloboda freedom
slobodný 1. free 2. single *nie ženatý/vydatá*
Slovák Slovak
slovenčina Slovak
Slovensko Slovakia
slovenský Slovak
sloveso *gram.* verb
slovníček vocabulary
slovník dictionary
slovný verbal • *vocabulary* slovná zásoba
slovo word • *honestly* čestné slovo

sľub promise
sľúbiť promise
sluha servant
sluch hearing
slúchadlo receiver
slušný polite, well-mannered
služba 1. service **2.** duty *vojenská* • *be on duty* byť v službe
slúžka maidservant
služobne on business
slza tear
smažiť fry, roast
smäd thirst
smädný thirsty
smelý courageous, daring
smer direction *cesty* • *postcode* smerové číslo
smeti rubbish *odpad*
smetiar dustman
smetisko rubbish-heap
smiať sa laugh at na, ridicule *posmievať sa*
smiech laugh
smiešny funny
smieť may, be allowed to
smog smog
smola 1. pitch *čierna hmota* **2.** bad luck *nešťastie*
smotana cream
smrad stench, stink *silný*
smradľavý stinking
smrdieť stink
smrek pine
smrkať sniff
smrť death
smútiť grieve for *za*
smutný sad, grieved
smútočný 1. mourning **2.** funeral *pohrebný* • *funeral service* smútočná bohoslužba • *mass for the dead* smútočná omša • *funeral rites* smútočný obrad
smútok sorrow, grief
snaha effort *úsilie*, struggle *usilovná*
snár dream-book
snažiť sa make an effort
sneh snow
snehuliak snowman
snežienka snowdrop
snežiť snow
snívať dream
snúbenec fiancé

snúbenica fiancée
snubný wedding • *wedding ring* snubný prsteň
sob reindeer
sobáš wedding, marriage
sobota Saturday
sóda soda
socha statue, sculpture *dielo*
sochár sculptor
sója soya
sokol falcon
soľ salt
sólista soloist
soliť take salt
soľnička saltcellar
sólo solo
somár donkey, ass *osol*
sonáta sonata
sopka volcano
sotva hardly
sova owl
spáč sleeper
spadnúť fall down
spájať connect, join
spáliť burn
spálňa bedroom
spánok sleep, sound *hlboký*
spať sleep • *go to bed* ísť spať
späť back, backwards
spev singing, chorus *zborový*
spevák singer
spiatočný return, back • *return ticket* spiatočný lístok
spievať sing
spisovateľ writer, author
spláchnuť wash down, flush out *záchod*
splatiť pay, meet *dlh*
spln full moon
spodky underpants
spodnička petticoat
spodný bottom, lower • *underwear* spodná bielizeň
Spojené štáty americké the United States of America
spojenectvo alliance
spojiť **1.** connect *pripojiť* **2.** put through *telefonicky*
spokojný satisfied
spoľahlivý reliable, responsible
spoliehať sa rely on
spoločenský **1.** social **2.** sociable *družný*

spoločnosť 1. society 2. company *organizácia*
spoločný collective, common
spolok alliance, association • *Humane Society* spolok na ochranu zvierat
spolu together
spoluhláska consonant
spolupráca cooperation
spolupracovať cooperate
spolužiak school-mate, school-fellow
spomenúť si recall, recollect
spomienka memory
spor 1. conflict 2. quarrel *hádka*
sporák cooker
sporiť save
spotrebiteľ consumer
spôsob 1. way *postup* 2. manners *správanie*
spôsobiť cause
správa news, message *odkaz*
sprava from the right
správanie 1. behaviour 2. manners *spôsoby*
správať sa behave
spraviť do, make
správne right
správny 1. correct *presný* 2. right
spravodlivosť justice
spravodlivý just
sprevádzať accompany, guide *ako sprievodca*
sprcha shower
sprchovať sa have a shower
spriateliť sa make friends
sprievod procession *ľudí*
sprievodca 1. conductor *vo vlaku* 2. guide *turistov*
sprostý stupid
spýtať sa ask, question
srdce heart
srna roe
srnec roebuck
srsť coat, hair
sršeň hornet
stádo herd *dobytka*, flock *oviec*
sťahovák the wheel-brace *auto*
sťahovať sa move, migrate

stajňa stable
stále for ever, permanently
stály **1.** continual *neprerušený* **2.** stable *nemenný* **3.** regular *pravidelný*
stan tent
stanica station • *bus station* autobusová stanica • *police station* policajná stanica • *railway station* železničná stanica
stánok **1.** stall, stand **2.** boutique *menší*
stanovať camp
starať sa look after, take care of *o koho a*
starec old man
starena old woman
starnúť grow old
staroba old age
starobinec old people´s home
starobylý ancient, antique
staromódny old-fashioned, out-of-date
starostlivosť carefullness • *medical care* lekárska starostlivosť
starostlivý careful
starovek antiquity
starožitníctvo antique shop
starožitnosť antiquity *predmet*
starý **1.** old, aged *vekom* **2.** second-hand *obnosený* • *grandmother* stará mama • *grandfather* starý otec • *grandparents* starí rodičia
stáť **1.** stand *na nohách* **2.** cost *mať cenu* • *how much does it cost?* koľko to stojí?
stať sa **1.** become *kým/čím* **2.** happen *prihodiť sa*
statočný brave
statok farm, cattle *dobytok*
stavať build
stavba building *budova*
stavbár builder
stavebnica lego, bricks
stavenisko building-site
staviť sa make a bet
stávka bet
steblo stalk, stem
steh stich
stena wall

stíhačka fighter
stihnúť come in time, catch *vlak*
stíchnuť become quiet
stisk grip *ruky*
stíšiť calm
stlačiť **1.** grip **2.** press *tlačidlo*
stĺp column
stmievať sa grow dark
sto hundred
stodola barn
stoh rick
stojka handstand
stolár joiner
stolica stool, seat • *high chair* detská vysoká stolička
stolička chair
stolovať sit at the table
stonať groan
stopa track, trail *odtlačok*
stopovať hitchhike *auto*
storočie century
stôl table, desk *pracovný* • *lay the table* prestrieť stôl
strach fear
strachovať sa be afraid
straka magpie
strana **1.** side **2.** page *v knihe* • *the four cardinal points* svetové strany
stániť sa avoid *koho*
strašidelný ghostly
strašidlo **1.** ghost **2.** scarecrow *v poli*
strašiť frighten *naháňať strach*
strašný *hovor.* horrible, terrible, awful *hrozný*
stratiť lose • *waste time* stratiť čas
stratiť sa disappear *zmiznúť*
strava food *jedlo*
strávit' spend *čas*, digest *jedlo*
stravník boarder
stravovať sa be boarded
stráž guard • *bodyguard* telesná stráž
strážca guard • *body guard* osobný strážca
strážiť guard, watch
strážnik watchman, constable *policajný*
streda Wednesday

stredisko centre
stredný central, middle *prostredný* • *secondary school* stredná škola
strecha roof
strela shot, bullet *náboj*
streľba shooting
strelec shooter
streliť **1.** fire *zo zbrane* **2.** *šport.* shoot
strelnica shooting-grounds
stretnúť sa meet
stretnutie meeting, appointment *schôdzka*
striebro silver
striekať spray *vodou*
strieľať shoot
striga witch
strigôň wizard
strihať cut, shear *ovce*
strmý sheer, steep
stroj machine, engine • *typewriter* písací stroj
strojárstvo engineering industry
strojopis typewriting
strom tree • *Christmas tree* vianočný stromček
stroskotať be wrecked *loď* • *wreckage* stroskotanci
stručný brief *krátky*
strúhadlo grater
strúhanka breadcrumbs
strúhať **1.** grate *syr* **2.** sharpen *ceruzku*
strukoviny podders
struna string
strýko uncle
studený cold
studňa well, spring *prameň*
stuha ribbon, bow *mašľa*
stúpať **1.** climb *hore* **2.** rise *ceny*
stupeň **1.** step *schod* **2.** degree *v stupnici*
stupnica scale
stužka ribbon
Stvoriteľ Creator *Boh*
styk contact, relations *vzťah*
stýkať sa contact, meet
súboj duel
subtropický subtropical
súcit pity, sympathy
súčasne actually
súčasnosť the present
súčasný actual, present

súčiastka part
sud barrel *drevený*
súd court
sudca judge
súdiť try *obžalovaného*
súdny court • *court room* súdna sieň • *lawsuit* súdny proces
súhlas agreement
súhlasiť agree, accept • *I agree with you* súhlasím s tebou
suchár biscuit
suchý dry, arid *pôda*
sukňa skirt
súkromný private, personal *osobný*
súlad harmony
suma amount, sum
súmerný symmetrical
súmrak twilight, dusk
súostrovie archipelago
súper rival
súperiť rival
súprava 1. set, tea set *čajová* **2.** tracksuit *tepláková*
súrodenec sibling • *brothers and sisters* súrodenci
surovina raw material
surový 1. raw *nespracovaný* **2.** severe *počasie*
sused neighbour
susediť neighbour
susedný neighbouring
susedstvo neighbourhood
sústava system
sústrasť sympathy • *accept my condolences* príjmite moju sústrasť
sústrediť sa concentrate
sušička dryer
sušienka biscuit
sušiť dry
súťaž competition
súťažiť compete with
suterén basement
suvenír souvenir
svadba wedding, marriage
svadobný of wedding • *honeymoon* svadobná cesta • *a wedding present* svadobný dar
svah slope, hillside
sval muscle
svat father of the bride
svätec saint

svätožiara aureole
svätý *náb.* saint, sainted • *Holy Father* Svätý otec
svedčať suit, fit *komu*
svedok witness
svedomie conscience
svet 1. universe *vesmír* **2.** world *Zem* • *all over the world* na celom svete
svetadiel continent
sveter sweater
svetlo light • *switch on/off* rozsvietiť/zhasnúť
svetlý clear *obloha*, fair *vlasy*, light *farba*
svetový 1. universal **2.** world • *World War* svetová vojna
svetoznámy world-known
sviatok holiday
svieca candle
svietiť shine
svietnik candlestick
svieži brisk *vietor*, fresh *čerstvý*
sviňa pig
svišť marmot
svit shine • *sunshine* slnečný svit • *moonlight* mesačný svit
svitať dawn
svoj 1. one´s, my, your, his, her, its, our, their **2.** mine, yours, his, hers, its, ours, theirs *samostatne*
svokor father-in-law
svokra mother-in-law
svokrovci people-in-law
svrček cricket
syčať 1. hiss **2.** fizzle *para*
sychravý raw
sýkorka titmouse
sykot hissing
symbol symbol, sign *znak*
symfónia symphony
symfonický symphonic
sympatický likeable *milý*, pleasant
syn son • *godson* krstný syn • *the Son of God* Syn Boží • *little son* synček
synovec nephew
sypať pour
syr cheese
systém system • *control system* riadiaci systém
sýty full *najedený*

Š

šabľa sabre
šach chess *hra*
šachista chessplayer
šachovnica chess-board
šachta pit
šakal jackal
šál shawl
šalát lettuce *druh zeleniny*, salad
šálka cup
šampión champion
šampionát championship
šampón shampoo
šanca chance
šarkan kite *detský*
šarm charm
šašo clown
šatka scarf, headscarf *na hlavu*
šatňa **1.** cloakroom, wardrobe **2.** *šport.* dressing-room
šatník wardrobe
šatstvo clothing, wear
šaty **1.** clothes, wear **2.** dress *dámske* **3.** suit *oblek*
šediviet' become grey
šedivý grey
šedý grey
šéf chief, head
šéfkuchár chef
šek cheque
šelma beast of prey
šepkať whisper
šepot whisper
šerm swordsmanship *mečom*
šero gloom, dusk *súmrak*
šesť six
šesťdesiat sixty
šestnásť sixteen
šetriť **1.** spare *neplytvať* **2.** save for *sporiť na*
šetrný sparing
šialený mad, crazy
šibačka Easter whipping
šibať whip
šibenica gallows
šija neck
šijací sewing • *sewing machine* šijací stroj
šikmý **1.** oblique **2.** leaning *naklonený*
šikovný skilful, handy *zručný*

šiltovka flat-cap
šimpanz chimpanzee
šíp arrow
šípka 1. hip *plod* **2.** brier *ker* **3.** dart *papierová* **4.** arrow *smer*
šíriť sa 1. expand, broaden **2.** widen *rozpínať sa*
šírka 1. breadth, width **2.** latitude *zemepisná*
široko widely • *far and wide* široko-ďaleko
široký 1. wide *rozpätie* **2.** spacious *priestranný* • *avenue* široká ulica
šiť sew, make dress *šaty*
škaredý ugly, hideous
škatuľa box, case
škola 1. school, institute *večerná* **2.** school builing *budova* • *primary school* prvý stupeň • *secondary school* druhý stupeň • *secondary school* stredná škola • *university* vysoká škola
školáčka schoolgirl
školák schoolboy
školník caretaker
škorec starling
škorica cinnamon
Škót Scot, Scotsman
Škótsko Scotland
škótsky Scottish
škovránok skylark
škôlka kindergarten
škrabať 1. scratchy *nechtami* **2.** scrape *šúpať*, peel *lúpať*
škrečok hamster
škriatok elf, goblin *zlý*
škriepiť sa 1. dispute **2.** quarrel *hašteriť*
škrupina shell
škvrna blemish, spot
šľahačka whipped cream
šľapa sole *chodidlo*, footprint *stopa*
šmyk skid
šmýkať sa slide, slip *kĺzať sa*
šmykľavý slippery
šnúra 1. string *povrázok* **2.** lead *vedenia* **3.** flex *spotrebiča*
šnurovať tie up, lace up

šofér driver, lorry man *zá-vozník*
šomrať grumble
šopa shed
šošovica lentil
špagát string
špageta spaghetti
špajza pantry, storeroom
Španiel Spaniard
španielčina Spanish
Španielsko Spain
španielsky Spanish
špáradlo *hovor.* toothpick
špargľa asparagus
špecialita speciality
špeciálny special
špehovať spy on *koho*
špehúň sneak
špenát spinach
špendlík pin • *pinhead* špendlíková hlavička
šperk gem, jewel
špička 1. point *hrot* **2.** tip toe *chodidla*
špina dirt, filth *usadená*
špinavý black, dirty
šplhať sa climb up, shin *po lane*
špongia sponge
šport sport, sports *činnosť*
športovať go in for sports
športovec sportsman
športovkyňa sportswoman
šprintér sprinter
štadión stadium
štafeta relay *pretek* • *relay race* štafetový beh
štart start, launch *rakety*
štartovať start, take off *lie-tadlo*
šťastie happiness • *have a good luck* mať šťastie
šťastný 1. happy **2.** favou-rable *priaznivý* **3.** lucky
štát state, country *krajina*
štátnik statesman
šťava 1. juice **2.** gravy *mä-sová*
šťavnatý juicy
štebotať chirp
štedrý generous • *Christ-mas Eve* Štedrý večer
štekať bark
šteklit' tickle
šteňa pup
štetec brush

štít peak *horský*
štítok label *nálepka*
štrnásť fourteen
študent student • *university student* univerzitný študent
študentský student
štúdio studio
štúdium study, reading
študovať study at *na*, read *odbor*
študovňa study, reading-room
šťuka pike
štvorcový square
štvorec square
štvorlístok quarterfoil
štvrť district *mestská*
štvrtok Thursday
štýl style
štyri four
štyridsať forty
šumieť gurgle *zurčať*, fizzle *nápoj*
šunka ham, gammon *údená* • *ham and eggs* šunka s vajcom
šúpať peel *zeleninu*
šuškať whisper
švagor brother-in-law
švagriná sister-in-law
Švajčiarsko Switzerland
Švédsko Sweden
švihadlo skipping rope

T

tabak tabacco
tabatierka tobacco-box
tabletka tablet
tábor camp
táborák camp-fire
táborisko camping-site
táboriť camp
tabuľa 1. blackboard *školská* 2. table *vývesná* 3. board *doska*
tabuľka tablet, bar *čokolády*
tácňa tray
tade that way
ťahák *hovor.* crib
tachometer speedometer
tajiť conceal, keep close
tajne secretly, in secret
tajný secret, covert *skrytý* • *Secret Service* tajná polícia
tajomný mysterious, mystic
tajomstvo mystery *záhada*
tak 1. so 2. in this/that way *spôsob*
takisto in the same way
takmer almost, nearly
takt 1. *hud.* bar 2. tact *spoločenský*
takto in this/that way
taký such, like this/that *prirovnanie* • *as ... as* aký ... taký
takže so that
talent gift, talent for *na*
talentovaný talented
Taliansko Italy
talizman talisman, amulet
tam there, at that place
tamten that one
tancovať dance
tanec dance
tanečník dancer
tanečný dancing • *dance-hall* tanečná miestnosť • *ballroom* tanečná sála • *dancing floor* tanečný parket
tanier plate
tanierik saucer, soup-plate *na polievku*
tank tank
tapeta wallpaper
tapetovať paper
taška bag, schoolbag *škol-*

ská, handbag *dámska*
táto this
ťava camel
taxík taxi
taxikár taxi-driver
taxislužba taxi service
ťažkosť difficulty *obťažnosť*, trouble *nepríjemnosť*
ťažký weighty, heavy, difficult *obťažný*
tehla brick
technický technical • *Technical University* vysoká škola technická
technik techniciant *odborník*
tekutina liquid *kvapalina*
tekutý liquid
tekvica pumpkin
teľa calf, little calf *teliatko*
teľacina veal
telefón telephone, *hovor.* phone • *be on the phone* mať telefón
telefonát telephone call *hovor* • *trunk call* medzimestský
telefónny telephone, phone • *call box* telefónna búdka • *telephone directory* telefónny zoznam
telefonovať phone, telephone, ring up
telegram telegram
televízia television, T.V. • *on TV* v televízii
televízor television set, T.V. set
telo body
telocvičňa *hovor.* gym
telocvik gymnastics, physical training
téma theme
ten, tá, to this, that, the
tenis tennis, lawn tennis *na trávniku*
teniska tennis shoe
tenista tennis-player
tenký thin, slim *štíhly*
tento, táto, toto this, that • *this time* tento raz
teória theory
tepláky track-suit *súprava*
teplo warmth, heat • *warm weather* teplé počasie
teplomer thermometer

teplota temperature, fever *horúčka*
teplý hot, warm
terajší present
terárium vivarium
terasa terrace
teraz now, at present time
terč target, mark
termín term, date
termoska thermos
tešiť sa 1. be glad **2.** look forward
teta aunt
text text
textil textile
tchor polecat
tiecť run, flow *plynúť*
tieň shade
tieto these
tiež also, too
tiger tiger
tigrica tigress
ticho silence, quiet
tichý silent, quiet *pokojný*
tinktúra tincture • *tincture of iodine* j ódová tinktúra
tisíc thousand
tisícročie millennium
tisícročný millenial
títo these
tkanina fabric
tlak press *nátlak*, pressure *vzduchu*
tlakomer barometer
tlakový pressure • *pressure cooker* tlakový hrniec
tĺcť beat *srdce*
tlieskať applaud, clap
tlmočníčka interpretress
tlmočník interpreter
tlstý thick, fat *tučný*
tma darkness, dusk *súmrak*
tmavý dark
toaleta lavatory *záchod*
tobogan toboggan
točiť 1. turn **2.** shoot *film*
tok flow, stream *rieky*
toľko so much/many *prirovnanie*
tón *hud.* tone
tona ton
topánka shoe, boot *vysoká*
topiť sa 1. go down **2.** melt *roztápať sa*
topoľ poplar
torta cake

toto this
tovar goods
továreň factory
tradícia tradition
tradičný traditional
trafika tobacconist's
trafikant tobacconist
traktor tractor
traktorista tractor-driver
transfúzia transfusion • *blood transfusion* transfúzia krvi
trápiť annoy *znepokojovať*, worry *sužovať*
trápiť sa worry, grieve
trať track *koľaje*
tráva grass
tráviť **1.** pass *čas* **2.** spend *účelne* **3.** digest *zažívať*
trávnatý grassy
trávnik lawn
tréma stage fever
tréner coach, trainer
tréning training
trenírky shorts
trénovať train *cvičiť*
tretina third
trezor safe
trh market
trhať **1.** pull **2.** pick *plod*
trhovisko market-place
tri three
triasť sa **1.** shake *ruky* **2.** quake *od strachu*
tričko T-shirt
tridsať thirty
trieda **1.** class **2.** classroom *učebňa*
trinásť thirteen
trio trio
tŕň prickle *pichliač*
trnka blackthorn
trocha a bit, a little
trojboj triathlon
trojčatá triplets
trojhlavý three-headed
trojkolka tricycle
trojlístok trefoil
trojskok triple jump
trojuholník triangle
trolejbus trolley-bus
tropický tropical • *the tropics* tropické pásmo
trpaslík dwarf
trpezlivosť patience
trpezlivý patient

trpieť 1. be in pain *bolesťou* **2.** want *nedostatkom*
trvalý lasting, permanent • *permanent address* trvalé bydlisko
trvať last
tu here
tucet dozen
tučniak penguin
tučnieť become fat
tučný fat, thick *hrubý*
tuk oil
tulák vagabond
túlať sa wander, roam
tuleň seal
tunel tunnel
túra walk, tour *okružná*
Turecko Turkey
turecký Turkish • *Turkish coffee* turecká káva • *Turkish nougat* turecký med
Turek Turk
turista tourist
turistika tourism, hiking *pešia*
turnaj championship
tušiť anticipate *predvídať*
túžiť long
tvár face
tvoj your, yours *samostatne*
tvorca originator, author
tvoriť form, make
tvrdohlavý wilful
tvrdý hard, strict *prísny*
ty you
tyč bar
tykadlo feeler
typ type, class *druh*
typický typical, characteristic of *pre*
týždeň week • *fortnight* dva týždne

U

u at, by, with *niekoho, niečoho* • *at the doctor's* u lekára
ubezpečiť sa make sure
ublížiť injure, hurt *citovo*
úbočie slope, hillside
úbohý poor, miserable *biedny*
úbor clothes, dress • *evening dress* večerné šaty
ubytovanie accomodation
ubytovať accommodate
ubytovňa hostel
úcta regard *ohľaduplnosť*
účasť attendance at *prítomnosť na*
účastník attendant, competitor *súťaže*
učebňa classroom
učebnica textbook
účel 1. aim, end *cieľ* 2. purpose *zámer*
učenie learning
účes hair-style, haircut *pánsky*
učesať comb, do the hair
účinok 1. effect 2. result *výsledok*
učiť sa learn, memorize *naspamäť*
učiť teach *koho*
učiteľ teacher
účtovník accountant
udalosť affair, happening *spoločenská*
udatný brave
udeliť grant • *award* udeliť cenu
údený smoked
úder bang *rana*, punch *päsťou*
udiať sa happen
udica fishing-rod
údiť smoke
údiv surprise, wonder
údolie valley
udrieť punch *päsťou*, strike *blesk*
udržať keep *zachovať*
údržba maintenance
uhádnuť guess
uhasiť 1. put out *oheň* 2. quench *smäd*
uhlie coal • *brown coal*

hnedé uhlie
uhlopriečka diagonal
uhol angle • *acute angle* ostrý uhol • *obtuse angle* tupý uhol
uhorka cucumber
uhryznúť bite
ucho 1. ear **2.** eye *ihly*
uchopiť catch
uchovať keep
uchrániť save
uchýliť sa shelter *do úkrytu*
ujsť get away, run away
ukázať 1. point to *na* **2.** show
ukazovací demonstrative *zámeno*
ukazovák forefinger
ukazovať point *prstom*
ukloniť sa bow
ukončiť close
ukradnúť steal
úkryt hiding place, shelter
ukryť sa hide, find shelter
úľ beehive
uletieť fly
ulica street • *on the street* na ulici
ulička 1. alley *medzi budovami* **2.** passage *priechod*
ulita shell
úloha 1. task *poslanie* **2.** homework *školská* **3.** exercise *cvičenie*
ulomiť break off
uložiť box *do krabice*
umelec artist
umelecký art
umelkyňa woman artist
umelý artificial • *artificial respiration* umelé dýchanie
umenie art, arts *výtvory* • *the fine arts* výtvarné umenie
umieráčik knell
umierať 1. die **2.** be starving *hladom*
umiestnený set, situated
umiestniť place, situate *rozvrhnúť*
umlčať silence
umrieť die
úmrtný of death • *obituary* úmrtné oznámenie • *death certificate* úmrtný list

V

v 1. in *miesto* • *in the school* v škole *budove*, at, inside *vnútri* **2.** in *časovo* • *in winter* v zime, on • *on Sunday* v nedeľu
vadiť sa quarrel
vagón carriage, coach • *dining car* jedálenský vozeň • *sleeping car* spací vozeň
váha weight, scale *prístroj*
váhať hesitate
vajce egg • *soft-boiled egg* vajíčko na mäkko • *hard-boiled egg* vajco na tvrdo
vak bag, sack
valec roller *stroj*
váľanda French bed, couch
váľok rolling pin
vaňa bath
vanilka vanilla
vánok breeze
vanúť blow
varecha ladle
vari perhaps, maybe
varič stove, cooker • *gas-cooker* plynový varič
variť cook, boil
varovanie warning
varovať warn
váš your, yours *samostatne*
vata cotton wool
vatra campfire
váza vase
vážiť weigh
vážny serious *dôležitý*, sad *smutný*
väčšina majority
vädnúť wither
väzeň prisoner
väzenie prison
väznica prison house
väzniť keep in prison
vbehnúť run in
včas on time, early *zavčasu*
včela honeybee
včelár bee-keeper
včelárstvo bee-keeping
včelí bee- • *queen-bee* kráľovna • *beebread* kašička
včera yesterday, yesterday evening *večer*
vďačný grateful
vďaka thanks

vdova widow
vdovec widower
vdýchnuť take in breath
vec thing, affair *záležitosť*
večer evening • *Christmas Eve* Štedrý večer
večera supper, dinner
večerať have dinner/supper
večerníček "Good Night Children" programme
večierok party
veď indeed, yes
veda science
vedec scientist
vedecký **1.** scientific **2.** science-fiction, sci-fi *vedeckofantastický*
vedieť know
vedľa **1.** close to/by, next to *pri*, by the side, beside **2.** out *mimo* **3.** side by side *vedľa seba*
vedný disciplinary • *discipline* vedný odbor
vedomosť knowledge
vedro bucket
vek **1.** epoch *obdobie* **2.** age *ľudský*
veľa much *nepočítateľné*, many *počítateľné*, a lot of
veliť command
veliteľ commander
Veľká noc Easter
veľký **1.** big, large *plochou* **2.** tall, high *vysoký* **3.** great *významný, slávny, vznešený*
Veľký piatok Good Friday
veľmi very, much
veľryba whale
veľtrh trade fair
venovať present, devote *poskytnúť* • *pay attention* venovať pozornosť
ventilátor ventilator
veranda veranda
verejnosť the public
verejný public
veriť believe, trust *dôverovať*
vernisáž private view
verný faitful, truthful
verš verse • *in verse* vo veršoch
veršovať write verse
veselo joyfully

veselohra comedy
veselý merry, jolly *zábavný*
veslo oar
veslovať row
vesmír space, universe
vesmírny space
vesta waistcoat *pánska*, cardigan *dámska*, life-jacket *záchranná*
vestibul vestibule
vešať hang, hang up *bielizeň*, hook on *na hák*
vešiak rack, clothes hook *háčik*
veta sentence
veterinár vet
vetrať air
vetrovka anorak
veverica squirrel
veža tower
vhodný suitable
vchádzať walk in
vchod entry *vstup* • *no entry* vstup zakázaný
viac more
viackrát several times
viac-menej more or less
viacnásobný manifold
Vianoce Christmas, skr. Xmas
vianočný Christmas • *Christmas tree* vianočný stromček • *Christmas present* vianočný darček
viať blow *vietor*, wave *zástava*
viazanka tie, cravat *široká*
viazať 1. tie *uzol* **2.** bunch
vidiečan countryman
vidiek the country, countryside
vidieť see *pozerať*, watch *sledovať*
vidlička fork
vidly pitch-fork
viera faith *presvedčenie*
viesť lead, drive *vozidlo*, run *podnik*
vietor wind
viezť sa carry
víchor strong wind, storm *prudký*
víchrica windstorm, snowstorm *snehová*
vila villa
víla nymph *morská*, fairy

rozprávková
vina 1. blame *zodpovednosť* **2.** fault *priestupok*
vinič vine
viniť blame
víno wine • *white wine* biele víno • *red wine* červené víno
vinohrad vineyard
vír whirl, whirlpool *vodný*, whirlwind *vzduchový*
víriť whirl
vírus virus
visieť hang
višňa black cherry *plod*
vitamín vitamin
vítať welcome
víťaz 1. victor **2.** *šport.* winner
víťaziť win
víťazstvo victory, *šport.* win
vizita visit
vízum visa
vkus style *štýl*
vkusný stylish
vláda government
vlajka flag, ensign *vojenská*, standard *kráľovská*
vlak train • *goods train* nákladný vlak • *express train* rýchlik
vlámať sa break into *do*
vlani last year
vlas hair
vlasť native country *rodná*
vlastenec nationalist
vlastenectvo nationalism
vlastniť own
vlastnosť feature *črta*
vlastný own
vľavo to the left *smer*, on the left *miesto*
vlečka trailer *príves*
vlek tow
vletieť fly in
vlhký moisty *podnebie*
vliecť drag *ťahať*, carry *namáhavo*
vlievať sa fall into
vlk wolf
vlna 1. wave **2.** wool *ovčia*
vločka snowflake *snehová*, cornflakes *ovsené*
vložiť put into *do*
vnímať feel *cítiť*
vnímavý sensitive *citlivý*

vnúča grandchild • *grandson* vnuk • *granddaughter* vnučka
vnútri inside, in, indoors
vnútro inside
vnútrozemie inland
voči towards
voda water
vodáreň waterworks
vodca leader
vodič driver *šofér*, conductor *električky*
vodiť guide *ako sprievodca*, take *sprevádzať*
vodopád waterfall
vodorovný horizontal
vodotesný waterproof
vodovod 1. water main **2.** water-tap *v byte*
vodstvo waters
vojak soldier, airman *letectva*
vojenský military
vojna war
vojsko army *armáda*, troops *vojaci*, the forces *jednotky*, navy *námorné*
vojsť enter *vstúpiť*, go, come
voľačo something
voľakde somewhere
voľakto somebody
volanie calling
volant steering wheel
volať cry *kričať*, call *telefonovať*
volejbal volleyball
voľno holiday
voľný 1. loose *odev* **2.** empty *nezaplnený*, free *voľný*
von out, outside
voňať smell, scent
voňavka perfume
vonkajší outside
vonku out, outside, out of doors
voz waggon, car *nákladný*
vozeň carriage, coatch • *dining car* jedálny vozeň • *sleeping-car* spací vozeň
vozidlo vehicle, motor-car
voziť sa drive, ride on, travel *dopravným prostriedkom*
voziť take by *na*, drive, perambulate *dieťa v kočíku*
vozovka carriageway, roadway

vôbec after all
vôkol round about
vôl ox
vôľa will
vôňa smell, scent *pach*
vplyv influence *pôsobenie*
vplývať influence
vplyvný 1. influential **2.** powerful *mocný*
vpravo to the right *smer*, on the right *miesto*
vpredu in the front
vpustiť let in
vrabec sparrow
vracať sa return
vrana crow
vráska wrinkle
vrátiť 1. put back *na miesto*, send back *zásielku* **2.** give back *niekomu*
vrátiť sa return, come back
vrátnik door-keeper, porter *hotelový*
vravieť say, tell
vŕba willow
vrece sack *zemiakov*
vrecko pocket *odevu*
vreckové pocket money
vreckovka handkerchief
vrh throw *hod*
vrch hill
vrchnák lid
vrchný upper, top
vrieť boil
vrkoč plait of hair
vrstva stratum *zemská*
vstať stand up *na nohy*, get up *z postele*, wake up *zobudiť sa*
vstup admission, entry • *no admittance* vstup zakázaný • *free admission* vstup voľný
vstupenka admission ticket, free *voľná*
vstúpiť enter, come in *vojsť* • *come in*! vstúpte!
vstupné admission charge
všade everywhere, anywhere
však but
Všechsvätých All Saint´s Day
všeličo anything
všeobecný general
všetko all, everything, anything

všímavý attentive
všimnúť si notice
vták bird
vtedy then
vtip joke
vtipný witty
vy you, yourself *sami*
vybehnúť run out
výber choice
výborný excellent
vybrať si choose, select
výbuch explosion
výbušnina explosive
vycítiť feel
výcvik exercise, practice, training
vyčistiť clean, brush *zuby*
výčitka reproachuke
vydať sa marry *za koho*
vydavateľ publisher
vydavateľstvo publishing firm
vydra otter, sea-otter *morská*
vydržať stay *zostať*
vyháňať drive out
výherca winner
výhľad view
vyhladnúť get hungry
vyhlásiť announce, declare *vojnu*, advertise *súťaž*
vyhláška notification
výhoda advantage
výhodný advantageous
výhra win *v súťaži*, prize *cena*
vyhrať win, be awarded *cenu*
vyhrážať sa threaten
vyhriať warm, heat
vychádzka trip, walk
vychladnúť cool
východ **1.** sunrise *slnka* **2.** the east *svetová strana*
východný east, eastern
výchova upbringing *dieťaťa*, education *vzdelávanie*
vyjadriť sa express
vyjsť **1.** go out, come out *von* **2.** go up, come up, climb *hore*
výklad **1.** shop-window *obchodu* **2.** interpretation *vysvetlenie*
vykladať explain *vysvetľovať niečo*

vyklonit' sa lean out
vykonat' do, make *uskutočniť*
vykradnúť rob, steal
výkres drawing
výkričník exclamation-mark
výkrik cry, shout *silný*
vykročiť step out
vykvitnúť be in flower
vyleštiť polish
výlet trip, excursion
vyletieť fly out, leave *z hniezda*
výletník tourist, holiday-maker
vyliahnuť sa hatch out
vyliať pour out, spill *rozliať*
vyliečiť heal, cure
vyliezť climb
vyložiť let off *cestujúcich*
vylúštiť solve
výmena exchange
vynájsť discover *objaviť*
vynález invention
vynálezca inventor
vyniesť bring out *von*, carry out, carry up *hore*
vynikajúci excellent
vyniknúť excel
výnimka exception
výnimočný extraordinary
vypátrať search out
vypestovať cultivate
vypínač switch
vypínať switch off
vypiť drink up
výplata payment
vyplávať swim up
vyplieť weed
vyplniť fill in
vypľuť spit out
vypnúť switch off *vypínačom*, turn off *kohútikom*
vypočítať calculate
vypočuť listen to
výpomoc aid, help
vypožičať si borrow
výprava tour, expedition *vedecká*
výpravca guard
vyprážať roast, fry
vypredať sell out
vypustiť launch *družicu*
vypytovať sa inquire
výr eagle-owl

vyrábať manufacture, product
výroba work, production, manufacture *továrenská*
výrobca producer, manufacturer
vyrobiť produce, manufacture
výrobok product, manufacture
výročie anniversary, jubilee
vysadiť plant
vysávač vacuum cleaner
vyskočiť jump
výskum research, examination *skúmanie*
vyskúmať study, find out *zistiť*
výskumník researcher
vyskúšať examine *žiaka*
výskyt existence
výsledok result, *šport.* score
vyslobodiť free
vysloviť speak *slovami*
výslovnosť pronunciation
vysmädnúť get thirsty
vysokoškolák university student
vysoký high, tall *človek*
vysťahovať sa move out, emigrate *do cudziny*
výstava exhibition, show *umelecká*
výstavba construction
výstraha caution, warning *upozornenie*
výstrel shot
vystreliť shoot
vystúpiť climb, mount *na horu*, get out *z vlaku*
vysvedčenie report *školské*
vysvetlenie explanation
vysvetliť explain
vysypať pour
vyšetrenie examination
vyšetriť examine
vyšívať embroider
výška height, altitude *nadmorská*
vyť howl
výťah lift
vyučovanie teaching, lessons *hodiny*
vyučovať teach
vyvetrať air
vyvinúť sa grow *vzniknúť*

vývoj development
vyvolať call up *žiaka*
vývoz export
vyzerať look
vyzliecť sa take off
vyznačiť mark out
význam signification, importance *dôležitosť*
vyznamenanie decoration *ocenenie*, medal *medaila*
významný important, significant
výzor appearance, looks *podoba*
vyzuť sa take off
výživa nourishment, food *potrava*
vzácny precious, rare *zriedkavý*, costly *cenný*
vzadu at the back, behind
vzdelanie education, schooling *školské*
vzdelaný well-educated
vzdialenosť distance
vzdialený distant *v priestore*, far-away *v čase*
vzduch air, open air *príroda*
vzducholoď airship
vzduchotesný hermetic
vzdušný airy
vzdychať sigh
vziať si take *do rúk*
vzniknúť come into existence, arise *objaviť sa*
vzorec formula
vzrušenie excitement
vzrušiť excite
vzrušujúci thrilling
vzťah relation
vždy always • *for ever* navždy

Z

z, zo 1. f rom, out of, of *miestne* **2.** from, of *časovo*
za 1. behind *vzadu* **2.** for *cenu* **4.** after *po*
zababušiť cover up
zabaliť wrap up
zábava 1. amusement **2.** play *hra*
zabávať entertain
zabaviť amuse, entertain *koho*
zabaviť sa have fun
zábavný amusing, entertaining, funny
zabezpečiť provide *obstarať*, ensure *zaistiť*
zabiť kill, hammer in *klinec*, slaughter *dobytok*
zablahoželať congratulate
zablatený muddy
zablúdiť go astray, get lost
zablýskať sa lighten *blesk*
zabočiť turn off, round the corner *za roh*
zábradlie banisters *na schodoch*
zabrániť prevent, stop, restrain *zamedziť*
zabrzdiť stop *auto*
zábudlivý forgetfull
zabudnúť forget
zabúchať knock
záclona curtain
začarovať bewitch
začať begin, start
začervenať sa turn red
začiatočník beginner, novice *nováčik*
začiatočný initial • *initial letter* začiatočné písmeno
začiatok beginning, start
začínať begin, start
začudovať sa bewilder
zadarmo free of charge, gratis
zadĺžiť sa get into debts
zadný back, backward
zadok back, bottom
zadriemať take a nap
zadržať stop, hold • *hold the breath* zadržať dych
zadychčať sa be upset
zadymený smoky
zafajčiť si have a smoke

zafarbený coloured
zagágat' cackle
záhada mystery
záhadný mysterious
zaháľať be idle
zahanbený ashamed
zahasiť blow out *sviečku*, put out *oheň*, switch off *svetlo*
zahodiť throw away
zahojiť sa heal up
záhon flower-bed *kvetinový*, patch *zeleniny*
záhrada garden
záhradník gardener
záhradný garden
zahraničie foreign country • *abroad* do zahraničia
zahraničný foreign
zahriať warm up
zahrmieť thunder
zahŕňať include
zahynúť perish, die *zomrieť*
záchod lavatory, toilet
zachovať keep *udržať*, hold
záchrana rescue
záchranca rescuer
zachrániť rescue • *life-jacket* záchranná vesta • *ambulance* záchranka • *lifeboat* záchranný čln • *safety-belt* záchranný pás
zachrípnuť become hoarse
zachrípnutý throaty
zachytiť 1. catch 2. stop *zadržať*
zaiste certainly, surely
zajac hare, rabbit *králik* • *bunny* zajačik
zajakať sa stammer *rečová vada*
zajať capture
zajatec captive • *prison camp* zajatecký tábor
zajatie captivity, capture
zájazd excursion, trip
zajtra tomorrow • *tomorrow in the morning* zajtra ráno
zakašľať cough
zákaz prohibition • *no smoking* zákaz fajčiť
zakázať prohibit, forbid
zákazník customer, consumer *návštevník*
základný basic, primary •

primary school základná škola • *primary education* základné vzdelanie
zaklopať knock
zákon law *právo*
zakončiť close, end, finish
zakopať dig in
zakoreniť sa root *strom*
zakotviť anchor
zakrádať sa slink
zakrátko shortly
zakričať bawl, shout
zákruta bend, curve
zakrútiť turn round
zakrvavený bloody
zakryť cover
zakúriť make fire
zákusok cake, dessert
zakvitnúť blossom
zakývať wave
zalepiť glue, tape over *páskou*
záležať depend upon *na čom*
záležitosť **1.** matter *vec* **2.** affair *dej* **3.** business *obchodná*
zaliať water
záliv bay, gulf
založiť base, establish
záľuba hobby, liking
zaľúbený in love with *do*
zaľúbiť sa fall in love
zamat velvet
zamávať wave
zamdlieť faint
zamedziť prevent *zabrániť*
zameniť replace
zámeno pronoun
zámer intention *úmysel*, purpose *cieľ*
zamestnanie job, work, occupation • *out of work* bez zamestnania
zametať sweep
zamiešať stir
zamilovaný in love with *do*
zamilovať sa be in love
zámka lock
zamknúť lock, lock up *byt*
zamlčať conceal
zámočník locksmith
zámok castle
zamračený cloudy
zamračiť sa become cloudy
zamraziť freeze, chill

zamrznúť freeze
zamykať lock up *kľúčom*
zamyslený thougtful
zamyslieť sa think about
zamýšľať intend, mean
zanedlho in a short time
zanechať leave
zaneprázdnený busy
zaniesť take *niekam*, carry
zánik extinction, end *koniec*
zaniknúť become extinct
zaobstarať get, obtain *získať*
západ 1. sunset *slnka* **2.** west *svetová strana*
zapadnúť set *slnko*
západný western, west
zápach bad smell
zapáchať smell, stink
zapáliť light *svetlo*, set on fire *podpáliť*, switch on *svetlo*
zápalka match • *matchbox* zápalková škatuľka
zapaľovač lighter
zapamätať si remember
zaparkovať park *automobil*
zápas 1. struggle **2.** *šport.* fight, match *futbalový*
zápasenie wrestling
zápasiť 1. struggle, fight **2.** *šport.* wrestle
zápästie wrist
zapínať button up *gombík*
zápis imatriculation *do školy*
zapísať sa book in *ako hosť*
zápisník notebook
zapisovať write down
zaplatiť pay
záplava flood
zapnúť button up *na gombíky*, zip up *zips*, switch on *vypínačom*
zapojiť sa connect to *do*
zápor negation
záporný negative
zapôsobiť impress
zapožičať lend
zapriať wish
zapríčiniť cause
zarábať earn, make money
zaradovať sa rejoice
zarámovať frame
zaraz at once, immediately
zariadenie device *prístroj*
zariadiť 1. arrange *vybaviť*

2. furnish *nábytkom*
zarmútiť grieve
zármutok grief, sorrow
zároveň at the same time, together
zárubňa door frame
zaručiť warrant, guarantee
zasa again
zasadiť plant
zasielať post, forward
zásielka mail *list*, parcel *balík*
zasklit' glaze, glass
zaslúžiť si earn, deserve
zasnený dreamy
zasnežený snowy
zasnúbenie engagement
zasnúbený engaged
zasnúbiť sa become engaged
zásnuby engagement • *wedding-ring* zásnubný prsteň
zásoba stock • *water supply* zásoba vody
zaspať fall asleep
zastaraný old-fashioned, out-of-date
zastať stop
zástava flag
zastaviť sa stop, call *autobus*
zastaviť s top, turn off *vypnúť*
zastávka 1. stop, stopping, break *prestávka* **2.** stop *autobusu*, station *vlaku*
zástera apron
zástrčka plug *elektrická*
zastreliť shoot dead
zástup crowd *rad*, queue *čakajúcich*
zásuvka drawer *v skrini*
zásyp powder
zasypať fill up, powder *zásypom*
zašepkať whisper
zašiť overcast *roztrhnuté*, sew up *zošiť*
zašpiniť soil, dirty
zaštekať woof
zať son-in-law
zatáčať turn
zatáčka curve
zatajiť conceal
zatelefonovať call, phone

zatiaľ so far, by now *doteraz*, by then *dovtedy*
zatiaľ čo whereas
zatknúť arrest
zátoka bay, gulf
zatriasť shake
zatúlať sa go stray, wander
zatvoriť 1. shut **2.** lock up *zamknúť*
zátvorka bracket, round bracket *okrúhla*, square bracket *hranatá*
zatýkať arrest
záujem attention, interest
zaujímať sa be interested in
zaujímavosť interest
zaujímavý interesting
zaváranina bottled fruit
zavárať preserve, bottle
zavčasu early
závej snowdrift
záver end, close *ukončenie*
záverečný final • *finals* záverečné skúšky
záves curtain *z látky*
zavesiť hang up, hang out *prádlo*
závidieť envy
zaviezť drive, carry
zavinit' cause *spôsobiť*
závisieť depend on
závislý dependent
závisť envy
závistlivý envious
závod establishment, factory
závoj veil
zavolať call up *telefónom*
závora bar *na dverách*, gate *železničná*
zavýjať howl
zaznieť sound
zázračný miraculous, magical • *wonderland* zázračná krajina
zázrak miracle, marvel, wonder
zazrieť notice *všimnúť si*
zažať switch the light on
zaželať wish
zážitok experience, incident *príhoda*
zažmurkať twinkle
zbadať notice *všimnúť si*
zbaviť sa get rid of *odstrániť*
zber harvest *úrody*, picking *plodov*

zberač picker
zberateľ collector, antiquarian *starožitností*
zbierať take up, pick up, collect *predmety*
zbierka collection
zblednúť become pale, turn pale
zblízka from a short distance
zbohatnúť become rich
zbohom goodbye
zboku from aside
zbraň weapon, gun *strelná*
zbrojnica arsenal • *fire station* požiarna zbrojnica
zbúrať pull down, break down
zbytočný needless *nepotrebný*
zďaleka from afar
zdanlivý apparent
zdarma without charge, gratis
zdať sa appear, seem • *it seems* zdá sa
zdokonaliť improve *zlepšiť*, make better
zdokonaliť sa improve
zdola from below
zdôrazniť emphasize
zdôveriť sa confide
zdravie health, well-being
zdravotníctvo health service
zdravotný hygienic, sanitary • *physical* zdravotná prehliadka • *complaint* zdravotné problémy
zdravý healthy, well
zdražieť go up, rise
zdriemnuť si take a nap
združenie association *asociácia*
zdržať sa be delayed *oneskoriť sa*
zdvorilosť politeness
zdvorilý polite, well-mannered, attentive *pozorný*
zebra zebra • *zebra crossing* priechod pre chodcov
zelenina vegetables, root crop *koreňová*
zeleninár greengrocer
zeleninárstvo greengrocer´s
zelený green

zeler celery
zem land *pevnina*, ground *pôda*
zemeguľa earth, globe *glóbus*
zemepis geography
zemepisný geographical • *longitude* zemepisná dĺžka • *latitude* zemepisná šírka
zemetrasenie earthquake
zemiak potato
zhasiť **1.** blow out *sfúknuť* **2.** switch off *svetlo, rádio*
zhlboka from out the deep
zhltnúť swallow
zhniť rot
zhora from above
zhorieť burn
zhoršiť make worse
zhotovený made
zhotoviť make
zhovárať sa converse, speak to
zima winter *ročné odbobie*, cold *chlad*
zips zip
získať acquire, obtain, get • *score* získať body
zísť sa meet, come together
zistiť discover, find out
zívať yawn
zjaviť sa appear
zjednodušiť simplify
zjednotenie unification
zjednotený united
zjednotiť unite, unify
zjesť eat up
zlacnieť become cheaper
zľaknúť sa be frightened, get scared
zlatníctvo goldsmith´s shop
zlatník goldsmith
zlato gold
zlatý gold • *gold-mine* zlatá baňa • *goldfish* zlatá rybka • *golden wedding* zlatá svadba • *laburnum* zlatý dážď
zľava **1.** from the left side *z ľavej strany* **2.** discount *zníženie*
zle ill, wrongly
zleniviet' become lazy
zlepiť glue together, paste *lepidlom*
zlepšenie improvement

zlepšiť make better, improve
zlepšiť sa grow better, improve
zletieť fly down
zliezť climb down
zlo evil, ill
zločin crime
zločinec criminal
zlodej thief, robber
zlomenina fracture
zlomiť break
zlosť anger
zlostný angry
zloženie composition, structure
zložiť **1.** hang up *slúchadlo* **2.** take off *odev*
zložitý complex *komplikovaný*
zlý bad
zmätený confused
zmätok fuss, confusion
zmena alternation, conversion *premena*
zmenáreň exchange office
zmeniť alter, change *premeniť*
zmenšiť reduce, make smaller
zmeškať miss, lose
zmeták sweeper
zmieniť sa mention, allude *naznačiť*
zmienka mention
zmija viper
zmilovať sa have mercy
zmiznúť disappear, vanish
zmĺknuť become silent
zmoknúť get wet
zmraziť chill, freeze
zmrzlina ice cream
zmrznúť freeze up
zmúdrieť grow wise
zmýliť sa make a mistake
značka mark, road sign *dopravná*
znak sign, mark
znamienko little sign • *birth mark* materské znamienko
známka stamp, mark *školská*
známkovať give marks
známosť friendship *priateľstvo*

známy known, famous
znázornenie illustration
znázorniť illustrate
zničiť destroy, demolish
znieť sound
znova again, once more • *time after time* znova a znova
zobák bill, beak
zobať peck
zobudiť wake up
zoči-voči face to face
zodpovedný responsible
zohriať sa warm
zomlieť grind up
zomrieť decease, die
zoológ zoologist
zosobášiť sa marry
zostať stay
zostreliť shoot down
zostrojiť construct
zošalieť go mad
zošediviet' become grey
zošit notebook, exercise-book *školský*
zošiť sew together
zotmieť sa get dark
zoznam directory *telefónny*, roll *menoslov*
zoznámiť introduce to *s*
zoznámiť sa meet
zôkol-vôkol all around
zrada betrayal
zradiť betray
zrak sight
zraniť injure, hurt *duševne*
zraziť sa collide with s
zrazu all of a sudden, suddenly
zrážka **1.** crash *náraz*, accident *dopravná* **2.** conflict *bojová*
zrejme apparently, evidently
zrejmý evident
zriedka rarely, seldom
zriedkavý rare
zrkadlo mirror
zrno corn, grain *obilie*
zrúcanina ruin
zrúcať pull down, demolish
zručný handy
zrýchliť speed up
zub tooth
zúčastniť sa take part in, participate in
zúfalý desperate

zúriť rage
zúrivý raging, furious
zväčša mostly
zväz league
zväzok bunch *kľúčov*
zvedavý curious
zver wild animals *divá*, beasts *dravá*
zverinec zoo
zverolekár *hovor.* vet
zviazať tie together, knot together *uzlami*
zviera animal, cattle *dobytok*
zvislý vertical
zvlášť especially, particularly
zvláštny particular, strange
zvon bell
zvoniť ring, jingle *zvonček*
zvonka from the outside
zvrchu from above, from the top
zvuk sound
zvyčajne usually
zvyčajný usual
zvyk habit, custom
zvyknúť si accustom, get used to *na*
zvýšiť lift
zvyšok rest

žaba frog
žalostný grievous, piteous
žalúdok stomach
žalúzia jalousie
žart fun, joke vtip
žartovať joke
žať harvest, mow *trávu*
žatva harvest
žblnkať ripple
že that • *I know that ...* Viem, že...
žehlička iron
žehliť iron • *ironing board* žehliaca doska
žehnať bless
želať si wish
železiareň ironworks
železnica railway • *on the railway* na železnici
železničný railway • *railway-ticket* železničný lístok
železný iron • *iron ore* železná ruda
železo iron
žemľa roll, bun
žena woman, wife *manželka* • *maiden* slobodná žena • *housewife* žena v domácnosti
ženatý married
ženích bridegroom
ženiť sa marry
žeravý red-hot
žeriav crane, derrick
žiačka school-girl
žiadať adjure *naliehavo*, apply
žiadateľ applicant
žiadny not a one, no one, no
žiadosť wish, application
žiak pupil, school-boy
žiaľ sorrow, grief
žialiť grieve
žiara light, glare *svetlo*
žiariť glare *svetlo*, shine
žiarovka bulb
žihadlo sting
žihľava nettle
žila vein
žiletka blade
žinenka horsehair mattress
žirafa giraffe
žiť live, be living, exist

žito rye
živiť feed *kŕmiť*, keep
živočích animal
živočíšny carnal • *species* živočíšny druh
život life, existence • *for life* po celý život • *busy life* rušný život
životopis biography, curriculum vitae
životopisný biographical
životospráva way of living
živý alive, living *žijúci* • *hedge* živý plot
žĺtok yolk
žltý yellow
žmúriť blink, twinkle
žmýkať wring
žobrák beggar
žobrať beg for
žralok shark
žrať eat, feed *požierať*
žrebec stallion
žriebä foal
žumpa septic
župan bathrobe
žurnalista journalist
žurnalistika journalism
žuť chew
žuvačka bubble gum

ZOZNAM NEPRAVIDELNÝCH SLOVIES

verb	past tense	past participle
abide	abided, abode	abided
arise	arose	arisen
awake	awoke, awakened	awoken
bear	bore	borne
beat	beat	beaten
become	became	become
befall	befell	befallen
beget	begot	begotten
begin	began	begun
behold	beheld	beheld
bend	bent	bent
bereave	bereft, bereaved	bereft, bereaved
beseech	besought, beseeched	besought, beseeched
beset	beset	beset
bestride	bestrode	bestridden
bet	bet, betted	bet, betted
betake	betook	betaken
bid	bade, bid	bid, bidden
bind	bound	bound
bite	bit	bitten
bleed	bled	bled
bless	blessed, blest	blessed, blest
blow	blew	blown

break	broke	broken
breed	bred	bred
bring	brought	brought
broadcast	broadcast	broadcast
browbeat	browbeat	browbeaten
build	built	built
burn	burned, burnt	burned, burnt
burst	burst	burst
bust	bust	bust
buy	bought	bought
can	see dictionary	
cast	cast	cast
catch	caught	caught
chide	chided, chid	chid, chidden
choose	chose	chosen
cleave	cleaved, cleft	clove, cleaved, cleft
cling	clung	clung
come	came	come
cost	cost	cost
could	see dictionary	
creep	crept	crept
cut	cut	cut
deal	dealt	dealt
dig	dug	dug
dive	dived	dived
do	did	done

draw	drew	drawn
dream	dreamed, dreamt	dreamed, dreamt
drink	drank	drunk
drive	drove	driven
dwell	dwelt, dwelled	dwelt, dwelled
eat	ate	eaten
fall	fell	fallen
feed	fed	fed
feel	felt	felt
fight	fought	fought
find	found	found
flee	fled	fled
fling	flung	flung
fly	flew	flown
forbid	forbade	forbidden
forecast	forecast	forecast
foresee	foresaw	foreseen
foretell	foretold	foretold
forget	forgot	forgotten
forgive	forgave	forgiven
forego	forewent	foregone
foresake	forsook	forsaken
forswear	forswore	forsworn
freeze	froze	frozen
gainsay	gainsaid	gainsaid
get	got	got

gird	girded, girt	girded, girt
give	gave	given
go	went	gone
grind	ground	ground
grow	grew	grown
hamstring	hamstring	hamstringed
hang	hung, hanged	hung, hanged
have	had	had
hear	heard	heard
heave	heaved, hove	heaved, hove
hide	hid	hidden, hid
hit	hit	hit
hold	held	held
hurt	hurt	hurt
input	inputted, input	inputted, input
inset	inset	inset, insetted
interbreed	interbred	interbred
interweave	interwove	interwoven
keep	kept	kept
kneel	knelt	knelt
knit	knitted, knit	knitted, knit
know	knew	known
lay	laid	laid
lead	led	led
lean	leaned, leant	leaned
leap	leapt	leapt

learn	learned, learnt	learned, learnt
leave	left	left
lend	lent	lent
let	let	let
light	lit, lighted	lit, lighted
lose	lost	lost
make	made	made
may	see dictionary	
mean	meant	meant
meet	met	met
might	see dictionary	
miscast	miscast	miscast
mishear	misheard	misheard
mislay	mislaid	mislaid
mislead	misled	misled
misread	misread	misread
misspell	misspelt	misspelt
misspend	misspent	misspent
mistake	mistook	mistaken
misunderstand	misunderstood	misunderstood
mow	mowed	mown, mowed
outbid	outbid	outbid
outdo	outdid	outdone
outgrow	outgrew	outgrown
outride	outrode	outridden
outrun	outran	outrun

outsell	outsold	outsold
outshine	outshone	outshone
overbear	overbore	overborne
overcast	overcast	overcast
overcome	overcame	overcome
overdo	overdid	overdone
overdraw	overdrew	overdrawn
overeat	overate	overeaten
overhang	overhung	overhung
overhear	overheard	overheard
overlay	overlaid	overlaid
overload	overloaded	overloaded, overladen
overpay	overpaid	overpaid
override	overrode	overridden
overun	overan	overun
oversee	oversaw	overseen
oversell	oversold	oversold
overshoot	overshot	overshot
oversleep	overslept	overslept
overtake	overtook	overtaken
overthrow	overthrew	overthrown
partake	partook	partaken
pay	paid	paid
plead	pleaded	pleaded
pre-set	pre-set	pre-set
proofread	proofread	proofread

prove	proved	proved
put	put	put
read	read	read
rebind	rebound	rebound
rebuild	rebuilt	rebuilt
recast	recast	recast
redo	redid	redone
relay	relaid	relaid
remake	remade	remade
rend	rent	rent
repay	repaid	repaid
rerun	reran	rerun
resell	resold	resold
reset	reset	reset
resit	resat	resat
rethink	rethought	rethought
rewind	rewound	rewound
rewrite	rewrote	rewriten
rid	rid, ridded	rid, ridded
ride	rode	ridden
ring	rang	rung
rise	rose	risen
run	ran	run
saw	sawed	sawn, sawed
say	said	said
see	saw	seen

seek	sought	sought
sell	sold	sold
send	sent	sent
set	set	set
sew	sewed	sewn, sewed
shake	shook	shaken
shall	see dictionary	
shear	sheared	shorn, sheared
shed	shed	shed
shine	shone, shined	shone, shined
shit	shit, shat	shit, shat
shoe	shod	shod
shoot	shot	shot
should	see dictionary	
show	showed	shown, showed
shrink	shrank, shrunk	shrunk
shut	shut	shut
sing	sang	sung
sink	sank, sunk	sunk
sit	sat	sat
slay	slew	slain
sleep	slept	slept
slide	slid	slid
sling	slung	slung
slink	slunk	slunk
slit	slit	slit

smell	smelt	smelt
smite	smote	smitten
sow	sowed	sown, sowed
speak	spoke	spoken
speed	sped	sped, speeded
spell	spelt	spelt
spend	spent	spent
spill	spilt	spilt
spin	spun, span	spun
spit	spat	spat
split	split	split
spoil	spoiled, spoilt	spoiled, spoilt
spoon-fed	spoon-fed	spoon-fed
spotlight	spotlighted	spotlighted
spread	spread	spread
spring	sprang	sprung
stand	stood	stood
steal	stole	stolen
stick	stuck	stuck
sting	stung	stung
stink	stank, stunk	stunk
strew	strewed	strewn, strewed
stride	strode	stridden
strike	struck	struck
string	strung	strung
strive	strove	striven, strived

swear	swore	sworn
sweep	swept	swept
swell	swelled	swollen, swelled
swim	swam	swum
swing	swung	swung
take	took	taken
teach	taught	taught
tear	tore	torn
tell	told	told
think	thought	thought
thrive	thrived, throve	thrived
throw	threw	thrown
thrust	thrust	thrust
tread	trod	trodden, trod
unbend	unbent	unbent
unbind	unbound	unbound
underlie	underlay	underlaid
undersell	undersold	undersold
understand	understood	understood
undertake	undertook	undertaken
underwrite	underwrote	underwritten
undo	undid	undone
unwind	unwound	unwound
uphold	upheld	upheld
upset	upset	upset
wake	woke, waked	woken, waked

wear	wore	worn
weave	wove	woven
wed	wedded, wed	wedded, wed
weep	wept	wept
wet	wetted, wet	wetted, wet
will	see dictionary	
win	won	won
wind	wound	wound
withdraw	withdrew	withdrawn
withold	witheld	witheld
withstand	withstood	withstood
would	see dictionary	
wreak	wreaked, wrought	wreaked, wrought
wring	wrung	wrung
write	wrote	written

NIEKTORÉ GRAMATICKÉ ČASY

Present Tense

I write
You write
He writes

We write
You write
They write

Continuous Tense

I am writing
You are writing
He is writing

We are writing
You are writing
They are writing

Past Tense

I wrote
You wrote
He wrote

We wrote
You wrote
They wrote

Past Continuous Tense

I was writing
You were writing
He was writing

We were writing
You were writing
They were writing

Present Perfect

I have written
You have written
He has written

We have written
You have written
They have written

Past Perfect

I had written
You had written
He had written

We had written
You had written
They had written

Future Tense

I will write
You will write
He will write

We will write
You will write
They will write

Future Continuous

I will be writing
You will be writing
He will be writing

We will be writing
You will be writing
They will be writing

ČÍSLOVKY

0 ZERO
1 ONE
2 TWO
3 THREE
4 FOUR
5 FIVE
6 SIX
7 SEVEN
8 EIGHT
9 NINE
10 TEN

11 ELEVEN
12 TWELVE
13 THIRTEEN
14 FOURTEEN
15 FIFTEEN
16 SIXTEEN
17 SEVENTEEN
18 EIGHTEEN
19 NINETEEN

20 TWENTY
21 TWENTY-ONE
22 TWENTY-TWO
23 TWENTY-THREE
24 TWENTY-FOUR
25 TWENTY-FIVE
26 TWENTY-SIX
27 TWENTY-SEVEN
28 TWENTY-EIGHT
29 TWENTY-NINE

30 THIRTY
40 FORTY
50 FIFTY
60 SIXTY
70 SEVENTY
80 EIGHTY
90 NINETY
100 ONE HUNDRED

1000 ONE THOUSAND

poznámky